Deutsch als Fremdsprache für Fortgeschrittene

LEHRBUCH

Albert Daniels
Christian Estermann
Renate Köhl-Kuhn
Ilse Sander
Ellen Butler
Ulrike Tallowitz

Ernst Klett Sprachen
Barcelona Belgrad Budapest Ljubljana
London Posen Prag Sofia Stuttgart Zagreb

Unterrichtssymbole in Mittelpunkt B2

1, 6 Verweis auf CD und Tracknummer

→GI prüfungsrelevanter Aufgabentyp: Goethe-Zertifikat B2

→TELC prüfungsrelevanter Aufgabentyp: telc Deutsch B2, ehemals: Zertifikat Deutsch Plus

Mittelpunkt B2

Deutsch als Fremdsprache für Fortgeschrittene
Lehrbuch

von Albert Daniels, Christian Estermann, Renate Köhl-Kuhn, Ilse Sander, Ellen Butler;
Ulrike Tallowitz (Grammatik)

1. Auflage 1 7 6 5 4 | 2011 2010 2009 2008

Alle Drucke dieser Auflage können nebeneinander benutzt werden, sie sind untereinander unverändert. Die letzte Zahl bezeichnet das Jahr des Druckes.

Internet: www.klett-edition-deutsch.de, www.klett.de/mittelpunkt
E-Mail: edition-deutsch@klett.de

Redaktion: Alicia Padrós, Angela Fitz, Iris Korte-Klimach
Layout und Herstellung: Katja Schüch, Jasmina Car
Illustrationen: Jani Spennhoff
Satz: Jürgen Rotfuß, Neckarwestheim
Druck: Druckerei Interak, Printed in Poland

ISBN: 978-3-12-676600-5

Arbeiten mit **Mittelpunkt B2**

Mittelpunkt B2 ist der Beginn einer neuen Lehrwerksgeneration. Alle Lernziele und Inhalte leiten sich konsequent aus den Kannbeschreibungen (Niveau B2) des Gemeinsamen Europäischen Referenzrahmens für Sprachen ab. Das führt zu Transparenz im Lernprozess und zu internationaler Vergleichbarkeit der Ergebnisse. Mit diesem neuen Ansatz sollen sich die Neugier auf die andere Kultur und das persönliche Einbringen der eigenen Werte und Vorstellungen verbinden.

Mittelpunkt B2 ist in zwölf Lektionen mit Themen aus Alltag und Beruf gegliedert. Jede Lektion ist wiederum in sechs Lerneinheiten (jeweils eine Doppelseite) aufgeteilt. Diese übersichtliche Portionierung der Lernsequenzen fördert Ihre Motivation als Lerner und erleichtert die Unterrichtsplanung.

Die Ableitung der Inhalte aus dem Referenzrahmen sehen Sie gleich auf den ersten Blick:

- Auf der ersten Doppelseite jeder Lektion finden Sie die Rubrik „Was Sie in dieser Lektion lernen können".
- Die Lernziele jeder Lerneinheit werden zudem auf der jeweiligen Doppelseite rechts oben in der Orientierungsleiste aufgeführt. Diese Form der Transparenz bietet Ihnen und den Kursleitern / -innen eine schnelle Orientierung und einfache Zuordnung der Aufgaben zu den Kannbeschreibungen.

Lesen
Sprechen

- Zu jeder Aufgabe finden Sie außerdem in der Marginalspalte Hinweise auf die trainierten Fertigkeiten, also z. B. Lesen und Sprechen.

Formen und
Strukturen
S. 155

- Bei den Aufgaben zur Grammatik oder Wortbildung erhalten Sie unter dem Stichwort „Formen und Strukturen" einen Seitenverweis auf die entsprechende Erklärung in der Referenzgrammatik im Anhang des Lehrbuchs.

Hören 1,6

- Bei Hörtexten ist die passende CD samt Tracknummer angegeben, z. B. CD 1, Track 6.

Beispiel:
In Lektion 1 finden Sie in der Lerneinheit „Urlaubsreisen"
(S. 10/11) folgende Orientierungsleiste:

Anzeigen verstehen; Ansichten begründen und verteidigen; längeren Gesprächen folgen

In Aufgabe 1 ordnen Sie Personen mit unterschiedlichen Interessen Reiseangebote in Anzeigeform zu und begründen Ihre Entscheidung. Damit erfüllen Sie sowohl das Lernziel „Anzeigen verstehen" als auch „Ansichten begründen und verteidigen". Im Anschluss hören Sie eine Diskussion einer Familie über mögliche Reiseziele und überlegen, welches der Reiseangebote zu den unterschiedlichen Familienmitgliedern bzw. zur gesamten Familie passen könnte. Damit folgen Sie einem längeren Gespräch und begründen und verteidigen noch einmal Ihre Ansichten.

Lernziel
Anzeigen verstehen;
Ansichten begründen
und verteidigen

Lernziel
längeren Gesprächen folgen;
Ansichten begründen und
verteidigen (noch einmal)

Ein weiteres Plus: Wenn Sie mit **Mittelpunkt B2** lernen, werden Sie auch mit den Aufgabenformaten der B2-Prüfung des Goethe-Instituts (*Goethe-Zertifikat B2*) und von TELC (*telc Deutsch B2*, ehemals: *Zertifikat Deutsch Plus*) vertraut gemacht: Die prüfungsrelevanten Aufgabentypen finden Sie immer wieder im Lehrbuch eingestreut, sodass Sie sie wie von selbst trainieren. Um Ihnen die Übersicht hierzu zu erleichtern, sind solche Aufgaben mit einem Symbol versehen:

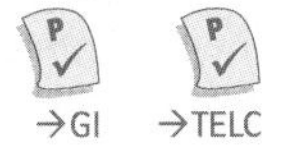

Viel Spaß und Erfolg bei der Arbeit mit **Mittelpunkt B2** wünschen Ihnen der Verlag und das Autorenteam!

Inhalt

1 Reisen

1 Reisebilder

Sprechen

a Sprechen Sie zu zweit über die Bilder. Überlegen Sie sich mindestens zwei Fragen zu jedem Bild und versuchen Sie gemeinsam, Antworten zu finden.

b Was meinen die anderen im Kurs?

2 Sprüche übers Reisen

Lesen
Sprechen

a Lesen Sie die Sprüche gemeinsam. Sind Sie mit allem einverstanden? Warum (nicht)? Sprechen Sie zu zweit darüber und berichten Sie dann im Kurs.

Erst die Fremde lehrt uns,
was wir an der Heimat haben.
Theodor Fontane (1819–1898)

Ich stelle mir bisweilen vor,
wenn ich durch die Straßen gehe,
ich sei ein Fremder,
und erst dann entdecke ich,
wie viel zu sehen ist,
wo ich sonst achtlos vorübergehe.
Rabindranath Tagore (1861–1941)

Die Welt ist ein Buch, von dem man nur die erste Seite gelesen hat, wenn man nur sein Land gesehen hat.
Fougeret de Moubron (1706–1760)

Den Toren packt die Reisewut, indes im Bett der Weise ruht.
Sprichwort

Wenn ein Reisender nach Hause zurückkehrt, soll er nicht die Bräuche seiner Heimat eintauschen gegen die des fremden Landes. Nur einige Blumen, von dem, was er in der Ferne gelernt hat, soll er in die Gewohnheiten seines eigenen Landes einpflanzen.
Francis Bacon (1561–1626)

Liebst Du Dein Kind, so schicke es auf Reisen.
Indisches Sprichwort

b Sehen Sie Verbindungen zwischen den Sprüchen und den Bildern in Aufgabe 1? Tauschen Sie sich zu zweit aus und sprechen Sie dann im Kurs darüber.

c Kennen Sie andere Sprüche?

3 Reisemotive

Lesen
Sprechen

a Was glauben Sie, welches sind die Hauptreisemotive der Deutschen? Ordnen Sie die Prozentzahlen zu.

	besonders wichtig
Kultur, Bildung	56%
aktiv Sport treiben	7%
Entspannung, kein Stress	21 %
frei sein, Zeit haben	34%
Entdeckung, Risiko	9%
ausruhen, faulenzen	14%
Gesundheit	6%
Leute kennen lernen	63%
Flirten, Erotik	39%

b Und Sie? Warum reisen Sie eigentlich? Tauschen Sie sich miteinander aus und berichten Sie dann im Kurs.

Was ist der wichtigste Grund für dich, ... zu ... | Und am zweitwichtigsten? | Was ist dir am wenigsten wichtig? | Was steht bei dir im Vordergrund, wenn ...

Der Hauptgrund dafür ist ... | Das wichtigste Motiv, warum ich ... | Ich möchte / würde am liebsten ... | Gleich danach kommt ...

4 Reisepläne

Hören 1, 1
Sprechen

Hören Sie das Gespräch im Haus von Familie Funke, sprechen Sie darüber und versuchen Sie, eine Lösung zu finden!

Ich glaube, ... | Ich denke, ... | Ich meine ... | Vielleicht könnten sie ... | Ich habe den Eindruck, sie ... | Es wäre gut, wenn ... | Sie können sich nicht einigen, weil ... | Sie sollten ...

Was Sie in dieser Lektion lernen können:

- sich an Gesprächen und Diskussionen beteiligen sowie eigene Ansichten begründen und verteidigen
- längeren Gesprächen zu aktuellen, interessanten Themen folgen
- Anzeigen zu Themen eines Fach- oder Interessengebiets verstehen
- Erfahrungen, Ereignisse, Einstellungen darlegen und die eigene Meinung mit Argumenten stützen
- in Korrespondenz die wesentlichen Aussagen verstehen
- komplexere Abläufe beschreiben
- in Texten Informationen, Argumente oder Meinungen ziemlich vollständig verstehen
- über aktuelle oder abstrakte Themen sprechen und Gedanken und Meinungen dazu äußern
- Sachverhalte systematisch erörtern sowie wichtige Punkte und relevante Details hervorheben

1 Urlaubsreisen

1 Wer fährt wohin?

Lesen

→GI / TELC

a Findet jede Person ein geeignetes Reiseziel? Notieren Sie den passenden Buchstaben.

1. Andrea Reuter (29), Bankangestellte in München ☐
   Ihr Hobby ist Bergwandern. Leider kommt sie kaum dazu. Im Urlaub möchte sie viel Bewegung und frische Luft. Sie möchte möglichst nicht weit fahren, aber auch nicht fliegen.
2. Ina Steiger (36), Abteilungsleiterin in einer Exportfirma ☐
   In ihrem Job hat sie gewöhnlich mindestens 10-Stunden-Tage. Im Urlaub möchte sie nichts anderes tun als sich erholen, gut essen und ein bisschen Sport treiben.
3. Holger Fürst (53), Pharmavertreter ☐
   Er ist ständig unterwegs - von einem Ort zum anderen. Aber meistens hat er keine Zeit, diese Orte richtig kennen zu lernen. Deshalb macht er gern Städtereisen und erholt sich für den Rest des Urlaubs zu Hause. Allerdings legt er Wert darauf, dass er mindestens fünf Tage in der jeweiligen Stadt verbringen kann und nicht viel Geld ausgeben muss.
4. Max Orthwin (48), Manager ☐
   Er möchte im Urlaub etwas Besonderes erleben und liebt es, an seine Grenzen zu gehen. Und je exotischer der Ort, desto besser.
5. Herbert Siebertz (33), Pianist ☐
   Er ist sehr oft mit seinem Orchester unterwegs und führt ein ziemlich anstrengendes Leben. Deshalb möchte er im Urlaub möglichst viel an der frischen Luft sein, ohne sich zu sehr anstrengen zu müssen. Am liebsten würde er eine gemütliche Radtour machen, z. B. entlang der Donau.

A

Überlebenstraining in Surinam

Ein außergewöhnliches Abenteuer wartet im tiefen Dschungel von Guyana bzw. Surinam auf Sie. Entscheiden Sie selbst, ob Sie belastbar sind oder die Grenzen Ihrer Leistungsfähigkeit kennen lernen wollen. Wenn ja, liegen Sie bei uns richtig!
Preis für das 14-tägige Survival-Training: 2.550,– € p. P. Leistungen: Flug von vielen Flughäfen Europas via Amsterdam nach Paramaribo und zurück. Alle Transfers, drei oder vier Nächte in Paramaribo inkl. Frühstück, Instruktionen und Survival-Trip.

B

Namibia & Südafrika

13-tägige Kombinationsreise in Mittelklassehotels inkl. Frühstück und Wüstenfahrt in der Kalahari-Wüste, ab 1399,– €. Faszinierende, bizarre und endlos weite Landschaften der Namib-Wüste erwarten Sie. Die spannenden Kontraste des Landes werden Sie beeindrucken.

C

Weimar und die deutsche Klassik

für 1.500,- Euro im Luxushotel
1. Tag: Anreise (bis 18 Uhr)
2. Tag: Das dichterische Weimar – Rundgang mit Besuch des Goethehauses und des Schillerhauses und vieles mehr
3. Tag: Das höfische Weimar – Rundgang vom historischen Markt bis zum Schlösserbereich, dem politischen Zentrum der Weimarer Klassik. Besichtigung der Herzogin-Anna-Amalia-Bibliothek. Vorbei am Haus der Frau von Stein geht es zu Goethes Gartenhaus. Nach einem kurzen Besuch können Sie sich im malerischen Park an der Ilm entspannen und sich auf eine Abendvorstellung im Deutschen Nationaltheater freuen.
4. Tag: Zeit für einen Tagesausflug z. B. zu den Schlössern der Umgebung
5. Tag: Abreise (morgens)

D

Von Oberstdorf nach Meran – zu Fuß über die Alpen –
7-tägige Trekkingtour

Diese Wanderung führt auf einem besonders beliebten und abwechslungsreichen Abschnitt des E5 von Oberstdorf an der Alpennordseite nach Meran an der Alpensüdseite.

- Gipfelglück in 3.000 m Höhe
- Hüttenerlebnisse in gemütlicher Atmosphäre
- Übernachtung in Alpenvereinshütten und Pensionen

Routenverlauf: Oberstdorf – Kemptener Hütte – Holzgau (Lechtal) – Memminger Hütte – Seescharte – Zams (Inntal) – Pitztal – Braunschweiger Hütte – Rettenbachjöchl – Vent – Similaunhütte – Schnalstal – Meran

Teilnehmeranzahl: mindestens 6 Personen; höchstens 12 Personen

E

Herbst – Topangebot: Goldene Herbstwochen

7 Tage mit ¾-Verwöhnpension:
742 Euro pro Person
in der traumhaften Suite DELUXE
Immer inklusive: Hallenschwimmbad, Freibad, riesige Saunawelt mit 6 Saunen, Wassergymnastik, Yoga, Mountainbikes, großes neues Fitness-Center, Hotspot (Wireless Lan) im Haus

F

3 Tage Zürich

3-Sterne-Hotel inkl. Frühstück und Zürich-Card ab 99 €. Erleben Sie die heimelige Altstadt und verweilen Sie an einem der einmaligen Aussichtspunkte, z. B. am Lindenhof. Zahlreiche Museen warten auf Ihren Besuch – oder bummeln Sie einfach über die berühmte Bahnhofsstraße mit ihren exklusiven Geschäften. Auch das Nachtleben der Metropole bietet für jeden Geschmack etwas. Auf Wunsch kann der Aufenthalt auch auf 5 volle Tage verlängert werden.

Steiermark/Österreich

6-tägiger Wellnessurlaub im 4-Sterne-Schlosshotel inkl. Frühstück und 3 x Abendessen ab 399 €. Ihr Urlaubsort: Fohnsdorf – zwischen Graz und Klagenfurt – in verkehrsgünstiger, aber doch ruhiger Lage. Freizeit- und Wellnessangebot: In der kürzlich eröffneten Sauna-Oase vergessen Sie den Alltag und tauchen ein in die Welt der Entspannung. Die Oase verfügt über finnische Sauna, Dampfkammer und Ruhebereich.

Sprechen

b Begründen Sie Ihre Zuordnung.

Das Angebot … passt am besten / nicht zu Frau / Herrn …, weil sie / er … | Außerdem … | Darüber hinaus …

2 Welches der Reiseangebote passt am besten zu welchem Familienmitglied?

Hören 1,1
Sprechen

Hören Sie noch einmal das Gespräch der Familie Funke von Seite 9 an und diskutieren Sie zu zweit die möglichen Zuordnungen.

3 Was tun im Urlaub?

Sprechen

Ein Ratespiel für den Kurs.

Schreiben Sie auf einen Zettel Ihre drei wichtigsten Beschäftigungen im Urlaub. Alle Zettel werden auf dem Tisch gesammelt. Dann zieht jeder einen Zettel und versucht, den Schreiber des Zettels durch Fragen herauszufinden. Dabei bewegen Sie sich alle frei im Raum. Fragen können sein: „Was machen Sie am liebsten / am häufigsten …?" „Interessierst du dich am meisten für …?" „Ist deine Lieblingsbeschäftigung …?"

1 Wenn einer eine Reise tut ...

1 Reiseplanung in der Wohngemeinschaft – zwei Gespräche

Hören 1, 2
Schreiben

a Hören Sie das erste Gespräch. Wie beurteilen Sie das Gespräch? Machen Sie auch Notizen.

Susanne, Carla, Peter und Jens wohnen in einer Wohngemeinschaft. Sie wollen zusammen in Urlaub fahren. Leider hat jeder ganz unterschiedliche Vorstellungen darüber, wo es hingehen soll. Sie haben sich zusammengesetzt, um eine Lösung zu finden.

Ich finde das Gespräch ☐ harmonisch ☐ kontrovers ☐ aggressiv

Name	er / sie mag	er / sie mag nicht
Susanne		

Hören 1, 3
Sprechen

b Hören Sie nun eine Variante des Gesprächs. Versuchen Sie herauszufinden, welches die Hauptunterschiede sind.

Lesen
Schreiben

c Lesen Sie dann die Variante im Arbeitsbuch und notieren Sie die Ausdrücke, die für die Gesprächsführung wichtig sind.

d Verbessern Sie dann im Arbeitsbuch die Gesprächsführung in der anschließenden Übung.

2 Eine kontroverse Diskussion

Sprechen

a Sie wollen zu viert in Urlaub fahren. Aber leider hat jeder andere Vorstellungen davon, was ein gelungener Urlaub ist. Versuchen Sie, die anderen von Ihren Ideen zu überzeugen. Einige von Ihnen sind Zuschauer bei der Diskussion.

Bereiten Sie sich auf die Diskussion vor: Notieren Sie zunächst Ihre Vorstellungen. Schreiben Sie dann Rollenkarten: Wer sind Sie? Wie alt sind Sie? Was machen Sie beruflich? Was sind Ihre Hobbys? Sammeln Sie Argumente für Ihre Rolle.

Ich finde / bin überzeugt, dass ... | Ich bin der Meinung / der Ansicht / der Auffassung, dass ... | Meiner Ansicht nach ... | Entschuldige, wenn ich dich unterbreche ... | Könntest du das bitte noch mal erklären. | Entschuldigung, ich habe dich nicht ganz verstanden ... | Du meinst also, dass ... | Habe ich dich richtig verstanden, du meinst / möchtest / hast vor ... | Ich verstehe zwar, warum du das sagst, auf der anderen Seite könnten wir aber vielleicht auch ... | Wie wäre es denn, wenn ... | Dein Vorschlag ist gut, vielleicht könnten wir außerdem noch die Idee von ... aufgreifen.

b Besprechen Sie, wie die Diskussion gelaufen ist. Was fanden Sie gut? Was könnte man verbessern: inhaltlich, sprachlich?

c Tauschen Sie Ihre Erfahrungen in der Gruppe aus.

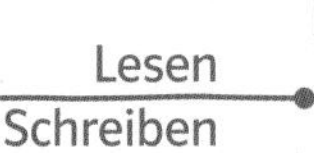

3 Wenn einer eine Reise tut, dann kann er was erzählen

Lesen
Schreiben

a Lesen Sie Carlas E-Mail an eine Freundin und notieren Sie den Ablauf des ersten Tages.

Die Studenten der Wohngemeinschaft sind schließlich doch nicht alle zusammen in Urlaub gefahren. Carla war mit Jens in Griechenland. Sie schreibt nach der Rückkehr an eine Freundin über ihren ziemlich ungewöhnlichen Urlaubsanfang.

Wer?	Wann?	Was?/Wo?
Carla und Jens	*1. Tag: gegen 16 Uhr*	*Ankunft – Hafenstadt*
C. und J. + Hotelangestellte	*ca. 18 Uhr*	*Gespräch – ...*

Liebe Pia,

wie du weißt, hatten wir ja diesmal über ein Reisebüro gebucht: Ein ruhiges Hotel, abseits des Touristenalltags, wir wollten einfach nur ausspannen.
Wir kamen gegen 16 Uhr im Hafen an. Von dort ging es mit dem Taxi weiter. Zuerst etwa 10 km auf einer halbwegs asphaltierten Landstraße, dann eine ganze Zeit auf einem Schotterweg und schließlich noch etwa 10 Minuten auf einer Staubpiste durch meterhohe Schilfrohralleen. Schließlich sahen wir das Hotel. Es lag total einsam, inmitten von Bäumen und Blumen. Nachdem wir unser Gepäck ins Zimmer gebracht hatten, erkundigten wir uns, wie wir am besten in die Stadt kommen könnten. Die Beschreibung war abenteuerlich: erst ca. 500 m bis zum Meer, dann etwa einen Kilometer am Strand entlang, danach rechts durch die Dünen zur Endhaltestelle des Busses. Der brauche 45 Minuten bis ins Zentrum. Abends das Gleiche umgekehrt. Wir sollten uns am besten eine Taschenlampe besorgen. Wir könnten aber auch für 20 Euro am Tag die Hotelfahrräder für die Fahrt bis zur Bushaltestelle ausleihen. Tja, das taten wir dann.
Gegen 21 Uhr machten wir uns auf den Rückweg, obwohl wir den Weg im Dunkeln gar nicht mehr wiedererkannten. Wir fuhren einfach los – und verfuhren uns ständig. Gegen 22.30 klopften wir schließlich genervt an die Tür eines Hauses, wo wir noch Licht sahen. Der Mann, der uns öffnete, kannte zwar das Hotel, den Weg dorthin könne er uns jedoch nicht erklären, besonders nicht in der Dunkelheit. Er bot uns aber an, dass wir für 30 € bei ihm übernachten könnten. Fast verzweifelt machten wir kehrt. Eine äußerst hilfsbereite Dame in einem in der Nähe liegenden Hotel brachte schließlich die Rettung. Sie rief einen Taxifahrer an. Der beschrieb ihr alles, sie erklärte es uns anschließend auf Englisch und gab uns einen Notizzettel mit den wichtigsten Informationen mit und so kamen wir endlich – wenn auch wieder über Feldwege, Schotterstraßen und Staubpisten – gegen 23.30 Uhr ziemlich erschöpft und ärgerlich im Hotel an. Am nächsten Tag zogen wir um.

Herzliche Grüße und bis bald
Carla

Schreiben
Sprechen

b Fassen Sie nun anhand Ihrer Notizen den Text kurz zusammen. Tragen Sie dann Ihre Zusammenfassung in einer Minute einem Partner/einer Partnerin vor. Sie können im Perfekt erzählen.

Benutzen Sie folgende Wörter: dort, deshalb, aber, zuerst, dann, danach, schließlich.

c Geben Sie sich gegenseitig Feedback: Was war klar, was nicht so klar? Was könnte man sprachlich verbessern?

d Halten Sie einen kleinen Vortrag, in dem Sie von einer Reise erzählen, die Sie einmal gemacht haben und die Ihnen besonders gut oder gar nicht gut gefallen hat. Schauen Sie sich zur Vorbereitung im Arbeitsbuch die Tipps dazu an.

1 Mobilität im globalen Dorf

1 Nomaden der Neuzeit

Sprechen
Lesen

a Worum könnte es in einem Text mit der Überschrift „Nomaden der Neuzeit" gehen? Überlegen Sie zu zweit oder zu dritt und berichten Sie dann im Kurs.

b Sprechen Sie über die folgenden Textausschnitte: Was fällt Ihnen dazu ein?

A Leitfigur der Moderne ist das „mobile Subjekt" – flexibel, ungebunden, leistungsstark,

B „Mobilität" ist zum Modewort der westlichen Gesellschaft geworden.

C Die einen nehmen täglich lange Fahrzeiten zu ihrem Arbeitsplatz auf sich,

D Andererseits ermögliche Mobilität eine individuelle Autonomie und sei gut für die Persönlichkeitsentwicklung.

E Früher war alles anders. Oder doch nicht? Die Journalistin und Buchautorin Gundula Englisch verfrachtet uns nach 10.000 Jahren Sesshaftigkeit in die Nomadenzeit zurück.

F Das ewige Hin und Her hat bislang fest verankerte Strukturen in Partnerschaft, Familie und öffentlichem Leben ganz schön durcheinandergebracht.

G Und so gibt es Wochenendpendler mit einem zweiten Haushalt am Arbeitsort,

c Lesen Sie nun den ganzen Text und überlegen Sie: Welcher Satz aus Aufgabenteil b leitet jeweils die verschiedenen Abschnitte ein? Achten Sie auch darauf, dass die Sätze gut miteinander verknüpft sind.

Nomaden der Neuzeit

1 [C] *Die einen nehmen täglich ...,* die anderen sind im Job ständig auf Achse. Und dann gibt es noch diejenigen, die gleich an den Arbeitsort gezogen sind, weil er einfach zu weit entfernt ist. Viele von uns sind mächtig in Bewegung, wenn es um Job oder Ausbildung geht. Arbeit macht mobil.

2 [ ] ____________

Wir sind ihrer Meinung nach Jobnomaden, die durch die zivilisierte Wildnis streifen – von Arbeitsplatz zu Arbeitsplatz, von Abenteuer zu Abenteuer. Wir sind die „Generation N": Nomaden, die sich ihre individuelle Existenz aus dem prall gefüllten Baukasten der Wahlmöglichkeiten immer wieder neu zusammenbauen. Gleich den Tuwa-Nomaden in der Mongolei würden wir dabei nomadische Lebensweisen trainieren wie „die Fähigkeit, immer wieder aufzubrechen, wenig Ballast mit sich zu schleppen, lockere Beziehungsnetze zu knüpfen, autark zu sein."

3 [ ] ____________

Es bedeutet Beweglichkeit und Flexibilität. Und die werden bei immer mehr von uns als Persönlichkeitsmerkmale erwartet. Sie sind die zentralen Stichworte der heutigen Arbeitswelt und oftmals die Voraussetzung für beruflichen Erfolg. Sich rasch auf Veränderungen einzustellen, nicht zu fest an Bestehendem festzuhalten, offen für neue Entwicklungen zu sein, ist das Gebot der modernen Ökonomie.

4 [ ] ____________

so der Mainzer Soziologe Norbert Schneider in seiner Studie über „Berufsmobilität und Lebensform". Sich wegen des Jobs in Bewegung setzen zu müssen, das habe es immer schon gegeben. Man denke an die Welle von Auswanderern nach Amerika Ende des 19. Jahrhunderts. „Aber in dieser Ausprägung ist das relativ neu", urteilt Schneider mit Blick auf das Zusammentreffen von Konjunkturflaute, hoher Arbeitslosigkeit und Umbau der Sozialsysteme.

5 [ ] ____________

Fernpendler mit täglichen langen Anfahrtswegen zur Arbeit, Umzugsmobile, die gleich zum Arbeitsort gezogen sind, und Varimobile, sprich Beschäftigte mit mobilen Berufen. Vor allem viele Studenten und Paare unter 30 führen deshalb eine Beziehung auf Distanz. 16 Prozent der bundesdeutschen Erwerbsfähigen, sprich jede sechste Beziehung, ist eine Fernliebe.

6 [ ] ____________

Lebenspläne ändern sich viel schneller als zuvor. Verbindungen werden geschlossen und rasch wieder gelöst. Das hat Folgen. 67 Prozent aller Mobilen zwischen 20 und 49 Jahren, die Soziologe Schneider befragte, klagen über lange, anstrengende Fahrten, den Verlust sozialer Kontakte, Zeitmangel, Entfremdung vom Partner bzw. von der Familie und finanzielle Belastungen. Das ist die eine Seite.

7 [ ] ____________

Dies werde dadurch erleichtert, dass wir heute natürlich über ganz andere Reise- und Kommunikationsmöglichkeiten verfügen, als sie die Menschen noch vor 50 Jahren hatten. Durch billige und schnelle Transportmittel wie Flugzeug oder ICE mit einem gut ausgebauten Streckennetz sowie E-Mail oder Telefon ist Mobilität unkomplizierter und der Zusammenhalt der Menschen auch über größere Entfernungen hinweg einfacher geworden.

Lesen
Schreiben

d Werden die Nomaden der Neuzeit vorwiegend positiv (+) oder negativ (-) beurteilt? Welche Belege gibt es im Text dafür? Handelt es sich eher um Meinungen oder eher um Argumente?

Meinung +	Meinung -	Argument +	Argument -
			Die einen nehmen ... macht mobil. (Abschnitt 1, Z. 1–8)

e Welche zusätzlichen Vor- und Nachteile der modernen Mobilität fallen Ihnen selbst ein? Notieren Sie sie auf Kärtchen.

Sprechen
→TELC

f Diskutieren Sie nun zu zweit über den Artikel „Nomaden der Neuzeit". Greifen Sie dabei auf die Argumente im Text und auf Ihre eigenen zurück. Stützen Sie diese durch eigene Erfahrungen und sprechen Sie über mögliche Lösungen.

g Pinnen Sie die Kärtchen geordnet nach Vor- und Nachteilen an die Wand und sprechen Sie über die Diskussionsergebnisse im Kurs.

2 Schon immer mobil

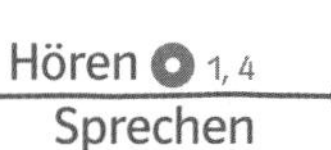

a Marion Nickel (29) hat noch nie länger als fünf Jahre an einem Ort gewohnt und ist mehr als zehnmal in ihrem Leben umgezogen. Welche Gründe könnte es für den Ortswechsel geben?

b Hören Sie jetzt zu, was Marion erzählt, und kreuzen Sie richtig (r) oder falsch (f) an.

1. Marion Nickel kann sich sehr schnell an eine neue Umgebung gewöhnen. r f
2. Mit ihren Kollegen hat sie schon viele Ausflüge gemacht. r f
3. Das Wochenende ist zu kurz, um nach Hause zu fahren. r f
4. Marion hat keine Verbindung zu den alten Freunden. r f
5. Obwohl sie sehr anstrengend sind, findet Marion Ortswechsel gut. r f

c Hören Sie Marions Bericht noch einmal und vergleichen Sie ihre Äußerungen mit den Informationen im Artikel über die „Nomaden der Neuzeit".

d Haben Sie selbst Erfahrung mit „Nomadentum" oder kennen Sie jemanden, der so lebt? Tauschen Sie sich zu dritt oder zu viert aus und berichten Sie dann im Kurs.

1 Wandernde Wörter

1 Sprache im Mittelpunkt: Wie man Informationen in einem Satz unterbringen kann

Hören 1, 5
Schreiben

a Hören Sie den Dialog und notieren Sie die Sätze, die Marion sagt.

Marion telefoniert im Auto über Handy mit ihrem Freund. Aber die Funkverbindung ist katastrophal. Er fragt tausendmal nach und sie muss immer wieder ganze Sätze wiederholen.

Formen und Strukturen S. 155

b Vergleichen Sie nun die folgenden Sätze mit denen, die Sie notiert haben. Stimmen Sie überein? Welche Regel für die Wortstellung können Sie ableiten? Versuchen Sie, die Regel auch grafisch darzustellen.

1. Ich bin … gefahren.
2. Ich bin … ans Meer gefahren.
3. Ich bin heute … ans Meer gefahren.
4. Ich bin heute mit meinen Freunden ans Meer gefahren.

!
1. Das konjugierte Verb steht ______________________.
2. Der zweite Verbteil steht ______________________.

2 Sprache im Mittelpunkt: Die Satzklammer

Formen und Strukturen S. 155

a Wie verändert sich die Wortstellung, wenn man die farbigen Informationen an den Anfang setzt?

Postition 1	Position 2	Mittelfeld	Satzende
Marion	muss	den Flug bis zum Wochenende	buchen.
Den Flug			
Bis zum Wochenende			

b Welche Regeln für die Wortstellung können Sie ableiten?

!
1. Das Subjekt steht auf Position ____________ oder als Erstes im ____________ direkt nach dem ____________.
2. Im ____________ können fast alle anderen Satzglieder stehen (als Wort oder als Wortgruppe).

c Gibt es Bedeutungsunterschiede durch die Änderung der Position? Wenn ja, welche? Diskutieren Sie.

3 Sprache im Mittelpunkt: Wie man Sätze verbinden kann

Formen und Strukturen S. 158

Die „aduso-Wörter" – aber, denn, und, sondern, oder – stehen auf Position 0.

Position 0	Position 1	Position 2	Mittelfeld	Satzende
	Marion	will	mit ihrem Freund in Urlaub	fliegen.
Aber	sie	hat	den Flug noch nicht	gebucht,
denn	gestern	musste	sie bis spät	arbeiten.
Und	am Abend	war	sie nicht zu Hause,	
sondern	(sie)	hat	eine Freudin	besucht.
Oder	vielleicht	war	sie auch im Kino.	

4 Sprache im Mittelpunkt: Nebensätze

Formen und Strukturen S. 159

Tragen Sie die farbigen Sätze in eine Tabelle ein und versuchen Sie, drei Regeln herauszufinden.

Als Marion nach Hamburg kam, hat sie sich gleich wohl gefühlt.
Weil Marion sich schnell einleben kann, haben ihre Ortswechsel gut geklappt.
Da die Wochenenden so kurz sind, war es aber nicht immer leicht.
Nachdem ihr Freund in Rheinfelden eine Stelle gefunden hatte, ist sie dorthin gezogen.

Subjunktion	Mittelfeld	Satzende	Hauptsatz
Als	*Marion nach Hamburg*	*kam,*	*hat sie sich gleich wohl gefühlt.*

!

1. Erstes Wort im Nebensatz: ______________________.
2. Direkt danach: ______________________.
3. Satzende: ______________________

5 Sprache im Mittelpunkt: Seine Meinung mit Argumenten stützen – Gründe im Haupt- und im Nebensatz

Formen und Strukturen S. 159

Analysieren Sie die folgenden Sätze: Welches sind Haupt-, welches Nebensätze? Markieren Sie sie jeweils mit H oder N. Unterstreichen Sie das Wort, das jeweils die Begründung einleitet.

1. Marion kann am Wochenende nicht wegfahren (*H*), weil sie zurzeit sehr viel Arbeit hat (*N*).
2. Da Marion zurzeit sehr viel Arbeit hat (_), kann sie am Wochenende nicht wegfahren (_).
3. Marion hat zurzeit sehr viel Arbeit (_), deshalb kann sie am Wochenende nicht wegfahren (_).
4. Marion kann am Wochenende nicht wegfahren (_), sie hat nämlich zurzeit sehr viel Arbeit (_).
5. Wegen ihrer vielen Arbeit kann Marion am Wochenende nicht wegfahren (_).
6. Marion kann am Wochenende nicht wegfahren (_), denn sie hat sehr viel Arbeit (_).
7. Aufgrund ihrer vielen Arbeit kann Marion am Wochenende nicht wegfahren (_).

6 Sprache im Mittelpunkt: In welchem Teil des Satzes steht jeweils der Grund?

Formen und Strukturen S. 159

Könnte man die Reihenfolge auch ändern? Notieren Sie, wo dies möglich ist und wo nicht.

Satz	1. Teil	2. Teil	Reihenfolge ändern möglich?
1.		X	*Weil Marion zurzeit sehr viel Arbeit hat, kann sie am Wochenende nicht wegfahren.*
2.			
3.			
4.			
5.			
6.			
7.			

1 Arbeiten, wo andere Urlaub machen

Sprechen

1 Am Strand

Was haben diese Bilder mit Arbeit zu tun?

Sprechen

2 Klopf, klopf, liebes Pärchen!

a Was glauben Sie, worum wird es in einem Interview mit dem Titel „Klopf, klopf, liebes Pärchen!“ gehen? Versuchen Sie, die Fragen zu beantworten.

Waltraud Jahnke, 65, lebt im Ostseebad Prerow auf der Halbinsel Fischland-Darß-Zingst. Nach der Wiedervereinigung haben sie und ihr Mann sich mit einem Strandkorbverleih selbstständig gemacht. Eine Journalistin hat Frau Jahnke interviewt und folgende Fragen gestellt:

1. Wie sind Sie eigentlich auf diese Geschäftsidee gekommen?
2. Strandkörbe – sind die nicht typisch deutsch? Wie sind sie eigentlich entstanden?
3. Sind die Strandkörbe nicht ziemlich schwer? Schaffen Sie das als Frau?
4. Gibt es manchmal Probleme mit dem Vermieten?

Hören 1, 6

b Hören Sie das Interview einmal im Ganzen und vergleichen Sie es mit Ihren eigenen Antworten aus Aufgabenteil a.

Hören 1, 6

→TELC

c Hören Sie nun das Interview noch einmal und entscheiden Sie, welche Aussagen zutreffen. Kreuzen Sie richtig (r) oder falsch (f) an.

1.	Vor zehn Jahren haben die Jahnkes mit dem Strandkorbverleih angefangen.	r	f
2.	Vor der Wiedervereinigung hat Frau Jahnke bei der Kurverwaltung gearbeitet.	r	f
3.	Der erste Strandkorb ist ca. 1880 hergestellt worden.	r	f
4.	Die Kinder mögen besonders das Modell „Prince“.	r	f
5.	Die Strandkörbe sind aus Holz.	r	f
6.	Frau Jahnke hat Stammgäste.	r	f
7.	Frau Jahnke sitzt gern in einem Strandkorb und arbeitet.	r	f
8.	Es gibt Kunden, mit denen Frau Jahnke Streit hat.	r	f
9.	Die Kunden mit Decken und Windschutz unter dem Arm mieten meistens einen Korb.	r	f
10.	Frau Jahnke spricht mögliche Kunden von sich aus an.	r	f

Sprechen

d Was halten Sie von der Geschäftsidee der Jahnkes? Bilden Sie zwei Gruppen und sammeln Sie Argumente dafür und dagegen! Versuchen Sie, die anderen von Ihrer Meinung zu überzeugen!

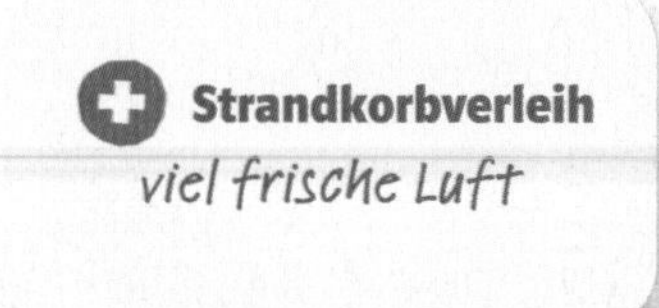

Strandkorbverleih
kurze Saison

3 Die ungleichen Regenwürmer

Lesen
Sprechen

a Lesen Sie den Text und überlegen Sie zu viert, wie er enden könnte. Präsentieren Sie dann Ihre Ideen im Kurs.

> Tief unter einem Sauerampferfeld lebten einmal zwei Regenwürmer und ernährten sich von Sauerampferwurzeln.
> Eines Tages sagte der erste Regenwurm: „Wohlan, ich bin es satt, hier unten zu leben, ich will eine Reise machen und die Welt kennen lernen." Er packte sein Köfferchen und bohrte sich nach oben, und als er sah, wie die Sonne schien und der Wind über das Sauerampferfeld strich, wurde es ihm leicht ums Herz, und er schlängelte sich fröhlich zwischen den Stängeln durch. Doch er war kaum drei Fuß weit gekommen, da ...
> Der zweite Regenwurm hingegen ...

b Vergleichen Sie Ihre Ideen mit der Originalversion im Arbeitsbuch.

4 Die Gewissensfrage

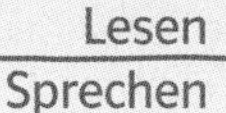

In einer großen Wochenzeitschrift gibt es eine Rubrik, in der Leser ihre „Gewissensfragen" mitteilen und um Rat bitten. Lesen Sie das folgende Beispiel. Welche Antwort würden Sie Herrn M. geben? Präsentieren Sie Ihre Antwort im Kurs.

> Ich habe mich in den letzten zwei Wochen etwa viermal länger wegen einer Reise nach Mittelamerika in einem örtlichen Reisebüro beraten lassen. Die Angestellte war außerordentlich bemüht und hat mich sogar mehrfach zu Hause angerufen, um mir Zusatzinformationen zu geben. Außerdem habe ich mehrere Kataloge mitgenommen. Allerdings habe ich auch im Internet recherchiert und dort eine preisgünstigere Möglichkeit gefunden. Ich habe dann auch über das Internet gebucht und im Reisebüro Bescheid gesagt, dass ich es mir anders überlegt hätte. Jetzt habe ich ein ziemlich schlechtes Gewissen. Hätte ich nicht doch im Reisebüro buchen sollen, obwohl es teurer war?
>
> Robert M., Regensburg

5 Reise durchs Alphabet: Buchstabenrätsel

Schreiben

Bilden Sie aus den neun Buchstaben deutsche Wörter mit mindestens vier Buchstaben. Bedingung: Der grau unterlegte Buchstabe muss immer enthalten sein. Jeder Buchstabe darf pro Wort nur so oft verwendet werden, wie er im Schema enthalten ist. Jeder Buchstabe zählt einen Punkt. Für ein Wort mit allen neun Buchstaben gibt es zwanzig Punkte extra.

Wertung:
über 100 Punkte: ausgezeichnet
85–100 Punkte: sehr gut
60–84 Punkte: gut

E	S	P
L	E	K
I	R	W

Lösungsbeispiele: REISE, ESEL, LEISE

6 Vormittag am Strand

Lesen
Sprechen

Lesen Sie das Gedicht. Gefällt es Ihnen?

> Es war ein solcher Vormittag,
> wo man die Fische singen hörte;
> kein Lüftchen lief, kein Stimmchen störte,
> kein Wellchen wölbte sich zum Schlag.
>
> Nur sie, die Fische, brachen leis
> der weit und breiten Stille Siegel
> und sangen millionenweis
> dicht unter dem durchsonnten Spiegel.
>
> (Christian Morgenstern, 1871–1914)

2 Einfach schön

1 Wer oder was ist schön?

Sprechen

a Arbeiten Sie zu zweit. Wählen Sie ein Foto aus. Was verbinden Sie mit diesem Foto? Was ist auf dem Foto genau zu sehen? Empfinden Sie es als schön? Warum?

b Sprechen Sie im Kurs. Was macht etwas oder jemanden Ihrer Meinung nach schön? Was wurde früher als schön verstanden, was heute? Was gilt in Ihrem Heimatland als schön bzw. hässlich?

c Machen Sie gemeinsam aus Ihren Assoziationen zu dem Begriff „Schönheit" eine Mind-Map. (Ihre Lehrerin kann Ihnen den Begriff „Mind-Map" erklären.)

2 Zitate und Sprüche zum Thema Schönheit

Hören 1, 7-12
Lesen

a Fügen Sie die Zitate und Sprüche richtig zusammen. Hören Sie sich danach zur Kontrolle die Lösung an.

1. Alles, ______
2. Schönheit ______
3. Schönheit ist, ______
4. Schönheit liegt ______
5. Schönheit ist ______
6. Wer ______

schön sein will, muss leiden.

bedeutet Selbstbewusstsein, nach dem wir streben sollten.

was man mit Liebe betrachtet, ist schön.

nach drei Tagen genauso langweilig wie Tugend.

was von der Natur abweicht.

im Auge des Betrachters.

Sprechen

b Welche der Aussagen beschreibt für Sie Schönheit am besten? Warum?

Schreiben

c Schreiben Sie in „Zitat-Form" auf, was für Sie Schönheit darstellt. Hängen Sie dann alle Papiere im Unterrichtsraum auf, gehen Sie herum und lesen Sie die „Zitate" der anderen.

Schönheit ist ... | *„Schön" bedeutet für mich, ...* | *... ist schön, wenn ...*

3 Schönheitswettbewerb

Sprechen
Schreiben

a Bilden Sie mehrere Gruppen. Sammeln Sie drei Minuten lang Wörter und Ausdrücke aus dem Wortfeld „schön". Welche Gruppe findet die meisten?

b Tragen Sie die folgenden Wörter nach ihrer Bedeutung ein.

~~hübsch~~ großartig hässlich furchtbar eigenartig grandios toll durchschnittlich ~~mittelmäßig~~ nicht schlecht wunderschön ~~fürchterlich~~ umwerfend akzeptabel fantastisch hervorragend perfekt schlimm beeindruckend normal

positiv / sehr positiv	eher neutral	negativ / sehr negativ
hübsch,	*mittelmäßig,*	*fürchterlich,*

4 Mir ist wichtig ...

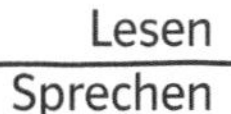

Lesen
Sprechen

a Lesen Sie die folgende Einleitung für einen Fragebogen zum Selbsttest. Überlegen Sie gemeinsam, wie die Fragen dazu aussehen könnten.

Wie wichtig sind dir dein Aussehen und die Attraktivität deiner Mitmenschen? Wolltest du schon immer wissen, wie du im Grunde deines Herzens auf andere Personen wirken willst? Dann teste dich hier!

b Welcher Typ sind Sie? Testen Sie sich mit dem Fragebogen im Arbeitsbuch.

c Sprechen Sie in Arbeitsgruppen über Ihre Ergebnisse beim Fragenbogentest: Haben Sie dieses Ergebnis erwartet?

Die meisten meiner Antworten gehörten zu Typ ... | Was mich überrascht hat, war ... | Ich fand die Frage ... (un)interessant, weil ... | Ich denke, dass solche Tests (nicht) sinnvoll sind, denn ... | Ich kann mir nicht vorstellen, dass ... | Ich hatte erwartet, dass ...

Was Sie in dieser Lektion lernen können:

- sich an Gesprächen und Diskussionen beteiligen sowie eigene Ansichten begründen und verteidigen
- mündlich Vermutungen über Sachverhalte, Gründe und Folgen anstellen
- in Texten Informationen, Argumente oder Meinungen ziemlich vollständig verstehen
- im Radio Informationen aus Nachrichten- und Feature-Sendungen verstehen
- anderen Personen Ratschläge oder detaillierte Empfehlungen geben
- Sachverhalte systematisch erörtern sowie wichtige Punkte und relevante Details hervorheben
- eigene Gedanken und Gefühle schriftlich beschreiben
- ein Interview führen und auf interessante Antworten näher eingehen
- eigene Gedanken und Gefühle mündlich beschreiben

2 Schön leicht

1 Das Schöne ist das Wahre ist das Gute …

Sprechen

Diskutieren Sie zu zweit. In welchen Situationen könnten es schöne Menschen leichter haben? Wie könnte sich das zeigen?

☐ im Beruf? ☐ bei der Partnerwahl? ☐ in der Schule? ☐ bei Schwierigkeiten? ☐ …

Vielleicht | Möglicherweise | Wahrscheinlich | Es könnte sein, dass … |
Gut Aussehende werden es im Leben wohl leichter haben … | Schöne könnten … |
Schöne Menschen haben es im Leben vermutlich (nicht) leichter, weil …

2 Ganz schön einfach?

Lesen
Sprechen

a Lesen Sie den Textauszug und vergleichen Sie Ihre Vermutungen mit den Aussagen im Text.

1 Werden Sie oft mit anderen Leuten verwechselt? Hören Sie den Spruch „Sie kommen mir irgendwie bekannt vor" fast täglich? Kurz: Sie sehen vollkommen durchschnittlich aus? Gut für Sie, denn zahlreiche Forschungsergebnisse weisen darauf hin, dass durchschnittliche Gesichter von den meisten Menschen als besonders attraktiv bewertet werden. Doch egal, ob Sie durchschnittlich schön oder einfach nur umwerfend aussehen. Faktum ist: Schöne haben es leichter im Leben. Das ist zwar nicht gerade fair, bestätigt sich aber immer wieder.

2 Schöne Menschen sind im Allgemeinen beliebter bei ihren Mitmenschen und ihnen werden automatisch positive Charaktereigenschaften zugesprochen. So werden gut aussehende Menschen in der Regel als erfolgreicher, intelligenter, glaubwürdiger, geselliger, kreativer und fleißiger eingeschätzt; unattraktive Menschen gelten viel eher als faul, fantasielos und langweilig.
Doch damit nicht genug: Häufig beurteilen sogar die Geschworenen vor Gericht gut aussehende Menschen milder. Selbst in der Schule werden hübsche Abschreiber weniger hart bestraft als schlechter aussehende Kinder. Attraktive Frauen heiraten häufiger reiche und gebildetere Männer und haben im Falle einer Autopanne mehr Chancen auf Hilfe. Männliche Beaus haben ein etwa fünf Prozent höheres Gehalt als ihre Kollegen mit den Durchschnittsgesichtern, gut aussehende Frauen verdienen immerhin noch vier Prozent mehr, haben dafür allerdings weniger Chancen auf Führungspositionen – vermutlich wird ihnen weniger Härte zugetraut. Um die Chancengleichheit bei der Bewerbung zu erhöhen, ist es daher in den USA inzwischen eher unüblich, ein Bewerbungsfoto beizulegen – es wird vielmehr als Bestechungsversuch gewertet.

3 Anscheinend beurteilen wir instinktiv Schönes als besser oder wertvoller. Dass wir so vergleichsweise einfach zu fesseln sind, nutzen die Medien kräftig für ihre Zwecke. Es findet sich kaum eine Zeitschrift oder ein Werbespot, in dem keine schönen Menschen präsent sind. In vielen Illustrierten sind sogar die Models so stark nachbearbeitet, dass sie in ihrer Perfektion schon wieder unecht wirken. Dennoch: selbst unnatürlich glatte Haut, auf der keine einzige Pore zu erkennen ist, strahlend weiße Zähne und künstlich wirkende intensiv blaue Augen geben mehr Attraktivitätspunkte als das natürliche Gesicht.

4 Dies setzt eine bedenkliche Kettenreaktion in Gang. Vor allem bei männlichen Singles konnte der so genannte Farrah-Effekt (benannt nach der Schauspielerin Farrah Fawcett-Majors) nachgewiesen werden: Versuchspersonen wurden in einem Experiment gebeten, die Attraktivität verschiedener Frauen zu beurteilen. Hatten sie zuvor eine Fernsehserie mit einer Horde schöner Frauen gesehen, beurteilten sie die vorgelegten Frauengesichter sehr viel negativer – ihr Anspruch war gestiegen, die Chancen auf eine Beziehung dagegen gesunken.
Haben früher vor allem Gemälde das Ideal bestimmt, so sind es heute Fernsehen, Internet, Kino, Zeitschriften etc. Die stetig wachsende Flut immer attraktiverer Menschen in den Medien sorgt dafür, dass sich unser Schönheitsideal immer weiter hochschraubt – bis es schließlich kaum noch jemand erfüllen kann. Und dann kann man nur noch …

b Was waren für Sie die interessantesten Informationen? Warum? Notieren Sie: i = interessant, w = weniger interessant.

Gut aussehende Menschen haben es leichter …

☐ im Beruf. ☐ bei der Partnerwahl. ☐ in der Schule. ☐ vor Gericht. ☐ ________.

c Besprechen Sie Ihre Ergebnisse in einer Arbeitsgruppe. Wie stehen Sie zu der Aussage, dass es attraktive Menschen im Leben offenbar leichter haben?

d Welcher Textabschnitt (1–4) passt zu welcher Überschrift (A–D). Unterstreichen Sie dabei im Text alle Textteile, die sich auf die Überschrift beziehen.

A Gestiegenes Schönheitsbild ☐

B Auswirkungen des Schönheitsideals ☐

C Normal und schön? ☐

D Künstliche Schönheit ☐

e Im Text heißt es, dass „sich unser Schönheitsideal immer weiter hochschraubt".

1. Was bedeutet diese Aussage für unser Leben? Wie könnte man Ihrer Meinung nach etwas gegen diese Entwicklung unternehmen? Vervollständigen Sie in diesem Sinn den letzten Satz: „Und dann kann man nur noch …"
2. Arbeiten Sie zu zweit. Tauschen Sie zunächst Ihre Vermutungen über die Gründe des zunehmenden „Schönheitskults" aus. Stellen Sie diese dann im Kurs vor.
3. Sammeln Sie in Stichworten Ratschläge für Leute, die vom so genannten „Schönheitswahn" befallen sind oder glauben, dass sie nicht schön genug sind.

3 Interview mit einer Expertin

Hören 1, 13

→GI

a Hören Sie Teil 1 des Interviews und beantworten Sie die Fragen. Welche Antworten sind korrekt?

1. Wie reagiert die Psychologin auf die erste Frage?
   a. Sie beantwortet die Frage nicht direkt.
   b. Sie beschreibt ihre Definition des Begriffes „Schönheitskult".
   c. Sie geht ausführlich auf die Frage ein.
   d. Sie spricht über die Schwierigkeit, Schönheit zu definieren.
2. Was sagt die Psychologin zum Thema „Schönheitswahn"?
   a. Sie steht dem Streben nach Schönheit kritisch gegenüber.
   b. Sie zweifelt an der Schönheit der meisten Menschen.
3. Warum streben wir nach Frau Bauer überhaupt nach Schönheit?
   a. Weil wir gern den Vorbildern in den Medien folgen.
   b. Weil man attraktive Menschen gern in seiner Umgebung hat.

Hören 1, 14
Sprechen

b Hören Sie Teil 2 des Interviews und beantworten Sie die Fragen.

1. Wie können wir uns vom Schönheitsideal lösen?
2. Wie kann man die Vorzüge des eigenen Körpers betonen?
3. Welche Konsequenz hat der Vergleich mit attraktiven Menschen?
4. Welche Ratschläge gibt die Psychologin zur Ernährung?

c Hören Sie sich Teil 2 noch einmal an. Welche der angeführten sprachlichen Mittel verwendet die Psychologin, um einen Ratschlag zu geben?

	Ja	Nein
1. Ich kann nur jedem raten, … zu + Inf.	☐	☐
2. Ein guter Ratschlag ist: …	☐	☐
3. Jeder sollte darauf achten, … zu + Inf.	☐	☐
4. Man sollte …	☐	☐
5. Mein Tipp: …	☐	☐
6. Ich empfehle (Ihnen/dir), … zu + Inf.	☐	☐
7. Ich würde vorschlagen, … zu + Inf.	☐	☐
8. Ich möchte jeden dazu ermutigen, … zu + Inf.	☐	☐

d Tauschen Sie die von Ihnen in Aufgabe 2e gesammelten Ratschläge im Kurs aus. Benutzen Sie dabei die im Aufgabenteil c angegebenen Redemittel für Ratschläge.

2 Schöne Diskussionen

Lesen
Sprechen

1 Schön und gut, aber ...

Lesen Sie den Text. Welche Aussage trifft für welche Beiträge dieses Internet-Forums zu (Mehrfachantworten möglich)? Begründen Sie Ihre Antwort.

			Zeile/n
1.	☐ 2beautee ☐ tobie ☐ hella5	... hält sich selbst für gut aussehend.	______
2.	☐ 2beautee ☐ tobie ☐ hella5	... hält wenig vom Versuch, sich schöner zu machen.	______
3.	☐ 2beautee ☐ tobie ☐ hella5	... macht soziale Umstände für diese Entwicklung verantwortlich.	______
4.	☐ 2beautee ☐ tobie ☐ hella5	... glaubt, dass Schönheit zu wichtig genommen wird.	______

2beautee
Poweruserin
Beiträge: 7

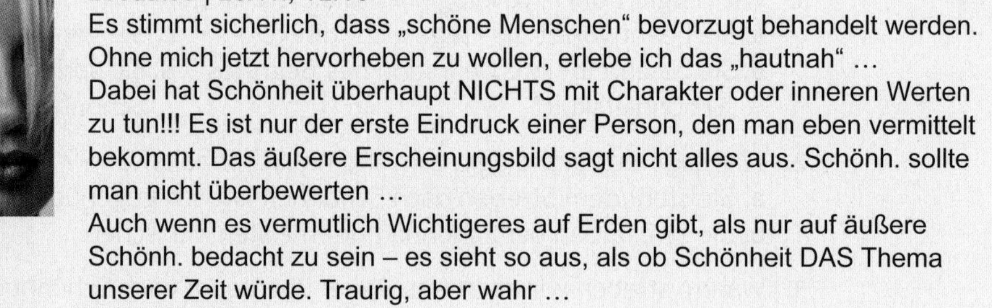

2beautee | 28.11., 12:10
Es stimmt sicherlich, dass „schöne Menschen“ bevorzugt behandelt werden. Ohne mich jetzt hervorheben zu wollen, erlebe ich das „hautnah“ ...
Dabei hat Schönheit überhaupt NICHTS mit Charakter oder inneren Werten zu tun!!! Es ist nur der erste Eindruck einer Person, den man eben vermittelt bekommt. Das äußere Erscheinungsbild sagt nicht alles aus. Schönh. sollte man nicht überbewerten ...
Auch wenn es vermutlich Wichtigeres auf Erden gibt, als nur auf äußere Schönh. bedacht zu sein – es sieht so aus, als ob Schönheit DAS Thema unserer Zeit würde. Traurig, aber wahr ...
Ciao, 2beautee

tobie
Newbie
Beiträge: 2

tobie | 28.11., 14:27
Klare Sache. Es liegt sicher nicht nur daran, dass manche schöne Menschen in ihrer Kindheit bevorzugt wurden, denn das glaube ich eher weniger. Eine liebende Mutter wird ihr Kind wohl immer lieben, egal, wie es aussieht. Die Gesellschaft hat sehr viel Einfluss darauf. Jeder wird sich darum reißen, mit einem hübschen Menschen befreundet zu sein, da der wiederum viele Leute kennt, und man möchte ja gut dastehen. Und es gibt keinen Zweifel daran, dass ein hübscher Mensch anziehender wirkt als ein „Durchschnittsbürger“. Man kann nur hoffen, dass man gut aussieht auf dieser Welt ;-)

hella5
Guru
Beiträge: 4

hella5 | 28.11., 14:45
Ich möchte aber nicht wissen, wie viel „Schönheiten“ echt sind??? Z. B. Die Superstars in Hollywood. Ich bin mir 100 % sicher, dass viele Stars es ohne die eine oder andere Schönheits-OP nicht so weit geschafft hätten.
Aber persönlich halte ich absolut nichts davon, sich unters Messer zu legen, auch Make-up trag ich selten. Ich kenne eine, die ständig geschminkt ist, man kennt sie gar nicht anders, einmal abgeschminkt und es ist ein ganz anderes Gesicht. Man kann sooooooo viel kaschieren mit Make-up.
Erschreckend ist auch, wie viele junge Menschen sich unter das Messer legen. :-(Ich hoffe, dass die Menschheit zur Vernunft kommt und endlich wieder mehr als nur Schönheit zählt. Aber das ist wahrscheinlich eine Wunschvorstellung.

2 Vermutung oder Überzeugung?

Schreiben

Geben Sie den folgenden Aussagen aus den Beiträgen eine andere Bedeutung. Drücken Sie entweder eine Vermutung oder eine Überzeugung aus.

Vermutungen ausdrücken:
es sieht danach aus | ich nehme an | vermutlich | es könnte sein

Überzeugungen ausdrücken:
zweifelsohne | in jedem Fall | ausnahmslos | es steht außer Frage

Vermutungen ausdrücken	**Überzeugungen ausdrücken**
Es könnte sein, dass „schöne Menschen" bevorzugt behandelt werden.	Es stimmt sicherlich, dass „schöne Menschen" bevorzugt behandelt werden.
	Dabei hat Schönheit überhaupt NICHTS mit Charakter oder inneren Werten zu tun.
Auch wenn es vermutlich Wichtigeres auf Erden gibt, als nur auf äußere Schönheit bedacht zu sein.	
Es sieht so aus, als ob Schönheit DAS Thema unserer Zeit würde.	
Eine liebende Mutter wird ihr Kind wohl immer lieben, egal, wie es aussieht.	
	Und es gibt keinen Zweifel daran, dass ein hübscher Mensch anziehender wirkt als ein „Durchschnittsbürger".
	Ich bin mir 100 % sicher, dass viele Stars es ohne die eine oder andere Schönheits-OP nicht so weit geschafft hätten.
Aber das ist wahrscheinlich eine Wunschvorstellung.	

3 Das Internet-Forum

Lesen

In welchen Zeilen finden Sie typische Kennzeichen eines Forumbeitrages im Internet? Welche Kennzeichen finden Sie noch?

Zeile/n

1. Verwendung von Abkürzungen ____________
2. Verwendung von so genannten „Emoticons" ____________
3. Hervorhebung durch Großschreibung ____________
4. „Vereinfachte" Sprache (manchmal auch Tippfehler) ____________
5. ______________________________ ____________

4 Ganz schön deutsch: Diskussionen

Schreiben
Lesen

„Diskutieren" Sie mit Ihrem Kurs in einem Internet-Forum.

- Schreiben Sie einen Forumsbeitrag zum Thema Schönheit auf ein Blatt Papier.
- Hängen Sie alle Papiere im Unterrichtsraum auf.
- Lesen Sie sich die anderen Beiträge durch.
- Schreiben Sie Kommentare zu den interessantesten Beiträgen auf Zettel und kleben Sie diese auf das entsprechende Papier.

Falls Sie die Möglichkeit dazu haben, können Sie diese Aktivität natürlich auch online in einem echten Internet-Forum durchführen.

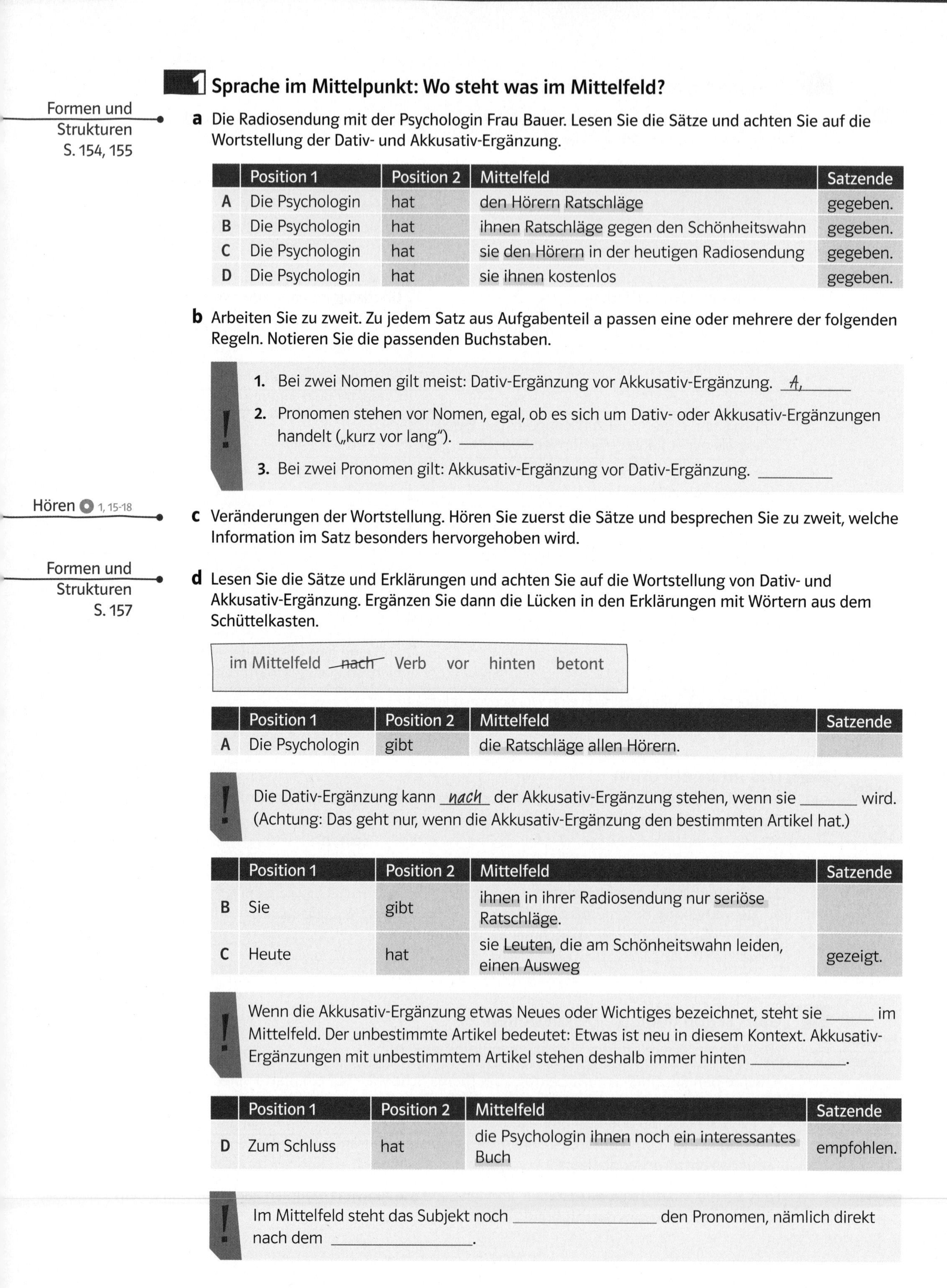

2 Schön der Reihe nach

1 Sprache im Mittelpunkt: Wo steht was im Mittelfeld?

Formen und Strukturen S. 154, 155

a Die Radiosendung mit der Psychologin Frau Bauer. Lesen Sie die Sätze und achten Sie auf die Wortstellung der Dativ- und Akkusativ-Ergänzung.

	Position 1	Position 2	Mittelfeld	Satzende
A	Die Psychologin	hat	den Hörern Ratschläge	gegeben.
B	Die Psychologin	hat	ihnen Ratschläge gegen den Schönheitswahn	gegeben.
C	Die Psychologin	hat	sie den Hörern in der heutigen Radiosendung	gegeben.
D	Die Psychologin	hat	sie ihnen kostenlos	gegeben.

b Arbeiten Sie zu zweit. Zu jedem Satz aus Aufgabenteil a passen eine oder mehrere der folgenden Regeln. Notieren Sie die passenden Buchstaben.

!

1. Bei zwei Nomen gilt meist: Dativ-Ergänzung vor Akkusativ-Ergänzung. A, ______
2. Pronomen stehen vor Nomen, egal, ob es sich um Dativ- oder Akkusativ-Ergänzungen handelt („kurz vor lang"). ______
3. Bei zwei Pronomen gilt: Akkusativ-Ergänzung vor Dativ-Ergänzung. ______

Hören 1, 15-18

c Veränderungen der Wortstellung. Hören Sie zuerst die Sätze und besprechen Sie zu zweit, welche Information im Satz besonders hervorgehoben wird.

Formen und Strukturen S. 157

d Lesen Sie die Sätze und Erklärungen und achten Sie auf die Wortstellung von Dativ- und Akkusativ-Ergänzung. Ergänzen Sie dann die Lücken in den Erklärungen mit Wörtern aus dem Schüttelkasten.

im Mittelfeld ~~nach~~ Verb vor hinten betont

	Position 1	Position 2	Mittelfeld	Satzende
A	Die Psychologin	gibt	die Ratschläge allen Hörern.	

! Die Dativ-Ergänzung kann nach der Akkusativ-Ergänzung stehen, wenn sie ______ wird. (Achtung: Das geht nur, wenn die Akkusativ-Ergänzung den bestimmten Artikel hat.)

	Position 1	Position 2	Mittelfeld	Satzende
B	Sie	gibt	ihnen in ihrer Radiosendung nur seriöse Ratschläge.	
C	Heute	hat	sie Leuten, die am Schönheitswahn leiden, einen Ausweg	gezeigt.

! Wenn die Akkusativ-Ergänzung etwas Neues oder Wichtiges bezeichnet, steht sie ______ im Mittelfeld. Der unbestimmte Artikel bedeutet: Etwas ist neu in diesem Kontext. Akkusativ-Ergänzungen mit unbestimmtem Artikel stehen deshalb immer hinten ______.

	Position 1	Position 2	Mittelfeld	Satzende
D	Zum Schluss	hat	die Psychologin ihnen noch ein interessantes Buch	empfohlen.

! Im Mittelfeld steht das Subjekt noch ______ den Pronomen, nämlich direkt nach dem ______.

2 Sprache im Mittelpunkt: Angaben im Mittelfeld

Formen und Strukturen S. 155

a Arbeiten Sie wieder zu zweit. Sortieren Sie die Angaben aus dem Schüttelkasten in die Tabelle ein.

nach Hollywood ~~durch die Operation ausgelöst~~ ~~später~~ wegen des Charakters ~~unter das Chirurgenmesser~~ ~~vermutlich~~ mit einem hübschen Menschen selten in der Kindheit im Internet aufgrund ihrer Schönheit sicherlich

temporal: wann? (Zeitangaben)	**kausal: warum? (Kausalangaben)**	**modal: wie? mit wem? (Modalangaben)**	**lokal: wo? wohin? (Ortsangaben)**
später,	*durch die Operation ausgelöst,*	*vermutlich,*	*unter das Chirurgenmesser,*

b Bestimmen Sie in den folgenden Sätzen, welche der unterstrichenen Angaben temporal (te), kausal (ka), modal (mo) oder lokal (lo) sind.

1. Frau Glas hat sich (A) letztes Jahr (B) beim Schönheitschirurgen operieren lassen.
2. (A) Vor der Operation hatte sie sich eigentlich gar keine Sorgen gemacht.
3. (A) Nach der Operation jedoch musste Frau Glas (B) wegen ihrer Schmerzen noch (C) intensiv (D) im Krankenhaus betreut werden.
4. (A) Seither geht sie nur noch (B) ungern (C) zum Arzt.
5. (A) Vermutlich haben die Schmerzen sie traumatisiert.
6. (A) In einem Internet-Forum hat sie Tipps für ihre Ängste bekommen.

1. A = *te* B = ____
2. A = ____
3. A = ____ B = ____ C = ____ D = ____
4. A = ____ B = ____ C = ____
5. A = ____
6. A = ____

c Markieren Sie in den Sätzen im Aufgabenteil b die Satzpositionen 1, 2, Mittelfeld und Satzende durch senkrechte Striche.

Frau Glas | hat | sich letztes Jahr beim Schönheitschirurgen | operieren lassen.

d Die Stellung der Angaben im Satz ist zwar frei, aber es gibt ein paar Tendenzen. Lesen Sie noch einmal die Sätze in Aufgabenteil b und kreuzen Sie dann die passende Lösung an.

1. Meistens steht die Zeitangabe (te) ☐ nach ☒ vor der Ortsangabe (lo).
2. Zeitangaben (te) stehen gern auf ☐ Position 1 ☐ am Satzende.
3. Kausale (ka) und modale (mo) Angaben stehen meist ☐ zwischen ☐ nach der Zeitangabe (te) und der Ortsangabe (lo).
4. Kausale Angaben (ka) stehen ☐ nach ☐ vor modalen Angaben (mo).
5. Modale Angaben (mo) können aber auch auf ☐ Position 1 ☐ Position 2 stehen.
6. Auch Lokalangaben (lo) können auf ☐ Position 1 ☐ am Satzende stehen.
7. Die häufigste Reihenfolge der Angaben im Satz kann man sich so merken:
☐ lo ka te mo ☐ te ka mo lo.

2 Schön wohlfühlen

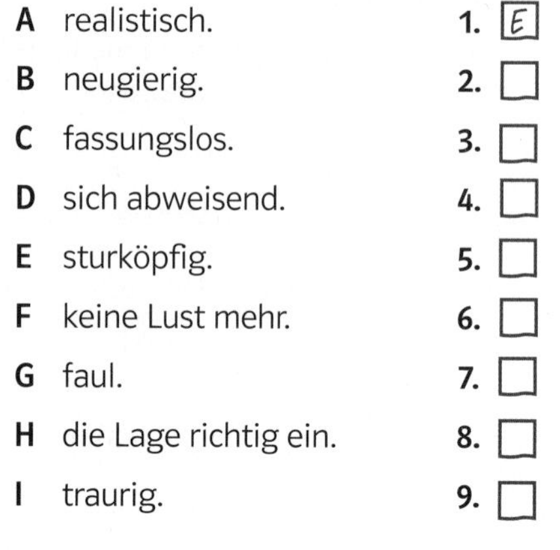

1 Der menschliche Körper

Lesen
Sprechen

a Welche Begriffe kennen Sie schon? Welche fehlen?

der Schenkel der Bauch die Brust der Finger
das Bein die Lippe der Po das Ohr die Nase
die Haut die Pore die Schulter das Kinn
die Wange der Kiefer die Stirn die Augenbraue
der Busen das Gesicht der Zahn das Knie

b Welche Redewendungen über den Körper kennen Sie in Ihrer Muttersprache? Sammeln Sie Beispiele und erklären Sie sie im Kurs.

c Was ist mit folgenden sprachlichen Bildern gemeint? Ordnen Sie zu.

1. Der Chef will mit dem Kopf durch die Wand. Er ist
2. Der Junge hat die Nase voll. Er hat
3. Die Kollegin steckt ihre Nase überall rein. Sie ist
4. Der Kellner reißt sich kein Bein aus. Er ist
5. Die Nachbarin zeigt ihm die kalte Schulter. Sie verhält
6. Diese Frau steht mit beiden Beinen im Leben. Sie ist
7. Der ältere Herr ist wie vor den Kopf geschlagen. Er ist
8. Das Mädchen lässt den Kopf hängen. Es ist
9. Die Mutter sieht den Tatsachen ins Auge. Sie schätzt

A realistisch.
B neugierig.
C fassungslos.
D sich abweisend.
E sturköpfig.
F keine Lust mehr.
G faul.
H die Lage richtig ein.
I traurig.

1. E
2. ☐
3. ☐
4. ☐
5. ☐
6. ☐
7. ☐
8. ☐
9. ☐

d Bilden Sie Arbeitsgruppen. Spielen Sie jeweils die Redewendung ohne Worte vor. Die Gruppe muss erraten, um welche Redewendung es sich handelt.

2 Wehwehchen

Sprechen

Welche Gesundheitsprobleme können welche Körperteile betreffen? Schauen Sie in Aufgabe 1a nach.

Gesundheitsproblem	Körperteil(e)
1. Sonnenbrand	*Gesicht, Schultern,*
2. Erkältung	
3. Entzündung	
4. Verstauchung	
5. Grippe	
6. Schmerzen	
7. Bruch	
8. Kater	

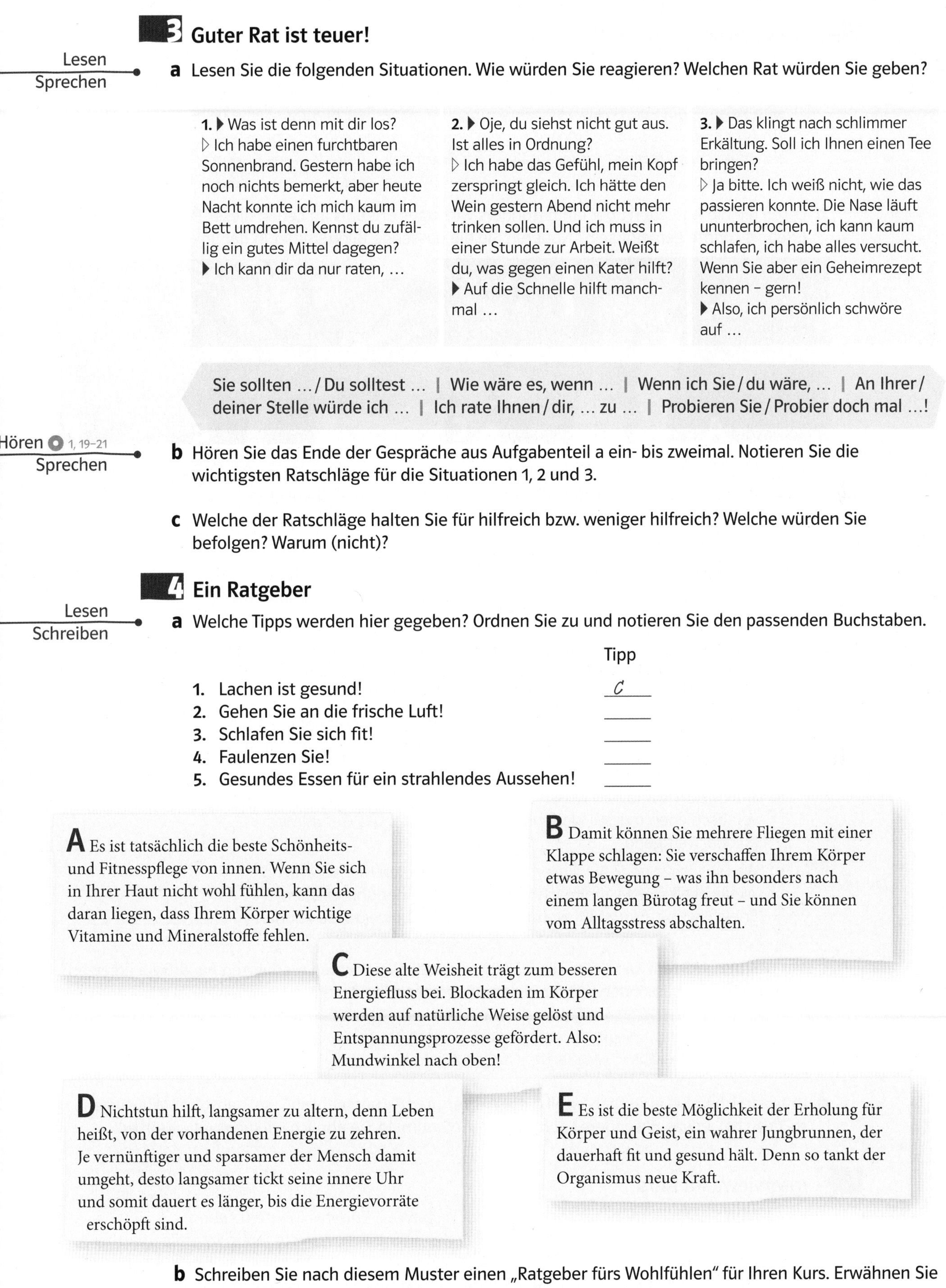

3 Guter Rat ist teuer!

Lesen – Sprechen

a Lesen Sie die folgenden Situationen. Wie würden Sie reagieren? Welchen Rat würden Sie geben?

1. ▶ Was ist denn mit dir los?
▷ Ich habe einen furchtbaren Sonnenbrand. Gestern habe ich noch nichts bemerkt, aber heute Nacht konnte ich mich kaum im Bett umdrehen. Kennst du zufällig ein gutes Mittel dagegen?
▶ Ich kann dir da nur raten, …

2. ▶ Oje, du siehst nicht gut aus. Ist alles in Ordnung?
▷ Ich habe das Gefühl, mein Kopf zerspringt gleich. Ich hätte den Wein gestern Abend nicht mehr trinken sollen. Und ich muss in einer Stunde zur Arbeit. Weißt du, was gegen einen Kater hilft?
▶ Auf die Schnelle hilft manchmal …

3. ▶ Das klingt nach schlimmer Erkältung. Soll ich Ihnen einen Tee bringen?
▷ Ja bitte. Ich weiß nicht, wie das passieren konnte. Die Nase läuft ununterbrochen, ich kann kaum schlafen, ich habe alles versucht. Wenn Sie aber ein Geheimrezept kennen – gern!
▶ Also, ich persönlich schwöre auf …

Sie sollten … / Du solltest … | Wie wäre es, wenn … | Wenn ich Sie / du wäre, … | An Ihrer / deiner Stelle würde ich … | Ich rate Ihnen / dir, … zu … | Probieren Sie / Probier doch mal …!

Hören 1, 19–21 – Sprechen

b Hören Sie das Ende der Gespräche aus Aufgabenteil a ein- bis zweimal. Notieren Sie die wichtigsten Ratschläge für die Situationen 1, 2 und 3.

c Welche der Ratschläge halten Sie für hilfreich bzw. weniger hilfreich? Welche würden Sie befolgen? Warum (nicht)?

4 Ein Ratgeber

Lesen – Schreiben

a Welche Tipps werden hier gegeben? Ordnen Sie zu und notieren Sie den passenden Buchstaben.

		Tipp
1.	Lachen ist gesund!	C
2.	Gehen Sie an die frische Luft!	___
3.	Schlafen Sie sich fit!	___
4.	Faulenzen Sie!	___
5.	Gesundes Essen für ein strahlendes Aussehen!	___

A Es ist tatsächlich die beste Schönheits- und Fitnesspflege von innen. Wenn Sie sich in Ihrer Haut nicht wohl fühlen, kann das daran liegen, dass Ihrem Körper wichtige Vitamine und Mineralstoffe fehlen.

B Damit können Sie mehrere Fliegen mit einer Klappe schlagen: Sie verschaffen Ihrem Körper etwas Bewegung – was ihn besonders nach einem langen Bürotag freut – und Sie können vom Alltagsstress abschalten.

C Diese alte Weisheit trägt zum besseren Energiefluss bei. Blockaden im Körper werden auf natürliche Weise gelöst und Entspannungsprozesse gefördert. Also: Mundwinkel nach oben!

D Nichtstun hilft, langsamer zu altern, denn Leben heißt, von der vorhandenen Energie zu zehren. Je vernünftiger und sparsamer der Mensch damit umgeht, desto langsamer tickt seine innere Uhr und somit dauert es länger, bis die Energievorräte erschöpft sind.

E Es ist die beste Möglichkeit der Erholung für Körper und Geist, ein wahrer Jungbrunnen, der dauerhaft fit und gesund hält. Denn so tankt der Organismus neue Kraft.

b Schreiben Sie nach diesem Muster einen „Ratgeber fürs Wohlfühlen" für Ihren Kurs. Erwähnen Sie auch, wie Sie sich persönlich am wohlsten fühlen.

2 Schöne Momente, schöne Worte

1 (Fast) zu schön, um wahr zu sein ...

Sprechen
Lesen

a Mit welchen Ereignissen verbinden Sie positive oder negative Erinnerungen?

eine Reise ein Sportereignis ein Autokauf eine Beerdigung eine Geburt
ein Abschiedsfest eine Hochzeit ein Konzert eine Wiedersehensfeier
ein politisches Ereignis ein Unfall ein Geschenk ein anderes Ereignis, nämlich ...

b Lesen Sie die Aussagen über ein besonders wichtiges Erlebnis im Leben dieser Personen. Welches Erlebnis könnte gemeint sein? Notieren Sie die passende Bildnummer in der linken Spalte.

[B] **1.** Wenn ich daran denke, habe ich das Bild vor Augen: [1] wunderschönes Wetter, meine Freunde bei mir und daneben meine glücklichen Eltern. Es war wirklich ein ganz [2] außergewöhnliches Fest. Das Fest meines Lebens! *herrlich* ______

[ ] **2.** Ich erinnere mich daran, als ob es gestern gewesen wäre: Ein [3] fürchterliches Gedränge, unglaublich heiß, aber die Stimmung war [4] hervorragend. ______ ______

[ ] **3.** Zuerst die Verletzung, dann der Schock. Es war so [5] schrecklich, dass ich heute nicht mehr daran denken will. Obwohl meine Gedanken komischerweise in dem Moment absolut klar waren. ______

[ ] **4.** Es war unglaublich. Die Leistung der Mannschaft war eigentlich [6] katastrophal, aber als der Sieg am Ende feststand, war der Jubel [7] unbeschreiblich. ______ ______

[ ] **5.** Als ich dort stand und wusste, dass ich mich für immer von ihr verabschieden musste, da fehlten mir die Worte. Das Gefühl war [8] überwältigend. ______

[ ] **6.** Was soll ich sagen? Als dieser Traum von so vielen Menschen endlich Wirklichkeit wurde, fühlte ich nichts – außer einer unendlichen Erleichterung. Es war [9] wundervoll, sich frei bewegen zu können! ______

c Mit welchen Wörtern kann man die im Aufgabenteil b mit Zahlen markierten Ausdrücke ersetzen? Notieren Sie die passenden Wörter in der entsprechenden Zeile.

schrecklich toll besonders ~~herrlich~~ sehr bewegend
furchtbar miserabel großartig unglaublich

d Unterstreichen Sie in Aufgabenteil b die Wörter „ganz", „unglaublich", „so", „absolut". Wie tragen sie dazu bei, etwas Besonderes auszudrücken? Sammeln Sie ähnlich wirkungsvolle Wörter.

2 Interviews im Kurs

Schreiben
Sprechen

- Wählen Sie ein besonderes (positives oder negatives) Erlebnis in Ihrem Leben.
- Bereiten Sie sich auf das Interview vor. Überlegen Sie sich, was Sie Ihrem Interviewpartner sagen möchten.
- Machen Sie einen Klassenzimmerspaziergang und führen Sie gegenseitig mit einigen Personen ein Interview. Fassen Sie danach ein Gespräch für den Kurs kurz zusammen.

3 Schön gesagt

Sprechen – Lesen

a Gibt es in Ihrer Muttersprache ein Wort, das zu den Beschreibungen passen könnte?

1. ____________________ = Es enthält gleichzeitig Fülle und Leichtigkeit.
2. ____________________ = Es beschreibt Chaos so, dass es jeder versteht.
3. ____________________ = Es stellt etwas sehr Angenehmes, Liebes und Persönliches dar.
4. ____________________ = Es ist geheimnisvoll, unheimlich und heimelig zugleich.

b Welches deutsche Wort könnte zu welcher Beschreibung in Aufgabenteil a passen? Benutzen Sie auch Ihr Wörterbuch.

der Wirrwarr vielleicht
rascheln die Streicheleinheiten

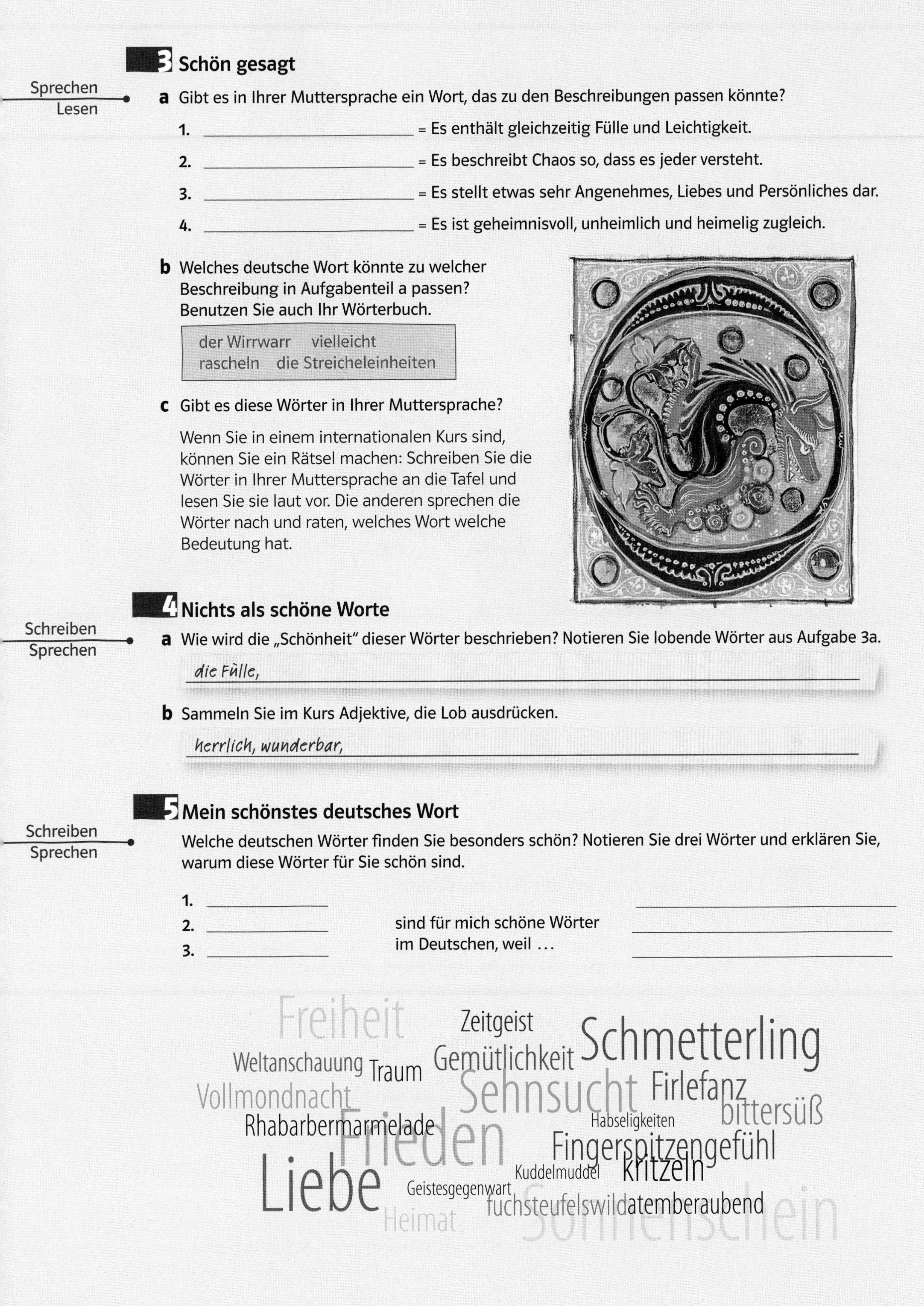

c Gibt es diese Wörter in Ihrer Muttersprache?

Wenn Sie in einem internationalen Kurs sind, können Sie ein Rätsel machen: Schreiben Sie die Wörter in Ihrer Muttersprache an die Tafel und lesen Sie sie laut vor. Die anderen sprechen die Wörter nach und raten, welches Wort welche Bedeutung hat.

4 Nichts als schöne Worte

Schreiben – Sprechen

a Wie wird die „Schönheit" dieser Wörter beschrieben? Notieren Sie lobende Wörter aus Aufgabe 3a.

die Fülle, ____________________

b Sammeln Sie im Kurs Adjektive, die Lob ausdrücken.

herrlich, wunderbar, ____________________

5 Mein schönstes deutsches Wort

Schreiben – Sprechen

Welche deutschen Wörter finden Sie besonders schön? Notieren Sie drei Wörter und erklären Sie, warum diese Wörter für Sie schön sind.

1. ____________
2. ____________ sind für mich schöne Wörter im Deutschen, weil … ____________________
3. ____________

Freiheit Zeitgeist Schmetterling
Weltanschauung Traum Gemütlichkeit
Vollmondnacht Sehnsucht Firlefanz bittersüß
Rhabarbermarmelade Frieden Habseligkeiten
Fingerspitzengefühl
Liebe Kuddelmuddel kritzeln
Geistesgegenwart fuchsteufelswild atemberaubend
Heimat Sonnenschein

3 Nebenan und Gegenüber

Sprechen

1 Die lieben Nachbarn

Was haben die Wörter oben mit dem Thema Nachbarschaft zu tun? Sammeln Sie in einer Kleingruppe mindestens zwei Ideen zu jedem Wort. Ordnen Sie sie nach positiven und negativen Assoziationen und tauschen Sie sich dann im Kurs aus.

Hören 1, 22–27
Sprechen

2 Eine Umfrage zum „Tag der Nachbarschaft"

a Hören Sie einige Antworten aus der Umfrage.

Zum „Tag der Nachbarschaft" wollte eine Radioreporterin wissen, wie wichtig den Deutschen ihre Nachbarn sind, ob sie sie überhaupt kennen und welche Eigenschaften ein Nachbar haben soll. Sie interviewte Passanten in der Fußgängerzone von Köln.

b Hören Sie noch einmal und machen Sie sich Stichworte zu der Antwort, die Sie am interessantesten finden. Tauschen Sie sich dann in Kleingruppen aus und begründen Sie Ihre Meinung.

Schreiben
Sprechen

c Notieren Sie nun bei nochmaligem Hören, wie die Nachbarn charakterisiert werden.

positive Eigenschaften	negative Eigenschaften

d Gibt es weitere Eigenschaften, die Sie bei Ihren Nachbarn schätzen oder ablehnen? Wie wichtig ist Nachbarschaft für Sie persönlich und warum? Sprechen Sie im Kurs darüber.

3 Warum streitet man sich unter Nachbarn?

Sprechen
Lesen

a Was glauben Sie, sind die häufigsten Gründe für Nachbarschaftsstreit? Nummerieren Sie von 1 bis 8 und begründen Sie Ihre Entscheidung.

- ☐ parkende Autos
- ☐ Baulärm
- ☐ Hundegebell
- ☐ Bäume zu nah an Grundstücksgrenze
- ☐ Krach in der Familie
- ☐ Kinder-, Babygeschrei
- ☐ laute Musik
- ☐ Treppenhausreinigung

b Bei der folgenden Geschichte fehlt der letzte Satz. Was sagt der Mann wohl? Die Lösung finden Sie auf den Kopf gestellt am Textende.

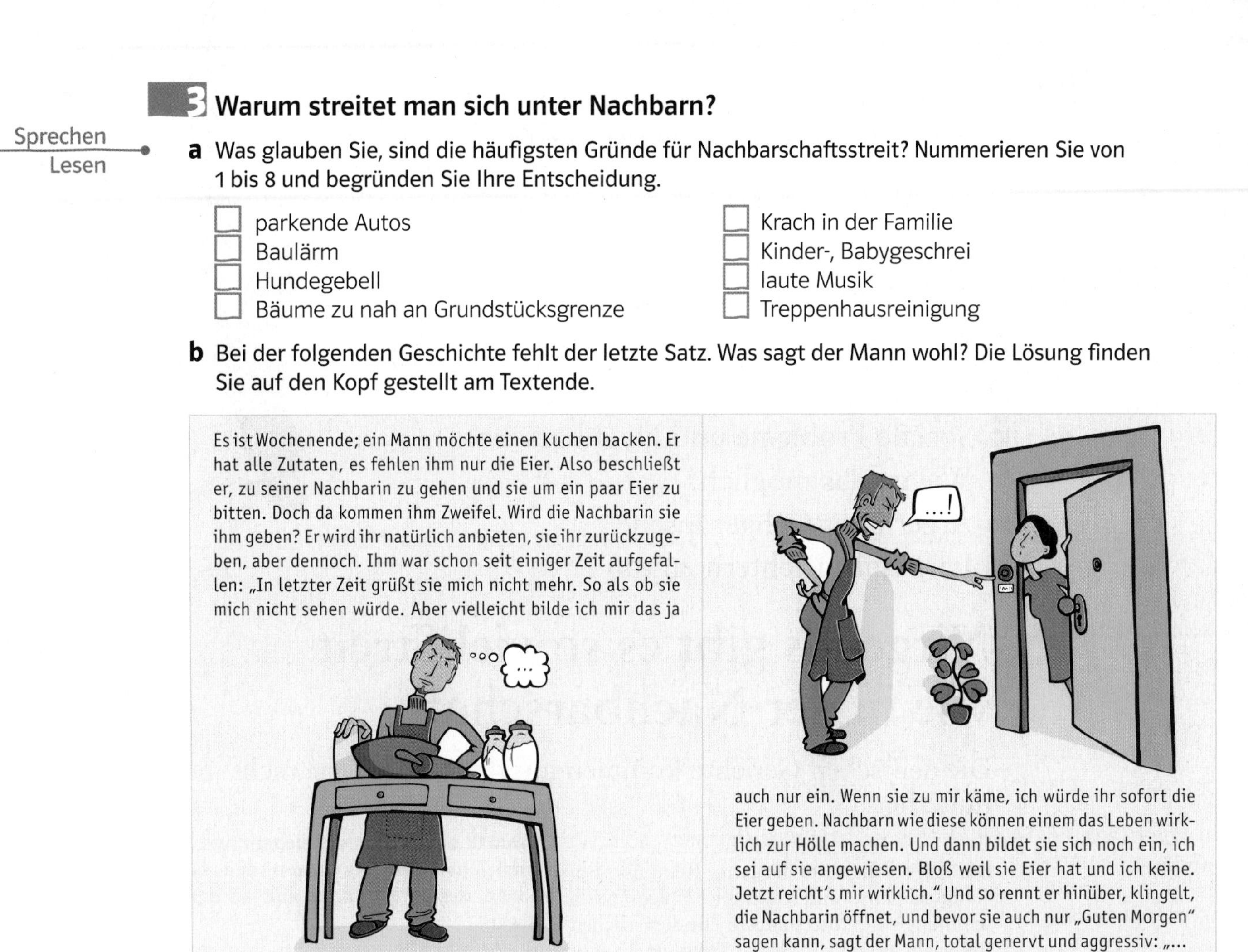

Es ist Wochenende; ein Mann möchte einen Kuchen backen. Er hat alle Zutaten, es fehlen ihm nur die Eier. Also beschließt er, zu seiner Nachbarin zu gehen und sie um ein paar Eier zu bitten. Doch da kommen ihm Zweifel. Wird die Nachbarin sie ihm geben? Er wird ihr natürlich anbieten, sie ihr zurückzugeben, aber dennoch. Ihm war schon seit einiger Zeit aufgefallen: „In letzter Zeit grüßt sie mich nicht mehr. So als ob sie mich nicht sehen würde. Aber vielleicht bilde ich mir das ja auch nur ein. Wenn sie zu mir käme, ich würde ihr sofort die Eier geben. Nachbarn wie diese können einem das Leben wirklich zur Hölle machen. Und dann bildet sie sich noch ein, ich sei auf sie angewiesen. Bloß weil sie Eier hat und ich keine. Jetzt reicht's mir wirklich." Und so rennt er hinüber, klingelt, die Nachbarin öffnet, und bevor sie auch nur „Guten Morgen" sagen kann, sagt der Mann, total genervt und aggressiv: „...

Lösung: „Ihre blöden Eier können Sie behalten."

c Wodurch kann eine solche Situation entstehen? Welche Folgen kann sie haben? Besprechen Sie Ihre Vermutungen in der Kleingruppe. Kennen Sie ähnliche Situationen? Tauschen Sie sich im Kurs darüber aus.

es scheint, dass | vermutlich | vermuten, dass | sich vorstellen, dass | es ist denkbar, dass | so genervt/wütend/aggressiv sein/werden, dass | als Folge davon | die Folge ist | am Ende | schließlich

GRÜNDE:
Erinnern Sie sich, wie man Gründe formulieren kann? Sonst schauen Sie noch einmal in Lektion 1 nach.

Was Sie in dieser Lektion lernen können:

- im Radio Informationen aus Nachrichten- und Featuresendungen verstehen
- literarische Texte lesen, dabei die Gesamtaussage und viele Details verstehen
- mündlich Vermutungen über Sachverhalte, Gründe und Folgen anstellen
- in Texten neue Sachverhalte und detaillierte Informationen verstehen
- in Artikeln und Berichten über aktuelle Themen Haltungen und Standpunkte verstehen
- den eigenen Standpunkt begründen und Stellung zu Aussagen anderer nehmen
- Informationen und Argumente schriftlich zusammenführen und abwägen
- bei Interessenkonflikten oder Auffassungsunterschieden eine Lösung aushandeln
- eine Geschichte zusammenhängend erzählen
- Sachverhalte systematisch erörtern sowie wichtige Punkte und relevante Details hervorheben
- ein Thema schriftlich darlegen, Punkte hervorheben sowie Beispiele anführen

Lesen

→TELC

1 Es kann der Frömmste nicht in Frieden leben, wenn es dem bösen Nachbarn nicht gefällt.

a Lesen Sie den Text und ordnen Sie die folgenden Überschriften den Abschnitten 1 bis 5 zu. Drei Überschriften passen nicht. Warum?

A Fehlende Toleranz 4
B Kriminalität unter Nachbarn ____
C Vorschriften regeln Zusammenleben ____
D Sehnsucht nach Leben auf dem Lande ____
E Soziale Probleme und Nachbarschaft ____
F Wie ist das möglich? ____
G Ärger über Gehgeräusche ____
H Lärm gibt Richtern zu tun ____

Nirgends gibt es so viel Streit wie in der Nachbarschaft

Die deutschen Gerichte kommen mit den Klagen gar nicht mehr hinterher

1 ____

Der Fall erschütterte die ganze Republik: Ein Schlüsseldienst öffnete die linke Erdgeschosswohnung eines Mietshauses. Die dienstlichen Besucher empfing Mieter Wolfgang D. auf 5 dem Sofa im Wohnzimmer sitzend. Er rührte sich nicht, denn er war tot. Wahrscheinlich seit sehr langer Zeit, denn die aufgeschlagene Fernsehzeitung war schon 5 Jahre alt. Der deutsche Blätterwald rauschte gemäß 10 der Melodie „Wie konnte das passieren?". Doch bald war der vollständig mumifizierte Wolfgang D., diese „Moorleiche der Informationsgesellschaft" („Die Zeit"), schon wieder vergessen. Die Deutschen machen 15 sich wohl lieber Gedanken um ihre lebenden Nachbarn.

2 ____

Allein im vergangenen Jahr wurden nach Angaben des Bundesjustizministeriums über 400.000 Prozesse von zerstrittenen 20 Nachbarn geführt. In den meisten Fällen lag der Streitwert unter 250 Euro. Meist geht es um Bausachen, die Eigenheimbesitzer beim Nachbarn nicht wünschen. Doch auch zwischen Mietern in Mehrfamilienhäusern wird 25 munter gestritten und geklagt. Häufigster Grund: gegenseitige Lärmbelästigung. So gab bei einer Umfrage der Fachzeitschrift „Das Haus" fast die Hälfte aller Befragten an, dass ihre Mitmenschen zu laut seien. 14 30 Prozent sagten sogar, die Nachbarn wären viel schlimmer als die Außengeräusche. Und jeder vierte Stadtbewohner träumt davon, einmal aufs Land zu ziehen (wo er dann vielleicht jahrelang gegen den Nachbarn klagt, dessen Baum zu nah an der Grenze 35 steht).

3 ____

Dabei sind Mieter, die im Übermaß Lärm verursachen, klar im Unrecht. Wenn der lärmende Mitmensch trotz Aufforderung die Quelle des Lärms nicht abstellt, können die 40 gepeinigten Nachbarn die Polizei anrücken lassen, denn Lärmbelästigung ist eine Ordnungswidrigkeit.

In den meisten Hausordnungen sind außerdem allgemeine Ruhezeiten festgelegt, die die 45 ganze Nacht über gelten (22 bis 7 Uhr) und – heute nur noch wenig bekannt – auch die Mittagsstunden von 13 bis 15 Uhr einschließen. Während dieser Zeit ist Zimmerlautstärke angesagt, und das heißt eigentlich: Alle 50 Geräusche, die man verursacht, dürfen nur in der eigenen Wohnung zu hören sein. Wer in diesen Stunden die anderen Mitbewohner durch laut aufgedrehte Musikanlagen oder anderen Lärm nervt, ist klar im Unrecht. 55

Außerhalb der allgemeinen Ruhezeiten ist der Gebrauch normaler Haushaltsgeräte wie zum Beispiel Waschmaschine, Hammer, Bohrer oder Mixer gestattet – auch über Stunden. Ebenso müssen Kinderlärm, Geh- 60 geräusche, Toilettenspülungen, ja selbst lebhafte Liebesschreie als „sozialadäquat" hingenommen werden. Hilfreiche Regelungen, die das nachbarschaftliche Miteinander eigentlich einfach machen sollten. 65

4 ______

Allerdings nützten diese Regelungen nur eingeschränkt, denn das grundsätzliche Problem liegt für Wilfried Lehmpfuhl, Jurist beim Deutschen Mieterbund in Hamburg, 70 noch ganz woanders. Häufig sei der Lärmgestörte nicht tolerant genug gegenüber anderen Lebensformen und -erscheinungen. Bei jungen Leuten gehe eben nicht um Punkt 22 Uhr das Licht aus, und es gebe nun mal 75 Tagmenschen und Nachtmenschen und die lebten unglücklicherweise manchmal unter einem Dach. Hinzu komme die bedauerlich niedrige Toleranzschwelle der Betroffenen: „Viele Menschen haben heute schlechte Ner- 80 ven und Schlafstörungen. Die wachen von Geräuschen auf, die andere nie bemerken würden!"

5 ______

Politikern und Experten aus der Wohnungswirtschaft machen diese täglichen, 85 allzu menschlichen Nachbarschaftsstreitigkeiten keine großen Sorgen. Es sind andere Phänomene, die sie beunruhigen. Auf dem Kongress des Bundesverbandes deutscher Wohnungsunternehmen (GdW) – die im Verband zusammengeschlossenen deut- 90 schen Unternehmen verwalten über sieben Millionen Wohnungen, meist Sozialwohnungen – warnte Präsident Jürgen Steinert vor der „sozialen Erosion" in vielen Wohnsiedlungen. Steinert, früher Wirtschaftsse- 95 nator in Hamburg, bezeichnete die Unternehmen des GdW als eine „Art gesellschaftliches Frühwarnsystem". Er beobachte in Deutschland zunehmend ein „soziales Zerbrechen von Wohnquartieren". Dieser 100 zunehmende Verfall guter Nachbarschaft sei ausgelöst durch die Konzentration sozialer Problemfälle in bestimmten Vierteln. Immer mehr Wohngebiete gälten im Branchenjargon als „verbrannt", da sich 105 in ihnen Vandalismus, Drogenkonsum und wachsende Kriminalität breit machten. Dafür macht Steinert in erster Linie die Massen- und Dauerarbeitslosigkeit verantwortlich und das „Scheitern der Integrati- 110 on ausländischer Mitbürger".

Lesen
→GI

b **Lesen Sie den Text noch einmal und stellen Sie fest, wie folgende Aspekte beurteilt werden: zustimmend (z), ablehnend (a) oder neutral (n).**

1. ein Mann lag fünf Jahre tot in seiner Wohnung *a*
2. die Streitsucht der Deutschen ______
3. die gesetzlichen Regelungen gegen die Lärmbelästigung ______
4. die realen Bedingungen, um gegen Lärmbelästigung vorzugehen ______
5. die Toleranzschwelle der Betroffenen ______
6. die Entwicklung in vielen Wohngebieten ______

Sprechen

c **Tauschen Sie sich nun in Kleingruppen über Ihre Ergebnisse in Aufgabenteil b aus und begründen Sie Ihre Antworten.**

Lesen
Schreiben

d **Besprechen Sie in der Kleingruppe, was die folgenden Ausdrücke bedeuten. Notieren Sie Ihre Erklärung und besprechen Sie sie dann im Kurs.**

1. Zeile 1: Der Fall erschüttert die ganze Republik.
2. Zeile 9: Der Blätterwald rauschte.
3. Zeile 20/21: Der Streitwert lag unter 250 Euro.
4. Zeile 37: im Übermaß
5. Zeile 42/43: Ordnungswidrigkeit
6. Zeile 49/50: Zimmerlautstärke
7. Zeile 62: sozialadäquat
8. Zeile 78: Toleranzschwelle
9. Zeile 94: soziale Erosion
10. Zeile 109: Massen- und Dauerarbeitslosigkeit

1. Die Deutschen waren schockiert über den Fall, und überall wurde darüber gesprochen.

Sprechen

e **Besprechen Sie, welche Aspekte des Textes Sie besonders bzw. gar nicht interessant fanden und warum.**

3 Nachbarn lösen Konflikte

Sprechen
Lesen

1 Klartext reden? Aktiv zuhören!

a Was könnte mit dem Begriff „aktives Zuhören" gemeint sein oder was stellen Sie sich darunter vor? Sammeln Sie im Kurs.

b Lesen Sie die kleine Geschichte. Wie definieren Sie jetzt „aktives Zuhören"?

Ein Mann hatte sich sieben Jahre lang Tag für Tag mit seiner Frau gestritten. Er konnte es nicht mehr ertragen und suchte den Rat eines Meisters.

„Kaum tut einer von uns den Mund auf, unterbricht ihn der andere schon. Keine zwei Minuten und wir haben Streit miteinander, wir gehen auseinander und sind mürrisch und schlecht gelaunt. Dabei lieben wir uns doch so! Ich weiß nicht mehr, was ich tun soll." – „Du musst lernen, deiner Frau zuzuhören", sagte der Meister. „Und wenn du sicher bist, dass du das gelernt hast, komm wieder zu mir."

Nach einem Vierteljahr erschien der Mann wieder beim Meister und erklärte, er habe wirklich gelernt, auf jedes Wort, das seine Frau sage, zu hören. „Gut", sagte der Meister und lächelte. „Wenn du in einer glücklichen Ehe leben willst, musst du jetzt noch lernen, auf jedes Wort zu hören, das sie nicht sagt."

Lesen
Sprechen

2 Aktiv zuhören – aber wie?

a Lesen Sie nun, wie man „aktiv zuhört". Was finden Sie am wichtigsten, was weniger wichtig? Was fällt Ihnen leicht bzw. schwer? Sprechen Sie im Kurs darüber.

Erfolgreiche Kommunikation hängt in großem Maße davon ab, ob die Gesprächspartner sich wirklich zuhören. Oft sind wir uns gar nicht bewusst, dass wir nur „mit halbem Ohr hinhören". Wir meinen verstanden zu haben, was der andere sagt, aber dann stellt sich heraus, dass jeder etwas ganz anderes im Kopf hatte. Deshalb ist es wichtig, aktiv zuzuhören. Und das kann man lernen.

Aktiv zuhören heißt:
- das Interessante und Wichtige herausfinden
- sich auf den Gesprächspartner konzentrieren und dies durch Körpersprache ausdrücken
- zeigen, dass man zuhören will
- Geduld haben und nicht unterbrechen
- die eigene Meinung zurückhalten
- die Gefühle des Partners erkennen und ansprechen
- „zwischen den Zeilen" hören
- auf eigene Gefühle achten
- zurückhaltend bleiben
- Pausen aushalten – sie können ein Zeichen für Unklarheiten, Angst oder Ratlosigkeit sein
- Körpersprache gezielt einsetzen
- Blickkontakt halten
- Ablenkungen widerstehen
- hinter seiner Rolle den Menschen mit seinen Gefühlen und Bedürfnissen erkennen
- den Partner entspannen
- nachfragen bei Unklarheiten
- zuhören heißt nicht gutheißen

b Suchen Sie nach Beispielen und Situationen, um einige der Techniken in Aufgabenteil a zu illustrieren.

c Hier die wichtigsten Techniken des aktiven Zuhörens. Klären Sie erst zu zweit, dann im Kurs, ob Sie alles verstehen.

Die Argumente des Gegenübers mit eigenen Worten wiederholen: Also, Sie haben gesagt, dass … | Habe ich Sie / dich richtig verstanden, … | Sie meinen also, … | Wenn ich dich richtig verstanden habe, … | Bei mir ist angekommen … | Sie finden das Verhalten also unmöglich. | Sie mögen wohl lieber, wenn …

Nachfragen, weiterführen: Nachdem du das gesagt hattest, reagierte er überhaupt nicht? | Und wie hat er darauf reagiert? | Dann hat dein Chef also doch noch das Gespräch gesucht. Wie hat er sich dann verhalten?

Zusammenfassen, resümieren: Also kurz gesagt: … | Ich fasse zusammen: … | Zusammengefasst lässt sich sagen, dass …

Die Gefühle des Gegenübers zum Ausdruck bringen: Das hat Sie (sehr / unheimlich / …) geärgert / verletzt. | Sie wünschen sich mehr Verständnis. | Das hat Sie überrascht. | Sie möchten von dem ständigen Druck befreit sein. | Sie sind verärgert. | Sie empfinden das als ungerecht.

Klären, abwägen: Du hast gesagt, du hast dich beschwert. War das noch am selben Tag? | Hat er / sie das wirklich gefragt oder interpretierst du das in seine / ihre Worte?

3 Konstruktiv sprechen – aktiv zuhören

Sprechen

a Bilden Sie Sechsergruppen. Zwei von Ihnen sind Beobachter. Vier führen ein kontroverses Gespräch zu einem der folgenden Themen. Versuchen Sie, das Gespräch konstruktiv zu gestalten, indem Sie sich gegenseitig verbal und durch Körpersprache zeigen, dass Sie gut zuhören.

- Mit dem Putzplan in Ihrer Vierer-WG klappt es leider gar nicht. Jeder hat gute Gründe, warum er oder sie wieder mal keine Zeit hatte. Suchen Sie eine Lösung.
- Sie haben Freunde über das Wochenende eingeladen und eine laute Party gefeiert, ohne Ihren Mitbewohnern vorher etwas davon zu sagen. Zwei sind richtig sauer, einer vertritt Ihren Standpunkt, dass das die freie Entscheidung jedes Einzelnen ist.

b Besprechen Sie am Ende den Verlauf des Gesprächs und notieren Sie, was gut und was weniger gut war. Tauschen Sie Ihre Erfahrungen im Kurs aus.

4 Frau Wald spricht mit ihrem Nachbarn

Schreiben

a Hören Sie zunächst das Gespräch einmal ganz. Worum geht es?

b Hören Sie dann das Gespräch noch ein- oder zweimal und machen Sie sich Notizen zu den wichtigsten Argumenten von Frau Wald und Herrn May.

c Geben Sie die Argumente von Frau Wald und Herrn May schriftlich wieder und kommentieren Sie sie dabei. Welche Argumente leuchten Ihnen ein, welche finden Sie nicht so gut und warum? Verbessern Sie dann gegenseitig Ihre Ausführungen inhaltlich und sprachlich.

Einleitung: In dem Gespräch geht es um Folgendes …

Hauptteil: Man kann zwei / drei / vier … Argumentationslinien erkennen | Während Frau X anführt, dass …, entgegnet Herr Y, dass … | Frau X ist der Meinung …, Herr Y hingegen argumentiert … | Das Argument von Frau X überzeugt (mich) mehr, denn … | Ich halte dieses Argument von Herrn Y für besser, weil … | Die Gründe, die Frau X anführt, erscheinen mir stichhaltiger, weil … | Die Argumentation von Herrn Y finde ich einleuchtend(er), denn …

Schluss: Meiner Ansicht nach sind die Argumente von Frau X insgesamt besser, weil … | Zusammenfassend lässt sich die Situation wie folgt bewerten: … | Deshalb ist Frau X meines Erachtens im Recht. | Daher sollten die beiden … | Also wäre es sicher gut, wenn …

3 Lokal oder global: gute Nachbarschaft

Lesen
Schreiben

1 Felix – Nachbarn helfen Nachbarn

Was charakterisiert „Felix"? Lesen Sie den Text und machen Sie Stichpunkte zu den Fragen: Wer? Was? Wie? Wo?

Wer?	Was?	Wie?	Wo?

Felix – Nachbarn helfen Nachbarn

20 Jahre besteht die Nachbarschaftshilfe „Felix" (der Glückliche) in München. Ganz unterschiedliche Menschen engagieren sich hier ehrenamtlich: Ruheständler, junge Berufstätige und auch Menschen, die gar nicht viel Geld haben. 5 Manchmal arbeiten ganze Familien mit. Die Großmutter übernimmt Besuchsdienste, die Mutter erledigt Bankgeschäfte, die Enkel kaufen ein. Ob Einkaufen, Kinderhüten, Begleitdienste zu Ärzten oder Behörden oder „nur" Besuche im Krankenhaus oder zu Hause – meist geht es um kurzfristige 10 Hilfe zur Überbrückung einer schwierigen Situation. Wenn notwendig und gewünscht, vermittelt die Nachbarschaftshilfe kleinere Reparatur- oder Gartenarbeiten ebenso wie professionelle Familienpfleger, Hauswirtschaftsdienste, Putzhilfen, Babysitter und andere mehr. 15 Mittlerweile wissen die ehrenamtlichen Helfer bestens Bescheid in vielen Bereichen, auch in rechtlichen und finanziellen Fragen. Trotzdem ist die Nachbarschaftshilfe „Felix" auch heute noch „nur" ein loser Zusammenschluss sozial aktiver Bürgerinnen und Bürger, denen es nicht gleichgültig ist, was in ihrer Nachbarschaft geschieht. 20

Hören 1, 29–30
Schreiben

2 Nachbarschaftshilfe im globalen Dorf

a Hören Sie den Auszug aus der Radiosendung einmal ganz und besprechen Sie in Kleingruppen, worum es darin geht.

b Hören Sie dann den Auszug noch einmal und ergänzen Sie die Sätze unten.

1. Durch nabuur werden Ressourcen weltweit nutzbar, z. B. *Kenntnisse, Energie, Geld.*
2. Das Internetcafé ist ein ______
3. Zapotillo liegt ______
4. Die meisten Bewohner sind jung, d. h. ______
5. Das Wichtigste sind ______
6. Ein Nachbar aus der Dominikanischen Republik ______
7. Nachbarn gaben Ratschläge zu ______
8. Aus Australien kamen ______
9. Ein Holländer half, ______
10. Die Gemeinde Zapotillo ______
11. In der ersten Mail ______
12. Ein Nachbar aus England ______
13. Eine deutsche Nachbarin ______

Sprechen

3 Global denken, lokal handeln

a Wie finden Sie die Ideen in den Aufgaben 1 und 2? Was gefällt Ihnen daran? Wo sehen Sie Schwierigkeiten? Sprechen Sie darüber im Kurs.

b Kennen Sie weitere Beispiele für lokale oder globale Nachbarschaftshilfe? Wo wäre mehr notwendig? Würden Sie sich selbst engagieren?

Lesen
Sprechen

4 Internationale Nachbarschaft

Lesen Sie die Texte. Was können Sie „zwischen den Zeilen" lesen? Welche Meinungen oder Überzeugungen sind dort versteckt?

A

Beim tschechischen Nachbarn in der Schule

Die Pässe liegen bereit, die Reise geht ins Ausland. Früh am Morgen sind 30 bayerische Kinder unterwegs Richtung Grenze, zum Schulunterricht in die Tschechische Republik. Zweimal im Monat besuchen die Grundschüler einander, um gemeinsam zu lernen. Der kleine Grenzverkehr der Zweitklässler ist ein einmaliges Projekt: Fundament für ein geeintes Europa, das sich mit dem Beitritt der östlichen Staaten neu formiert.

B

Spurensuche in Schlesien, Pommern und Masuren

Seit dem EU-Beitritt boomt der Tourismus in Polen. 30 Prozent mehr Besucher verzeichnet das Land, darunter auch viele Deutsche. Sie sind neugierig auf den östlichen Nachbarn, der einiges zu bieten hat: historische Städte, Berge, unzählige Seen und die Ostseeküste. Gibt es trotz der „Schatten der Vergangenheit" eine Basis für ein gutnachbarschaftliches Verhältnis?

C

Die Wunden sind vernarbt

In Bratislava, der Hauptstadt der Slowakei, ist man stolz, zur Europäischen Union zu gehören. In den letzten Jahren wurden ehrgeizige Reformen durchgeführt. Mit Erfolg: Jetzt boomt die Wirtschaft. Anders als das deutsch-tschechische ist das deutsch-slowakische Verhältnis nicht mehr so von der Vergangenheit belastet. Dafür sprechen auch die über 200 deutschen Firmen in der Slowakei, darunter fast 60 bayerische Unternehmen.

Hören 1, 31
Sprechen

5 Ein Jahr bei den Nachbarn – Bauen verbindet

a Hören Sie und notieren Sie Stichwörter zu den folgenden Fragen.

In der Stralsunder Jugendbauhütte arbeiten junge Polen und Deutsche während eines Freiwilligen Sozialen Jahres gemeinsam in der Denkmalpflege, so auch Julian aus Stuttgart und Jacek aus Poznań, die ein „Tandem" bilden.
Julian hat nach langer Zeit wieder einmal eine E-Mail nach Hause geschrieben. Die Familie war schon ganz ungeduldig. Julians Schwester Isa ruft die Großmutter an und liest ihr Julians Nachricht vor.

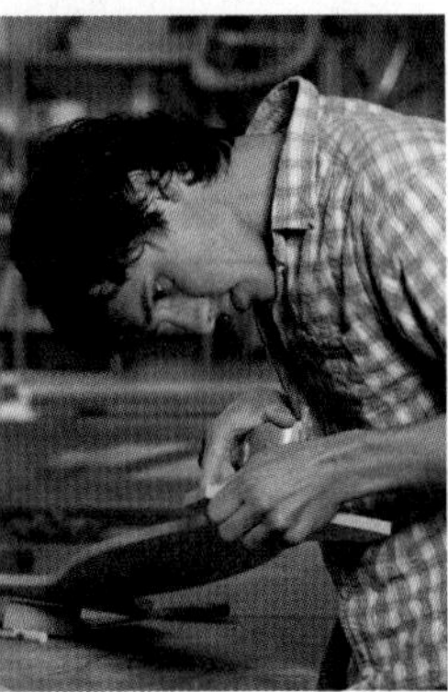

1. Warum hat Julian lange nicht geschrieben?
2. Welche Tätigkeiten übt er in der Bauhütte aus?
3. Wie charakterisiert er Jacek?
4. Wie stellt sich Jacek seine Zukunft vor?
5. Wie charakterisiert Julian die Polen, denen er begegnet ist?
6. Was haben Julian und Jacek in Poznań unternommen?
7. Wie hat die Verständigung mit Jaceks Familie und Freunden geklappt?

b Spielen Sie zu zweit ein Gespräch, in dem Isa ihrem Großvater erzählt, was Julian geschrieben hat.

c Erzählen Sie sich in Arbeitgruppen Geschichten über besondere Erfahrungen, die Sie im Ausland oder auch in Ihrem Heimatland zusammen mit Ausländern gemacht habe. Tauschen Sie sich dann im Kurs aus.

3 Wie Nachbarn sich verstehen

1 Sprache im Mittelpunkt: Wie man Gegensätze ausdrückt

Formen und Strukturen S. 163

a Der Chef spricht über Julian und Jacek. Lesen Sie die folgenden Sätze und unterstreichen Sie das Wort, das jeweils als Konnektor einen Gegensatz einleitet.

1. Sie sind ganz verschieden, aber sie verstehen sich bestens.
2. Julian ist eher schweigsam, dagegen redet Jacek gern und viel.
3. Jacek konnte am Anfang kein Wort Deutsch, heute hingegen spricht er schon sehr gut.
4. Im Gegensatz zu einigen Kollegen konnte Julian zu Beginn überhaupt kein Polnisch, jetzt jedoch hat er wenig Schwierigkeiten mit dem Sprechen.
5. Während Julian am Anfang immer übersetzen musste, ist das heute nicht mehr nötig.
6. Jacek ist unglaublich schnell, während Julian lieber länger überlegt.
7. Julian ist sehr genau, Jacek dagegen sieht alles ein bisschen lockerer.
8. Manchmal streiten sie sich, doch sie sind sich sofort wieder einig.
9. Entgegen den anfänglichen Befürchtungen sind sie richtig gute Freunde geworden.
10. Das ist nicht nur meine Meinung, sondern alle sagen das.

b Analysieren Sie nun die Stellung dieser Konnektoren in den Sätzen 1–4 und 7–10. Auf welcher Position stehen sie?

Position 0	Position 1	Position 2	Mittelfeld	Satzende
aber	sie	verstehen	sich bestens.	
	dagegen	redet	Jacek gern und viel.	

c Wie unterscheiden sich diese Sätze von den Sätzen 5 und 6?

! Die Sätze 1–4 und 7–10 sind ☐ 2 Hauptsätze. ☐ 1 Haupt- und 1 Nebensatz.
Die Sätze 5 und 6 dagegen sind ☐ 2 Hauptsätze. ☐ 1 Haupt- und 1 Nebensatz.

2 Sprache im Mittelpunkt: Wie man etwas tut

Formen und Strukturen S. 162

a Lesen Sie den folgenden Dialog und achten Sie dabei besonders auf die unterstrichenen Wörter. Markieren Sie dann, ob es sich um einen Subjunktor (S), ein Verbindungsadverb (V) oder eine Präposition (P) handelt.

Julian und Jacek unterhalten sich darüber, wie sie die Sprache des anderen am besten lernen können.

Julian: Wie hast du nur so schnell diese ganzen neuen Wörter gelernt?

Jacek: Ich lerne am besten durch (P) Visualisieren.

Julian: Wie meinst du das? Schreibst du alles mehrmals auf?

Jacek: Nein. Ich lerne schwierige Sachen, indem (__) ich mir ein Bild vorstelle. Ein Beispiel: der Bauarbeiter, der Schreiner, der Maurer, aber die Mauer. Also denke ich an meine Mutter, also die Mutter, wie sie über die Mauer steigt.

Julian: O.k. Also du lernst dadurch, dass (__) du ein konkretes Bild mit dem Wort verbindest?

Jacek: Genau. So mache ich das, anstatt (__) alles tausendmal zu schreiben. Und du?

Julian: Statt (__) zu schreiben, spreche ich das Wort zehn- bis zwanzigmal leise vor mich hin.

Jacek: Stattdessen (__) könnte man aber auch CDs hören.

Julian: Das ist aber nicht dasselbe, denn beim Sprechen verarbeitet das Gehirn die Informationen besser.

Jacek: Interessant … Statt (__) der modernen Technik das alte Gehirn nutzen!

Julian: Ey, so alt is' meins ja wohl auch nicht!

b Beschreiben Sie sich gegenseitig, wie Sie (schwierige) Wörter lernen oder wie Sie Ihren Wortschatz erweitern. Benutzen Sie dabei die Konnektoren oben.

3 Meine Nachbarn bei mir

Sprechen
Schreiben

a Wie ist Ihre Meinung zu der folgenden Aussage? Diskutieren Sie!

Im grenznahen Gebiet sollte die Sprache des Nachbarlandes ein Pflichtfach in der Schule sein.

Arbeiten Sie zu fünft. Zwei Personen sammeln jeweils vier Argumente für diese Meinung, die zwei anderen jeweils vier Argumente dagegen; schreiben Sie jedes Argument auf eine Karte. Dann vereinbart jede Zweiergruppe, welche drei (!) Argumente sie verwenden will. Die fünfte Person ist Beobachter. Anschließend diskutieren Sie das Thema zu viert und der Beobachter notiert die jeweiligen Argumente und ihre Begründung.

b Schreiben Sie nun eine kleine Erörterung zu dem Thema. Lesen Sie zur Vorbereitung die folgenden Hinweise und benutzen Sie die Redemittel.

Einleitung: allgemeine Information zum Thema, schließt mit der Fragestellung ab

Hauptteil: Pro-Kontra-Argumentation in geordneter Form,

entweder 1. alle positiven Argumente
2. alle negativen Argumente

oder 1. positives – negatives Argument
2. positives – negatives Argument usw.

Argumente begründen, am besten durch ein Beispiel verdeutlichen und Schlussfolgerungen aufzeigen

Schluss: eigene Stellungnahme mit kurzer Begründung (keine Wiederholung der Erörterung im Hauptteil)

Einleitung

In dieser Situation stellt sich die Frage, ob es nicht besser wäre, wenn … | Daher taucht immer wieder die Frage auf, ob … | Daraus ergibt sich die Frage … | Dies führt zu der Frage …

Hauptteil

pro	contra
für … spricht …	gegen … spricht …
dafür spricht, dass …	dagegen spricht, dass …
ein weiteres Argument für … ist …	ein weiteres Argument gegen … ist … / ein weiterer Einwand ist …
Befürworter einer solchen Lösung …	Gegner einer solchen Lösung …
während die einen meinen …	… vertreten die anderen …
einer der wichtigsten Gründe , der für … angeführt wird, ist …	einer der wichtigsten Gründe, der gegen … angeführt wird, ist …
die einen befürworten … / sind für … / sind dafür, dass …	die anderen lehnen ab … / sind gegen … / sind dagegen, dass …
das wichtigste Argument für … bezieht sich auf …	der wichtigste Einwand bezieht sich auf …
das Hauptargument für … / dafür, dass …	das Hauptargument gegen … / dagegen, dass …

Schlussteil

Ich bin der Meinung / Ansicht / Auffassung / Überzeugung, dass … | Meiner Meinung / Ansicht / Auffassung / Überzeugung nach … | Ich vertrete den Standpunkt / stehe auf dem Standpunkt, dass … | Mich überzeugen am stärksten die Gründe … | Meine Einschätzung der Lage ist folgende / folgendermaßen: … | Ich beurteile dieses Problem folgendermaßen / wie folgt: …

3 Die Kirschen in Nachbars Garten

1 Sprache im Mittelpunkt: Wie man Dinge genauer beschreiben kann

Formen und Strukturen S. 182

a Schauen Sie sich die Schilder an. Was glauben Sie, was für ein Geschäft werden die Nachbarinnen eröffnen?

Seit einigen Wochen finden im Erdgeschoss zahlreiche Aktivitäten statt. Zwei junge Frauen bereiten die Eröffnung eines neuen Geschäfts vor.

b Ordnen Sie die Adjektive von den Schildern in Aufgabenteil a den Definitionen in der Tabelle zu.

ohne (+ Akk.)	mit wenig (+ Dat.)	mit viel (+ Dat.)	enthält (+ Akk.)
schadstofffrei			

c Machen Sie Werbung für die Produkte in Aufgabenteil a.

reich an (+ Dat.) | arm an (+ Dat.) | frei von (+ Dat.) | Bei uns finden Sie … | Wir bieten Ihnen … | Das Besondere bei uns ist, dass … | … erwarten Sie | Wir bieten Ihnen … | Wir führen …

Alle unsere Produkte sind frei von Schadstoffen! Unser Gemüse ist immer ganz frisch und besonders reich an Vitaminen! Wir führen ausgezeichnetes …

2 Sprache im Mittelpunkt: Wie man Menschen (und anderes) beschreiben kann

Formen und Strukturen S. 182

a Drücken Sie das Gegenteil aus.

Mein Nachbar gegenüber ist leider rücksichtslos, taktlos, stillos und auch noch humorlos. Ich wünschte, er wäre *rücksichtsvoll*, ____________, ____________ und ____________.

b Nicht immer ist „-voll" das Gegenteil von „-los". Es gibt andere Endungen, und manchmal kann man das Gegenteil auch nur umschreiben. Benutzen Sie gegebenenfalls ein Wörterbuch.

1. interesselos *interessiert*
2. respektlos ____________
3. ruhelos ____________
4. hemmungslos ____________
5. fehlerlos ____________
6. leblos ____________
7. aussichtslos ____________
8. glücklos ____________
9. kinderlos ____________
10. schuldlos ____________
11. arbeitslos ____________
12. lieblos ____________

3 „Los", ein Lied der Sängerin Pe Werner

Hören 1, 32–35
Sprechen

a Bitte schließen Sie Ihre Bücher, hören Sie das Lied und notieren Sie, was Sie verstehen. Sammeln Sie anschließend alle verstandenen Wörter im Kurs. Worum geht es in dem Lied eigentlich?

b Beschreiben Sie die Zeichnung mithilfe der Wörter aus dem Schüttelkasten.

ziellos heimatlos uferlos
Leinen los zweifellos
ratlos auf einem Floß

c Hören Sie nun die zweite Strophe (Track 33) und ergänzen Sie die Wörter, die Sie verstehen. Wie könnte eine Zeichnung für diese Strophe aussehen?

*grund*los, ______los, ______los, ______bloß, ______los,
______los, ______kloß

d Hören Sie jetzt die dritte und vierte Strophe (Track 34 und 35) und ordnen Sie die Wörter zu.

hemmungslos nackt und bloß ~~glücklos~~ der Teufel los
Traumschloss schamlos das große Los ~~haltlos~~ chancenlos
maßlos aussichtslos selten bloß machtlos gnadenlos

Strophe 3:	Strophe 4:
haltlos,	*glücklos,*

e Das ist der Refrain des Lieds. Diskutieren Sie gemeinsam die verschiedenen Bedeutungen von „los". Konsultieren Sie gegebenenfalls ein einsprachiges Wörterbuch.

Los, los mach' ma' hin, mach' ma' los
Los, los bloß gar nix los is' kostenlos
Los – geh über Los
Jetzt geht's los

1. los = ______ **2.** los = ______ **3.** -los = ______ **4.** das Los = ______

f Zu welcher Strophe des Lieds passt die Musik Ihrer Meinung nach am besten? Diskutieren Sie im Kurs.

4 Sprache im Mittelpunkt: Adjektive auf „-los"

Formen und Strukturen S. 182

Schreiben Sie eine Liste der Adjektive auf -los, die Sie im Lied „Los" finden. Welche Wörter kann man aus der Wortzusammensetzung erklären, welche haben eher eine übertragene Bedeutung?

arbeitslos: ich bin ohne Arbeit, ich habe keine Arbeit – konkrete Bedeutung
brotlos: man kann damit kein Geld verdienen – übertragene Bedeutung

4 Dinge

1 Die Bedeutung der Dinge

Sprechen

Besprechen Sie in Arbeitsgruppen alles, was Ihnen zu dem Bild „Les valeurs personnelles" (Die persönlichen Werte) von René Magritte einfällt. Sammeln Sie Ideen und versuchen Sie eine Interpretation.

Was Ihnen auffällt: Auf dem Bild sieht man … | … ist … dargestellt | Beim Betrachten des Bildes empfinde ich … | Das Bild macht auf mich den Eindruck, als hätte / als wäre es … | Auf mich wirkt das Bild … | Merkwürdig ist, dass …

So können Sie Vermutungen äußern: wahrscheinlich | vermutlich | möglicherweise | vielleicht | Es könnte sein, dass … | Ich könnte mir vorstellen, dass … | Ich denke, dass …

Sie möchten nachfragen: Was bringt Sie / dich auf diese Idee? | Wie kommen Sie / kommst du darauf?

Sie möchten widersprechen: Ich sehe das nicht so. | Für mich ist das eher …

Was möchte der Künstler sagen:
Der Künstler möchte zeigen, dass … |
… möchte zum Ausdruck bringen, dass …

2 Dinge und Bedeutung

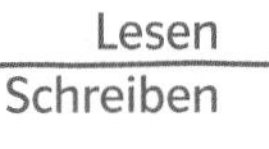

Lesen
Schreiben

a Lesen Sie das Gedicht „Zwei Sessel". Welche Bedeutung haben die Sessel für den Autor?

b Wie würde das Bild aussehen, wenn der Autor ein Bild „Die persönlichen Werte" malen würde? Malen Sie (gemeinsam mit anderen) dieses Bild.

c Wählen Sie einen persönlichen Gegenstand und schreiben Sie ein kleines Gedicht, zum Beispiel „Zwei Schuhe", „Ein Handy".

Zwei Sessel

Sie haben mir gedient.
Und ich besinge sie so
nüchtern,
wie es ihnen entspricht.
Schwarz gestrichenes Holz
und Segeltuch –
Material für ein Schiff,
eine Reise.
Und bin ich nicht
in ihnen gereist?
Manchen Tag, manche Nacht
denkend
und träumend?
Sie gaben immer,
was Dinge geben können:
zuverlässig scheinenden Halt,
Orientierung
und ein leises
Echo
des entschwundenen Lebens.

Rainer Malkowski

3 Umfrage: Mein wichtigster Gegenstand

Hören 1, 36–41
Sprechen

a Vermuten Sie: Welche Bedeutung könnten folgende Dinge für die Sprecher haben?

ein Reisepass | eine Taschenlampe | ein Auto | ein Ring | ein Fernseher | ein Stein

b Vergleichen Sie nun Ihre Vermutungen mit den Aussagen der Befragten.

c Hören Sie jetzt ganz konzentriert zu: Wie begründen die Befragten die Bedeutung des Gegenstandes für sie? Welche sprachlichen Mittel benutzen sie?

Die brauche ich jeden Abend. | … wegen seines Aussehens

4 Präsentation: Mein wichtigster Gegenstand

Schreiben
Sprechen

Gestalten Sie in einer Arbeitsgruppe eine Präsentation mit den Dingen, die Ihnen persönlich wichtig sind, und stellen Sie diese im Kurs vor.

Was Sie in dieser Lektion lernen können:

- mündlich Vermutungen über Sachverhalte, Gründe und Folgen anstellen
- eine vorbereitete Präsentation gut verständlich vortragen
- ausführliche Beschreibungen von interessanten Dingen und Sachverhalten verstehen
- sich während eines Gesprächs oder einer Präsentation Notizen machen
- detaillierte Informationen umfassend und inhaltlich korrekt weitergeben
- in Texten neue Sachverhalte und detaillierte Informationen verstehen
- sich an Gesprächen und Diskussionen beteiligen sowie eigene Ansichten begründen und verteidigen
- den eigenen Standpunkt begründen und Stellung zu Aussagen anderer nehmen
- die Hauptaussagen von klar aufgebauten Vorträgen, Reden und Präsentationen verstehen
- anderen Personen Ratschläge oder detaillierte Empfehlungen geben
- gezielt Fragen stellen und ergänzende Informationen einholen
- im Radio Informationen aus Nachrichten- und Featuresendungen verstehen
- Informationen und Sachverhalte schriftlich weitergeben und erklären

4 Die Welt der Dinge

Sprechen

1 Marken und Produkte

Sehen Sie sich die folgenden Logos an. Welche Marken kennen Sie? Was wissen Sie über deren Produkte? Sprechen Sie im Kurs.

Hören 1, 42–45
Sprechen

2 Produkte beschreiben

a Sie hören Beschreibungen zu vier Produkten. Welche der Produkte werden beschrieben?

1 Kamera   2 Rucksack   3 Milch   4 Schreibtischstuhl   5 Uhr   6 Stiefel
7 Auto   8 Kaffee   9 Koffer   10 Staubsauger   11 iPod   12 Aspirin

b Zu welchen Marken aus Aufgabe 1 passen die im Schüttelkasten oben genannten Produkte? Notieren Sie die passende Nummer aus Aufgabenteil a.

A	B	C	D	E	F	G	H	I
6								

c Hören Sie eine der Produktbeschreibungen noch einmal genauer an. Welche Informationen bekommen Sie? Bitte machen Sie sich Notizen und vergleichen Sie sie dann miteinander.

DIE ADJEKTIVDEKLINATION:

Endungen des bestimmten Artikels (die Signalendungen) am Artikelwort -> Endungen -e oder -en am Adjektiv

Keine Signalendungen am Artikelwort oder kein Artikelwort -> Signalendungen am Adjektiv

Signale:	m	n	f	Pl.
Nominativ	r			
Akkusativ	n	s	e	e
Dativ	m	m	r	n
Genitiv	s	s	r	r

Formen und Strukturen
S. 175

3 Sprache im Mittelpunkt: Beschreiben von Eigenschaften

a Hören Sie alle Produktbeschreibungen aus Aufgabe 2a noch einmal genau an. Welche Eigenschaften haben die Produkte? Bitte notieren Sie die passenden Adjektive zu den Nomen im Schüttelkasten.

eine (...) Aromanote   mit (...) Details   bei (...) Schmerzen   aus (...) Nylongewebe

b Mit welchen sprachlichen Mitteln können Sie etwas beschreiben? Sammeln Sie zu zweit und vergleichen Sie im Kurs.

4 Das Ding und ich

Hören 1, 46

→GI

a Um etwas Geld zu verdienen, arbeiten Sie samstags in einem Geschäft für Sportartikel. Heute sind Sie allein im Geschäft, da Ihr Chef plötzlich und unerwartet verreisen musste. Von unterwegs hat er Ihnen aber noch einige Informationen auf dem Anrufbeantworter hinterlassen. Hören Sie seine Mitteilung und tun Sie, worum er Sie bittet.

Schreiben

b Leider konnten Sie die Druckerei nicht erreichen. Deshalb schreiben Sie nun eine E-Mail, in der Sie die Informationen (Veränderungen und Ergänzungen) Ihres Chefs weitergeben.

... bittet Sie um ... | ... bittet Sie darum, ... | ... hätte gern, dass ... | ... hat gesagt, dass ... | Ich soll Ihnen sagen, dass ... | Ich soll Ihnen ausrichten, dass ... | Ich soll Sie bitten, ... | ... müsste geändert / ergänzt / gestrichen werden

4 Die Versteigerung der Dinge

1 Dingsda

Hören 1, 47–50 / Sprechen

a Von welchen Gegenständen sprechen die Kinder? Hören Sie zu und raten Sie.

b Machen Sie selbst ein solches Ratespiel.

2 Sammelsurium

Sprechen

a Notieren Sie zuerst folgende Gegenstände aus Ihrer häuslichen bzw. persönlichen Umgebung. Tauschen Sie sich dann in einer Gruppe darüber aus.

Etwas,
- worauf Sie nicht verzichten möchten
- wofür Sie keine Verwendung mehr haben
- worüber Sie sich oft ärgern
- worauf Sie stolz sind
- wofür Sie viel Geld bezahlt haben
- was Ihnen fehlt oder was Sie gern hätten
- was für Sie elegant / hässlich / nutzlos / kitschig / wertvoll / altmodisch ... ist

b Jetzt möchten Sie das, was Sie gerne hätten, kaufen und das, worauf Sie verzichten können, verkaufen. Welche Möglichkeiten haben Sie?

3 eBay

Lesen / Sprechen

a Lesen Sie den Text über das Prinzip eBay und markieren Sie die für Sie wichtigsten fünf Informationen.

Von allen Ideen, die das Internet hervorgebracht hat, ist das eBay-Prinzip auf den ersten Blick die eingängigste: ein globaler Online-Marktplatz zum Ersteigern und Versteigern, Kaufen und Verkaufen von praktisch allem, ein gigantisches Warenhaus ohne eigene Produkte, das nur von der Vermittlung zwischen seinen Kunden lebt. Allein dieses Jahr werden dort schätzungsweise 70 Millionen Menschen einen Deal abschließen und Waren für mehr als 40 Milliarden Dollar verkaufen. Dieses aberwitzige Volumen und rasante Wachstum hat sicher mit den unbegrenzten Möglichkeiten des Schnäppchenjagens und Geldverdienens zu tun – aber gerade seit dem Erreichen einer gewissen Größe lässt sich noch ein ganz anderes Phänomen beobachten: eBay bildet (gemeinsam mit den vielen kleineren Online-Märkten) eine Art Paralleluniversum der Dinge, in dem Raum und Zeit aufgehoben scheinen, eine virtuelle Dachkammer der Welt, in dem kein Gegenstand jemals mehr verloren geht.

Wer einmal auf eBay etwas verkauft hat, kennt den Bewusstseinswandel, den dieser Akt auslöst: Plötzlich gibt es keine wertlosen oder nutzlosen Sachen mehr – die Hand, die ausholt, um ein Ding in den Abfall zu werfen, wird von einer höheren Instanz gestoppt. Die formschöne Zitronenpresse, die so elegant designt ist, dass sie nicht funktionieren kann, das verstaubte Spielzeug aus Kindertagen, das Buch, das man niemals mehr lesen wird: Auf einmal sind sie nicht nur nutzlose Geschenke, Staubfänger, Ballast – sie sind eBay-Ware und sie haben ein Recht auf Asyl. So sinnlos und hässlich ein Ding für mich gerade scheinen mag: Irgendwo da draußen, am anderen Ende des eBay-Universums, gibt es ganz sicher einen Menschen, der gerade darauf sehnlichst gewartet hat, der gerade an diesem Gegenstand noch Freude haben wird, weil er genau das ist, was er sich sehnlichst wünscht und worauf er seit Jahren wartet. Es ist, als hätten die Dinge plötzlich ein Karma, einen geheimen Bestimmungsort, den sie irgendwann erreichen müssen – und nur ein Barbar würde ihre Reise vorzeitig beenden, indem er sie unter Kaffeesatz und Kartoffelschalen in der Mülltonne begräbt.

Die Befriedigung, die ein eBay-Verkauf mit sich bringt, kehrt die Idee der Profitmaximierung, die man sonst mit einer Auktion verbindet, oft genug um: Häufig stehen Aufwand und Erlös, nach Abzug der eBay-Gebühren, eben doch in keinem Verhältnis mehr, wäre der sekundenschnelle Wurf in den Abfalleimer finanziell die sinnvollere Option gewesen. In der Zeit des Fotografierens, Online-Stellens, Verpackens und Auf-die-Post-Tragens der Ware hätte man ja beispielsweise auch zwei gut bezahlte Überstunden im Büro machen können, wovon 65 man vielleicht mehr gehabt hätte. Der eigentliche Lohn ist jedoch der, dass man den verkauften Gegenstand seiner Bestimmung zugeführt, ihm geholfen hat, seinen richtigen Platz in der Welt zu finden. Man wird 70 Teilnehmer an einem höheren ethischen Projekt, das man als „Die Ordnung der Dinge" bezeichnen könnte – und man fühlt, Eingeweihte werden es bestätigen, eine Art Aufgeräumtheit der Seele, die man anders nur 75 schwer erreichen kann.

Auf der Seite der Käufer treffen wir gleichzeitig immer mehr Menschen, die per eBay ihre Biografien aufarbeiten und Fehler in der Ordnung der eigenen Dinge kor- 80 rigieren: Diese ganz spezielle Lokomotive der Spielzeugeisenbahn, nach der man sich als Kind sehnte, die einem schicksalhaft bestimmt war, die man aber wegen herzloser Eltern oder wegen nicht vorhandenen Taschengeldes nie in die Arme schließen durfte 85 – wetten, dass sie jetzt eines Tages bei eBay auftaucht, genau beschrieben, identifizierbar bis hin zur Modellreihe und Seriennummer? Muss man nicht annehmen, dass sie all die Jahre auf einen gewartet hat? Nie werden 90 wir den Ausdruck der Qual im Gesicht eines Freundes vergessen, als er erzählte, wie er endlich ein mythisches Phantasma seiner Jugend auf eBay entdeckte – einen Plastikspielzeug-Bunker aus Japan, dessen eigenar- 95 tigen Namen „German Secret Strong Point" er nie vergessen hatte – und dann doch in letzter Sekunde überboten wurde. In diesem Moment gab es keine Gerechtigkeit mehr für ihn – aber die Wahrheit ist wohl die, dass 100 dies noch nicht SEIN Plastikspielzeug-Bunker war. Der ist noch da draußen, im unermesslichen Paralleluniversum der Dinge, auf dem Weg zu ihm.

b Tauschen Sie sich in Kleingruppen aus: Einigen Sie sich auf fünf gemeinsame Informationen.

c Haben Sie selbst Erfahrungen mit eBay? Berichten Sie. Welche positiven Aspekte und welche Gefahren gibt es Ihrer Meinung nach beim Online-Handel?

4 Sprache im Mittelpunkt: Beschreiben mit Relativsätzen

Formen und Strukturen S. 164

a Suchen Sie nach den Relativsätzen im Text in Aufgabe 3 und markieren Sie sie.

b Erinnern Sie sich an die Regeln für Relativsätze? Formulieren Sie sie gemeinsam im Kurs.

DIE RELATIVPRONOMEN:

	m	n	f	Pl.
Nominativ	der	das	die	die
Akkusativ	den	das	die	die
Dativ	dem	dem	der	denen
Genitiv	dessen	dessen	deren	deren

!

1. Relativsätze mit ______________ beziehen sich auf ein Nomen.
2. Relativsätze mit _was_ oder ______________ + _Präposition_ beziehen sich auf einen ganzen Satz, auf das Demonstrativpronomen „das" oder ein Indefinitpronomen (alles, nichts, ...).

c Finden Sie die passenden Ergänzungen, um die Dinge näher zu beschreiben.

1. Bei eBay kaufen Sie alles,
   wonach Sie schon lange suchen.

~~wonach~~ wovon womit was
woran wonach

es Ihnen mangelt Sie brauchen
Sie sich das Leben erleichtern können
Sie sich sehnen ~~Sie schon lange suchen~~
Sie schon immer geträumt haben

2. Bei eBay verkaufen Sie alles,
   womit ...

~~womit~~ worauf worüber woran
wofür wogegen womit worunter

Sie verzichten können Sie sich oft ärgern
Sie nichts mehr anfangen können
Sie nicht mehr interessiert sind
Sie schon oft gelitten haben
Sie sich schämen Sie unzufrieden sind
Sie allergisch sind

4 Der Wert der Dinge

Sprechen

1 Produkte: kaufen und verkaufen

Wählen Sie eine der Thesen und diskutieren Sie in Arbeitsgruppen.

1. Die Zeit ist das kostbarste Gut: Man kann sie für Geld nicht kaufen. (Jüdische Lebensweisheit)
2. Verkaufen heißt, dem Käufer behilflich sein, mit der Ware eine positive Vorstellung zu verbinden. (Helmar Nahr)
3. Willst du nichts Unnützes kaufen, musst du nicht auf den Jahrmarkt laufen. (Johann Wolfgang von Goethe)
4. Die Menschen haben keine Zeit mehr, irgendetwas kennen zu lernen. Sie kaufen sich alles fertig in den Geschäften. (Antoine de Saint-Exupéry)
5. Wollt ihr immer kaufen, was ihr nicht unbedingt nötig habt, so werdet ihr bald das wirklich Nötige verkaufen müssen. (Benjamin Franklin)
6. Das Schild ist's, das die Kunden lockt. (Jean de La Fontaine)
7. Kaufe nie unnütze Sachen, weil sie billig sind. (Thomas Jefferson)
8. Ich habe Sorge, dass eine junge Generation heranwächst, die von allem den Preis und von nichts den Wert kennt. (Johannes Rau)
9. Manchmal zahlt man den höchsten Preis für Dinge, die man umsonst erhält. (Albert Einstein)
10. Je älter man wird, desto näher rückt man an den Punkt, an dem man nichts mehr haben wird. Ich konzentriere mich auf die wirklich wichtigen Dinge. (Donna Leon)
11. Der Mensch braucht wenig, und auch das nicht lang. (Edward Young)
12. Ein Ding ist dann wichtig, wenn irgendjemand denkt, dass es wichtig ist. (William James)

nachfragen: Ich bin nicht sicher, ob ich Sie richtig verstanden habe. Könnten Sie das bitte noch einmal erläutern? | Wenn ich Sie richtig verstanden habe, meinen Sie, dass … Ist das korrekt?

sich auf vorher Gesagtes beziehen: Ich möchte gern noch einmal auf das zurückkommen, was Sie vorhin gesagt haben: … | Ich würde gern noch einmal darauf eingehen, was vorhin gesagt wurde: …

differenzieren und etwas ergänzen: Ich würde gern dazu noch etwas ergänzen: … | Ich denke, da müssen wir Folgendes unterscheiden …

sich korrigieren: Ich habe mich da vielleicht nicht klar ausgedrückt. Was ich meine, ist Folgendes: … | Ich möchte das doch noch einmal anders formulieren: …

etwas besonders betonen: Ich würde gern auf einen Punkt eingehen, der mir besonders wichtig ist: … | Ich finde Folgendes ganz entscheidend: …

zu einem anderen Punkt überleiten: Ich würde gern noch einen anderen Punkt ansprechen. | Darf ich noch auf etwas anderes kommen?

2 Vom Produkt zur Produktpräsentation

a Beschreiben Sie das Foto.

b Was gehört Ihrer Meinung nach zu einer guten Produktpräsentation?

3 Strategie: Wie mache ich mir beim Zuhören sinnvoll Notizen?

1. Nähern Sie sich dem Thema „Wie präsentiere ich richtig." Es ist hilfreich, schon etwas vom Thema zu wissen oder ein paar Ideen zum Thema gesammelt zu haben.
2. Beim ersten Hören ist es gut, wenn Sie noch nichts notieren. Hören Sie sich ein: Worum geht es? Wer spricht denn eigentlich? Wie wird gesprochen? An welcher Stelle kommen die wichtigsten Informationen?
3. Jetzt gestalten Sie einen Notizzettel. Im folgenden Hörtext werden zehn Regeln des Präsentierens vorgestellt. Wie könnte Ihr Notizzettel aussehen?
4. Konzentrieren Sie sich beim zweiten Hören auf jede einzelne Regel.

4 Präsentieren und vortragen – aber richtig!

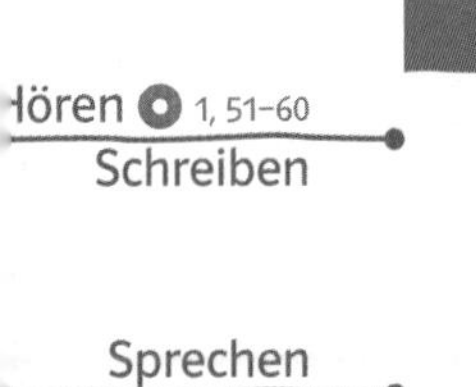

a Hören Sie die „Zehn goldenen Regeln". Welche Regel finden Sie besonders hilfreich?

b Hören Sie die zehn Regeln noch einmal. Notieren Sie jetzt zu jedem Punkt ein Stichwort auf Ihrem Notizzettel, das Ihnen hilft, sich an den jeweiligen Trick zu erinnern.

c Besprechen Sie in einer Arbeitsgruppe anhand Ihrer Notizen, was Sie gehört haben. Stellen Sie zusammen, was man für eine gute Produktpräsentation bedenken sollte.

4 Die Präsentation der Dinge

1 Vom Produkt zum Kunden

Sprechen
Schreiben

a Zeigen Sie nun, dass es Ihnen gelingt, einen möglichen Kunden für ein Produkt zu begeistern. Bilden Sie dafür Arbeitsgruppen und wählen Sie gemeinsam in Ihrer Arbeitsgruppe ein Produkt.

b Planen Sie den Aufbau Ihrer Produktpräsentation.

- Überlegen Sie sich in Kleingruppen, vor welcher Zielgruppe Sie das Produkt vorstellen.
- Analysieren Sie deren Bedürfnisse, Wünsche, Bedenken.
- Arbeiten Sie den spezifischen Produktnutzen heraus.
- Überlegen Sie sich eine spannende Dramaturgie für den Aufbau Ihrer Produktpräsentation.
- Nutzen Sie Medien zur Visualisierung, etwa PowerPoint, Overhead-Folien oder Handouts, und sprechen Sie die Zuhörer direkt an.

c Bereiten Sie eine ca. dreiminütige Produktpräsentation vor. Die folgenden Redemittel helfen Ihnen. Auch in Aufgabenteil d finden Sie Nützliches. Außerdem können Sie Ihre Vorbereitung auch anhand der Checkliste „Verkaufsgespräche" im Arbeitsbuch überprüfen.

beginnen: Wenn ich Ihnen kurz unser … vorstellen darf.

demonstrieren: Sie haben hier ein Produkt mit … Eigenschaften … | Ein besonderes Merkmal ist … | Es ist leicht zu sehen, dass … | Das Produkt zeichnet sich durch … aus. | Dieses Produkt erfüllt die höchsten Anforderungen. | Wir liefern das Produkt in … Ausführungen | Ich übertreibe nicht, wenn ich sage …

unterbrechen: Augenblick, Sie sagten gerade, dass … | Ist das aber nicht …?

beenden: Lassen Sie mich zum Schluss noch sagen, dass … | Ich hoffe, Sie haben einen Überblick über die Möglichkeiten dieses Produkts erhalten.

Zuhörende stellen Fragen zu einem Produkt: Was sind die Vorteile von …? | Kann ich das Produkt auch für … verwenden? | Aus welchem Material besteht das Produkt? | Ist das Produkt ökologisch unbedenklich? | Mich würde … interessieren … | Können Sie etwas über … sagen? Ich übertreibe nicht, wenn ich sage …

d Wie können Sie Enthusiasmus zeigen? Wie können Sie Spannung erzeugen? Seien Sie kreativ und sammeln Sie Ideen. Die folgenden Redemittel helfen Ihnen.

Begeisterung ausdrücken: besonders | außergewöhnlich | fantastisch | großartig | unglaublich

verstärken: sehr | höchst | ausgesprochen | überaus

SPANNUNG ERZEUGEN:

Legen Sie eine kleine Pause vor der wichtigsten Information ein. Leiten Sie die wichtigste Information ein: „Jetzt kommt das Allerwichtigste: …" oder „Nun möchte ich Sie auf das wirklich Neue hinweisen …".

TIPPS FÜR DIE PRÄSENTATION:

Bei jeder Art von Vortrag sollten Sie laut und deutlich sprechen. Dem Publikum gegenüber sollten Sie einen ruhigen Stand zeigen und Blickkontakt zu allen Zuhörern halten. Damit Ihr Vortrag dabei nicht zu statisch wirkt, setzen Sie gezielt Ihre Gestik ein. Wenn Sie die Zuhörer dann noch in Ihre Präsentation mit einbeziehen können, etwa durch kurze Fragen oder direkte Ansprache, haben Sie die äußere Form bereits im Griff.

Sprechen

2 Präsentationsübungen

Wählen Sie eine der folgenden zwei Aufgaben.

1. Stellen Sie Ihre Produktpräsentation im Kurs vor. Analysieren Sie nach jeder Produktpräsentation gemeinsam die Präsentation. Was können Sie besser machen?

Der Inhalt
- Was wurde gesagt?
- Ist der Aufbau logisch und die Argumentation schlüssig?
- Wurden die wesentlichen Aspekte berücksichtigt?

Die Form
- Wie wurde präsentiert?
- Wirken Sie souverän und überzeugend?
- Haben Sie eine klare Ausdrucksweise?
- Können Sie die Zuhörer für sich gewinnen?

Präsentiertes beurteilen: Die Präsentation hat mir gut gefallen. | … ist gut gelaufen. | Hier hättest du noch … | Hier hätte man noch … zeigen können. | Es wäre vielleicht gut/besser gewesen, wenn du … | Auf Punkt … hättest du noch stärker eingehen können. | Ich denke, Aspekt … wurde zu ausführlich behandelt. | Was hältst du von folgender Idee: …

2. Organisieren Sie im Kurs eine Produktmesse:
- Gestalten Sie in Arbeitsgruppen Messestände: pro Arbeitsgruppe ein Messestand
- Welche Fragen könnten mögliche Kunden stellen? Sammeln Sie die Fragen auf Kärtchen. Bereiten Sie mögliche Antworten vor.
- Denken Sie an mögliche Kunden: Reden ohne Punkt und Komma - wissen immer alles besser - haben Angst zu fragen - können sich nicht entscheiden - wissen nicht, was sie wollen - wollen nicht mehr gehen - … Wie könnten Sie reagieren?
- Teilen Sie sich auf. Zuerst vertritt jeweils ein Gruppenmitglied seine Gruppe am Messestand und präsentiert ihr Produkt. Die übrigen Gruppenmitglieder spielen Messebesucher und besuchen die verschiedenen Messestände.
- Verteilen Sie folgende Rollen auf die Messebesucher: Journalist - Händler - Jugendlicher - Besserwisser - Vielredner - aktiver Rentner etc. Erfinden Sie neue Rollen.
- Führen Sie im Kurs die Messe durch.
- Wechseln Sie nach einiger Zeit in Ihrer Arbeitsgruppe die Rollen.
- Was haben Sie persönlich gut gemacht? Was hätten Sie selbst besser machen können?
- Was haben Sie alle als Messeplaner gut gemacht und was hätten Sie alle besser machen können? Sammeln Sie und formulieren Sie Tipps für andere Messeplaner.

Sprechen

3 Andere Länder, andere Sitten

Gibt es besondere Merkmale von Verkaufsgesprächen in Ihrem Land? Berichten Sie im Kurs.

4 Die Macht der Dinge

1 Sich von der Macht der Objekte befreien

Sprechen

a Haben Dinge und Objekte Macht über Menschen? Was bedeutet das? Sammeln Sie Beispiele dafür und dagegen.

b Manche Religionen und Philosophien empfehlen den Menschen, möglichst wenig zu besitzen. Dennoch wollen die meisten Leute viel haben. Wie erklären Sie sich diesen Widerspruch?

2 Ein Leitfaden

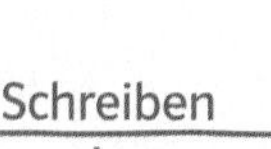

Schreiben
Lesen

a Wie könnte man sich von der Macht der Objekte befreien? Schreiben Sie zu zweit oder zu dritt einen praktischen Leitfaden für den Alltag.

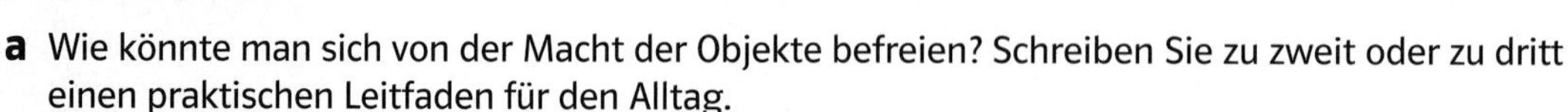

b Lesen Sie den Text unten und vergleichen Sie ihn mit Ihrem eigenen Leitfaden.

Sich von der Macht der Objekte befreien

Wer sein Leben wirklich von der Macht der Objekte befreien will, muss:

Sein Leben entrümpeln, das heißt, es von allem Unnützen befreien:
Welche Gegenstände benutze ich regelmäßig?
▸ Diese Dinge erleichtern den Alltag, sie sind notwendig und also kein überflüssiger Schrott.
Was habe ich nur selten in Gebrauch, was überhaupt nicht?
▸ Vorausgesetzt, diese Gegenstände haben keine emotionale Bedeutung, sind sie mit großer Wahrscheinlichkeit überflüssiger Ballast.

Sein Konsumverhalten langfristig verändern:
Bevor ich etwas kaufe, sollte ich nachdenken:
▸ Brauche ich das wirklich?
▸ Wie lange werde ich es brauchen oder wollen?
▸ Ist das nur wieder etwas, was irgendwann hinten im Schrank enden wird?
Zögern sie alle größeren und auch viele der kleineren Käufe hinaus. Warten Sie mindestens zwei Wochen damit oder sogar einen Monat.

Materielle Güter durch immaterielle ersetzen:
Glück und Zufriedenheit kann man sich nicht kaufen.
▸ Dies ist eine allseits bekannte, banale Alltagsweisheit und doch verhält die Mehrheit sich völlig konträr zu diesem Wissen.

3 Wenn die Dinge mächtiger werden als der Mensch: das Messie-Syndrom

Sprechen

a Haben Sie schon vom Messie-Syndrom gehört? Wenn ja, berichten Sie im Kurs.

ören 1, 61–64
Sprechen

b Hören Sie die Reportage und tragen Sie dann in einer Arbeitsgruppe alle Informationen zusammen, die Sie zum Thema „Messie" bekommen haben.

ören 1, 61–64
→GI

c Hören Sie die Reportage noch einmal konzentriert an und lösen Sie die Aufgaben.

1. Welches Problem hat Andrea, eine junge Berlinerin?
a. Sie liebt es, im Chaos zu leben.
b. Sie sieht das Chaos in ihrer Wohnung nicht.
c. Es gelingt ihr nicht, ihr Chaos aufzuräumen.

2. Welcher mögliche Grund für das Messie-Syndrom wird in der Reportage genannt?
a. Das Syndrom ist die Folge einer organischen Krankheit.
b. Besonders problematische Ereignisse im Leben des Betroffenen.
c. Vererbung von den Eltern.

3. Wer ist besonders anfällig für das Messietum?
a. Jugendliche, die viel am Computer sitzen.
b. Berufstätige, bei denen es häufig Veränderungen im Arbeitsleben gibt.
c. Frauen, die durch Beruf und Haushalt überlastet sind.

4. Welches Verhalten ist typisch für Messies?
a. Sie suchen Hilfe bei Selbsthilfegruppen.
b. Sie sprechen nur mit guten Freunden über ihr Problem.
c. Sie isolieren sich, um ihre Krankheit zu verbergen.

4 Liebe Messie-Freundin

Schreiben

Schreiben Sie einen Brief oder eine E-Mail.

Eine Freundin, die sehr chaotisch ist, hat Sie nach Informationen gefragt, wie sie ihr Problem in den Griff bekommen könnte. Geben Sie ihr die Informationen weiter, die Sie in der Reportage bekommen haben.

PRIVATE UND FORMELLE BRIEFE:

	privat	formell
Absender:		x
Adresse:		x
Datum:	x	x
Betreff:		x
Anrede:	x	x
Grußformel:	x	x
Unterschrift:	x	x

5 Kooperieren

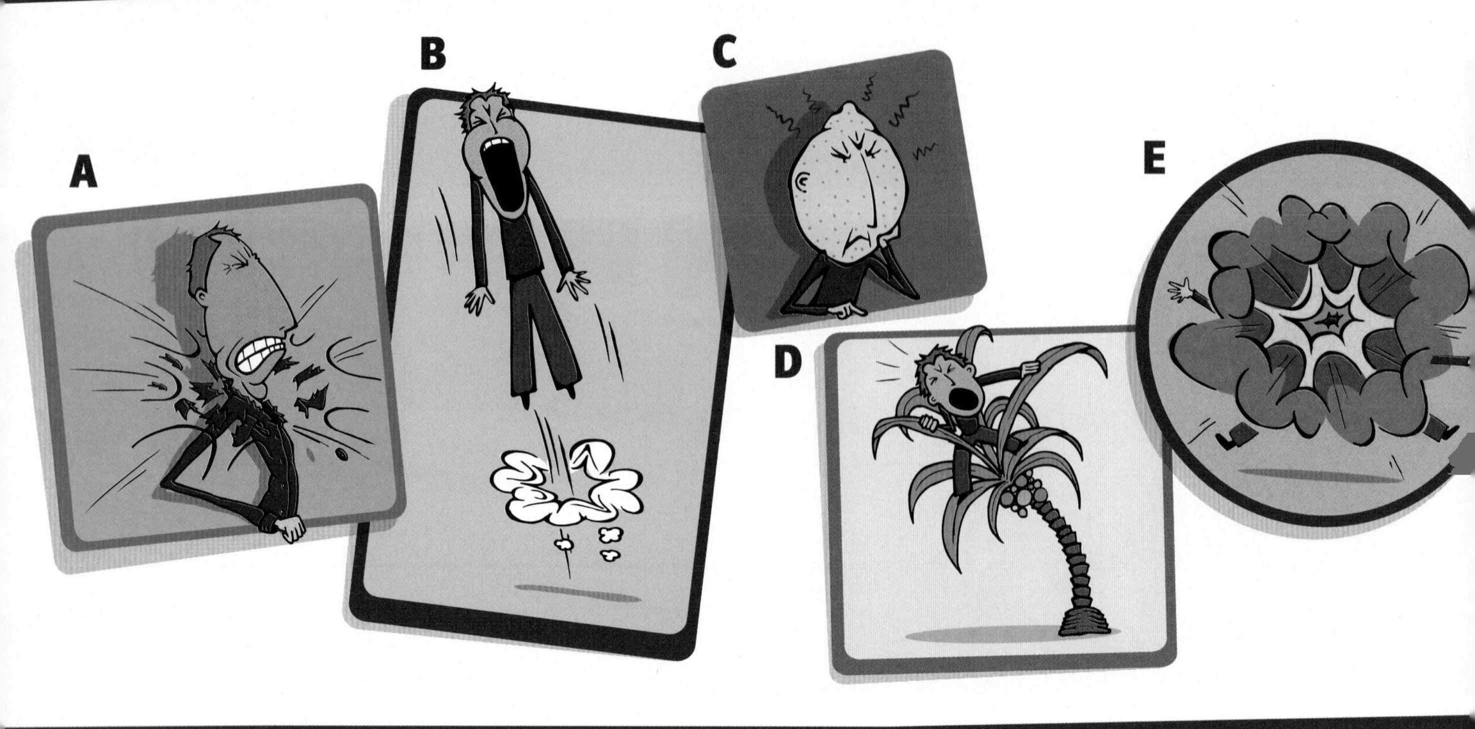

Hören 2, 1
Sprechen

1 Wenn zwei sich streiten ...

a Hören Sie das Gespräch. Wie wirken die Gesprächsteilnehmer auf Sie?

♂	♀	selbstkritisch	♂	♀	kompromissbereit
♂	♀	rechthaberisch	♂	♀	streitsüchtig
♂	♀	unhöflich	♂	♀	verständnisvoll

b Drei der vier Aussagen sind korrekt. Welche?

1. Ausgangspunkt der Diskussion ist der Verlust des Portemonnaies.
2. Christian hilft Andrea bei der Suche nach dem Geldbeutel.
3. Andrea hat Christian dabei geholfen, seine Kreditkarte wiederzubekommen.
4. Andrea wirft sowohl Christian als auch sich selbst vor, unordentlich zu sein.

c Welchen Rat würden Sie den beiden geben, um den Streit beizulegen? Überlegen Sie zu zweit und vergleichen Sie dann Ihre Vorschläge im Kurs.

Sprechen

2 Was bringt Sie auf die Palme?

a Welche der Zeichnungen A bis E auf der Seite oben passt zu welchem Ausdruck?

Warum gehst du denn immer gleich in die Luft? | Das bringt mich echt auf die Palme! | Da ist mir der Kragen geplatzt. | Bist du sauer auf mich? | Da ist er einfach explodiert.

b Welche Konfliktsituationen sind Ihnen in Ihrem Leben besonders in Erinnerung geblieben? Tauschen Sie Ihre Erfahrungen aus.

3 Alles klar?

Hören 2, 2–4
Sprechen

a Wie würden Sie in folgenden Situationen reagieren? Arbeiten Sie zu zweit.

A Bei Ihrer Geburtstagsfeier fällt einem Ihrer Gäste unabsichtlich ein Teller mit Olivenöl auf den Teppichboden.

B Sie rufen eine gute Freundin an. Gleich zu Beginn des Telefongesprächs sagt sie: „Ich bin heute nicht zum Reden aufgelegt."

C Eine flüchtige Bekannte erzählt Ihnen am Abend am Bahnhof, dass sie gerade den letzten Zug versäumt hat.

b Hören Sie die Dialoge. Wie schätzen Sie die Reaktionen ein?

	wenig verständnisvoll	einigermaßen verständnisvoll	sehr verständnisvoll
Dialog A	☐	☐	☐
Dialog B	☐	☐	☐
Dialog C	☐	☐	☐

c Hören Sie Dialog C noch einmal. Welche der Sätze 1 bis 10 werden sinngemäß verwendet? Markieren Sie.

d Wie schätzen Sie die Wirkung der Sätze allgemein ein? Schreiben Sie: (v) = verständnisvoll, (w) = weniger verständnisvoll.

1. Das tut mir sehr leid. ☑ v
2. Was wirst du jetzt machen? ☐
3. Das ist ja furchtbar. ☐
4. Reiß dich zusammen. ☐
5. Da bin ich überfragt. ☐
6. Sehen Sie es doch so. ☐
7. Beruhigen Sie sich. ☐
8. Jetzt ist es sowieso zu spät. ☐
9. Ich verstehe Ihre Situation sehr gut. ☐
10. Da kann man nichts machen. ☐

e Hören Sie Dialog C noch einmal, achten Sie auf die Intonation und üben Sie die Sätze.

4 Wie verständnisvoll sind Sie?

Sprechen

a Arbeiten Sie zu zweit. In welchen Situationen zeigen Sie viel, in welchen wenig Verständnis? Denken Sie auch an Ihre Erfahrungen aus Aufgabe 2b. Schreiben Sie zu zweit einen fiktiven Dialog.

b Spielen Sie diese Situation dann vor dem Kurs nach. Der Rest hört zu und erörtert, wie Sie Verständnis gezeigt haben.

Was Sie in dieser Lektion lernen können:

- verschiedene Gefühle differenziert ausdrücken und auf Gefühlsäußerungen anderer reagieren
- in Texten neue Sachverhalte und detaillierte Informationen verstehen
- bei Interessenkonflikten oder Auffassungsunterschieden eine Lösung aushandeln
- anderen Personen Ratschläge oder detaillierte Empfehlungen geben
- (im Fernsehen) Informationen in Reportagen, Interviews oder Talkshows verstehen
- in einer Diskussion der Argumentation folgen und hervorgehobene Punkte im Detail verstehen
- mündlich Vermutungen über Sachverhalte, Gründe und Folgen anstellen
- über aktuelle oder abstrakte Themen schreiben und eigene Gedanken und Meinungen dazu ausdrücken
- eine zusammenhängende Geschichte schreiben
- zu einem gemeinsamen Vorhaben beitragen und dabei andere einbeziehen

1 Wenn die Fetzen fliegen

Lesen
Schreiben

a Worum könnte es in einem Text mit dieser Überschrift gehen? Machen Sie sich zu zweit Gedanken und lesen Sie anschließend den Text

Wenn die Fetzen fliegen

1 **A** Hamburger werden immer streitsüchtiger. Das geht aus jüngsten, bisher noch nicht veröffentlichten Hochrechnungen der Justizbehörde hervor. Danach klagen immer mehr Bürger vor dem Amtsgericht und vor den Sozialgerichten. Die Fakten sind alarmierend: **B** Nach der Statistik hatte allein das Amtsgericht in den ersten drei Quartalen dieses Jahres 50.441 neue Zivilverfahren. Zum Vergleich: Noch vor drei Jahren waren es 44.774, danach schon 47.352, im vergangenen Jahr stieg die Zahl auf 48.668.

2 **C** Diese Zahlen belegen, was wir alle wissen: Alle Menschen streiten – wortreich, schweigend, strategisch, impulsiv, polternd, hinterhältig. Meist schließen wir einen Kompromiss, um einen Disput – zumindest vorerst – auf Eis zu legen. Es gibt aber auch Situationen, die trotz des besten Bemühens aller Beteiligten für Zündstoff sorgen. So können laut Dr. Alexander Weimer, Diplompsychologe aus Hamburg, **D** besondere Ereignisse – wie Geburtstage, Jubiläen, Beerdigungen – uns entweder besonders friedlich oder feindlich stimmen. Ein Fest wie Weihnachten zum Beispiel, das man gemeinhin mit Nächstenliebe und Kompromissbereitschaft verbinde, wäre hervorragend als Rahmen für einen heftigen Wortwechsel geeignet, denn: „Zu Weihnachten erhofft man sich viel voneinander, es soll so richtig schön, harmonisch und rund sein. Werden diese überzogenen Vorstellungen nicht erfüllt, kracht es schneller als gedacht."

3 **E** Nicht immer werden Differenzen offen ausgetragen. Die direkte Auseinandersetzung, der ganz große Krach, scheint in unserer Gesellschaft eher verpönt zu sein. Wer kann sich nicht erinnern, als Kind ein wohlgemeintes „Wer schreit, hat Unrecht", oder „Der Klügere gibt nach" aus dem Mund der Eltern oder engsten Verwandten gehört zu haben? **F** Dabei haben Streitigkeiten sowohl im Privat- als auch im Berufsleben durchaus ihr Gutes. Sie zeigen, wo es brennt, wo die Dinge nicht optimal laufen. Oft erzeugen erst Konflikte den notwendigen Druck für Veränderungen. Auch lernen wir unter Stress und Konkurrenzdruck uns selbst am besten kennen. Wir sehen, was uns verletzt, ärgert, welche Rolle wir in Konfliktsituationen übernehmen. Wie oft stellt man in einer Auseinandersetzung überrascht fest, dass man Situationen völlig unterschiedlich einschätzen kann – und lernt sich dadurch letztendlich besser kennen? Meinungsverschiedenheiten bergen die Chance in sich, das eigene Verhaltensrepertoire zu erweitern – Offenheit, Schlagfertigkeit, Einfühlungsvermögen und Verhandlungsgeschick zu schulen. Und um sich bei einem Streit nicht vor seinem Gegenspieler zu blamieren, zwingt man sich dazu, Entscheidungen sorgfältig zu überdenken. Das Resultat fällt eindeutig positiv aus: bessere, kreativere Lösungen.

4 Am Ende bleibt die Frage: **G** „Wie streite ich am besten?" Am wichtigsten sei es, so der Psychologe Weimer, bestimmte Regeln zu befolgen und eine positive Atmosphäre zu schaffen. „Sprache ist ein sensibles Instrument – sie kann einen Konflikt eskalieren lassen oder ihm seine Brisanz nehmen. Wer laut wird und immer nur seinen eigenen Standpunkt durchsetzen will, trägt zur Eskalation bei, nicht zur Erarbeitung einer gemeinsamen Lösung. **H** Die Streitenden sollten auf Schuldzuweisungen verzichten und sich stattdessen um eine Sprache des Wünschbaren bemühen."

b Notieren Sie alle Nomen im Text, die eine Auseinandersetzung beschreiben.

der Disput,

c Typische Verbindungen. Welche Wörter gehören zusammen?

1. eine Lösung	**A** durchsetzen	**1.** D
2. einen Standpunkt	**B** schaffen	**2.** ☐
3. Regeln	**C** schließen	**3.** ☐
4. einen Kompromiss	**D** erarbeiten	**4.** ☐
5. eine positive Atmosphäre	**E** befolgen / einhalten	**5.** ☐

2 Textverstehen

a Im Artikel „Wenn die Fetzen fliegen" sind jeweils zwei Sätze bzw. Satzteile pro Textabschnitt unterstrichen. Welcher fasst den dazugehörigen Textabschnitt besser zusammen? Tauschen Sie sich zu zweit aus und versuchen Sie, sich auf eine Lösung zu einigen.

Textabschnitt 1		Textabschnitt 2		Textabschnitt 3		Textabschnitt 4	
A	B	C	D	E	F	G	H

b Was könnte mit dem Ausdruck „sich um eine Sprache des Wünschbaren bemühen" (Zeilen 75/76) gemeint sein? Suchen Sie Beispiele.

c Zeitungsartikel haben im Allgemeinen eine Überschrift und eine Unterüberschrift. Ordnen Sie die folgenden Überschriften (1–4) den passenden Unterüberschrift (A–D) zu.

1 Suche Zimmer ☐

2 Die verlorenen Söhne ☐

3 Flugzeug-Drink ☐

4 Mit 90 im Ortsgebiet ☐

A Bonner Ärztin entwickelt schlaues Getränk gegen Thrombosen. Internationale Pharmafirmen stehen Schlange.

B Sie sollten die Familientradition hochhalten, doch sie haben sich anders entschieden. Ein Arztsohn wurde lieber Journalist, der Erbe einer Bäckerei ging zur Bank.

C Polizei jagt jungen Alko-Raser mit sieben Autos durch drei Bezirke in Oberösterreich.

D Wer in eine WG einziehen will, muss hart im Nehmen sein und vieles können. Zum Beispiel Schnellduschen.

d Suchen Sie eine Unterüberschrift für den Zeitungsartikel „Wenn die Fetzen fliegen". Welche Version finden Sie für eine Qualitätszeitung am gelungensten? Begründen Sie Ihre Antwort.

1. Offen ausgetragen oder hinter der netten Fassade verborgen – Streiten kann auch positiv sein, z. B. durch den Verzicht auf Schuldzuweisungen.
2. Konflikte überall. Aber wer hätte gedacht, dass uns Ereignisse wie Weihnachten, Geburtstage oder Beerdigungen besonders friedlich oder feindlich stimmen?
3. Hamburg – Stadt der Auseinandersetzungen. Zahl der Gerichtsverfahren steigt seit Jahren drastisch an.

5 Verhandeln statt streiten

1 Info-Blitz: Was ist Mediation?

Lesen
Sprechen

a Bringen Sie die folgenden Informationen in die richtige Reihenfolge.

A Schließlich wird nach der Festlegung der Ziele – im Idealfall – gemeinsam eine Win-win-Lösung, das heißt, eine für alle Streitparteien akzeptable Lösung erarbeitet, die anschließend in einem Vertrag zusammengefasst wird. ___

B Bei Mediation handelt es sich um eine Methode der gewaltfreien Konfliktbearbeitung, die heute immer häufiger bei Scheidungen, Erbschaftsstreitigkeiten, Konflikten an Schulen oder Problemen zwischen Arbeitnehmer und Arbeitgeber eingesetzt wird. _1_

C Danach sucht der Mediator nach den eigentlichen Gründen für die Auseinandersetzung, ehe mögliche gemeinsame Interessen der Betroffenen herausgearbeitet werden. ___

D In ausführlichen Gesprächen mit den Betroffenen werden zuerst Informationen gesammelt. ___

E So gut das Verfahren der Meditation ist, einen Nachteil hat es: Die Kosten sind durchschnittlich höher als bei einer klassischen Gerichtsverhandlung. ___

F Dabei unterstützt ein so genannter Mediator oder eine Mediatorin die Konfliktparteien dabei, gemeinsam eine akzeptable Lösung für alle Beteiligten zu finden. ___

b Eine Information stimmt so nicht. Welche? Zur Überprüfung Ihrer Vermutung überfliegen Sie die Sätze 1 bis 6 in Aufgabe 2a.

c Wie würde ein Mediator vorgehen? Bringen Sie die Begriffe in die richtige Reihenfolge. Wenn Sie sich nicht sicher sind, lesen Sie noch mal im Info-Blitz, Aufgabenteil 1a, nach.

Lösung ausarbeiten
Konflikte erkennen
~~die Beteiligten anhören~~
Vertrag schriftlich festhalten
Gemeinsamkeiten erkennen
Ziele setzen

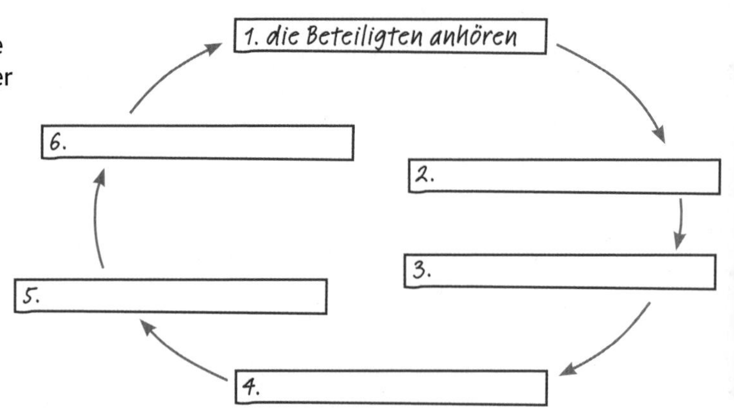

2 Sprache im Mittelpunkt: Zweiteilige Konnektoren

Formen und
Strukturen
S. 165

a Lesen Sie, was der Mediator Peter Schallenbach über seinen Beruf sagt. Markieren Sie dann die Wörter, die in den einzelnen Sätzen jeweils die Satzabschnitte inhaltlich verbinden.

1. Man muss _sowohl_ sich selbst als auch die Schwächen und Stärken der anderen gut kennen.
2. Ich konnte zu Beginn weder neutral bleiben noch zwischen den Streitparteien eine Lösung aushandeln.
3. Je häufiger ein Mediator Fortbildungen zum Thema Krisenmanagement besucht, desto einfacher wird es für ihn, mit Konflikten richtig umzugehen.
4. Ich schätze nicht nur ein konstruktives Gesprächsklima zwischen den Streitparteien, sondern auch die Qualität einer harten Auseinandersetzung.
5. Die Leute können entweder gleich das teure Gerichtsverfahren wählen oder den „sanften" und preiswerteren Weg der Mediation probieren.
6. Zwar sollte man sich so gut wie möglich in die Beteiligten hineindenken können, aber man muss dabei unbedingt die Neutralität wahren.

b Markieren Sie, welcher Teil des Satzes Haupt- und welcher Nebensatz ist. Besprechen Sie Ihre Beobachtungen im Kurs. Die grammatischen Bezeichnungen im Schüttelkasten helfen Ihnen dabei.

Hauptsatz + Hauptsatz   Hauptsatz + Hauptsatz mit demselben Subjekt
Hauptsatz + Hauptsatz mit demselben Subjekt und Verb
Nebensatz mit Komparativ + Hauptsatz mit Komparativ

c Ordnen Sie die zweiteiligen Konnektoren den folgenden Bedeutungen zu.

1. sowohl ... als auch	**A** beides verändert sich in Abhängigkeit voneinander	**1.** B
2. weder ... noch	**B** alle beide	**2.** ☐
3. je ... desto	**C** keins von beidem	**3.** ☐
4. nicht nur ..., sondern auch	**D** auf der einen Seite, auf der anderen Seite	**4.** ☐
5. entweder... oder	**E** das eine und das andere	**5.** ☐
6. zwar ..., aber	**F** das eine oder das andere	**6.** ☐

Sprechen

3 Lösungen finden – Kompromisse aushandeln

a Arbeiten Sie zu dritt. Wählen Sie eine der folgenden Situationen aus und verteilen Sie die Rollen: Vertreter zweier gegensätzlicher Interessen, ein Mediator.

1. In einer Firma wird das Rauchen im gesamten Gebäude verboten. Raucher müssen ab sofort das Gebäude verlassen und sich dafür am Arbeitszeitterminal abmelden. Die Raucher wehren sich dagegen, weil sich ihr Arbeitstag dadurch verlängert. Es verhandeln: ein/e Vertreter/in der Arbeitgeber (Nichtraucher), ein/e Vertreter/in der rauchenden Arbeitnehmer, ein/e Mediator/in.
2. Ein Ehepaar will sich trennen. Die drei Kinder sollen bei der Ehefrau bleiben; der Ehemann will nicht aus dem gemeinsamen Haus mit Garten in eine Wohnung umziehen. Es verhandeln: die Ehefrau, der Ehemann, ein/e Mediator/in.
3. Im Sprachenzentrum der Universität soll die freie Nutzung des Computerraums durch ausländische Studierende zeitlich eingeschränkt werden: Es gibt jetzt weniger Geld, um die Betreuer zu finanzieren. Es verhandeln: ein/e Sprecher/in der ausländischen Studenten, ein/e Vertreter/in der Leitung des Sprachenzentrums, ein/e Mediator/in.

Standpunkte darlegen: Wir sehen nicht ein, dass ... | Ich finde es ungerecht, wenn ... | einerseits ... andererseits

Lösungen akzeptieren / ablehnen: Damit bin ich (nicht) einverstanden, weil ... | Das könnte ein Ausweg sein ...

Lösungen vorschlagen: Wie wäre es, wenn ...? | Was würden Sie von folgender Lösung halten? | Können Sie sich mit dieser Lösung identifizieren? | Könntest du dir vorstellen, dass ...

b Sie können auch zu fünft arbeiten. Dann beobachten zwei von Ihnen das Mediationsgespräch und geben anschließend eine Rückmeldung über Verbesserungsmöglichkeiten.

5 Dialog statt Monolog

1 Ein etwas eigenartiges Gespräch

Hören 2, 5–6
Lesen

a Sie hören nun zwei Versionen von einem Gesprächsauszug aus einer Talkshow. Vergleichen Sie die beiden Versionen. Worin unterscheiden sie sich?

1. Version 1: Was „fehlt"? ______________________
2. Version 2: Was wirkt anders? ______________________

b Lesen Sie einen Auszug des Gesprächs. Ergänzen Sie die passenden Wörter. (Oft sind mehrere Lösungen möglich.)

keine Frage	prinzipiell	im Endeffekt	wie gesagt	natürlich
selbstverständlich	erfahrungsgemäß	auf jeden Fall	um ehrlich zu sein	

Moderator: Guten Tag bei „Micha – Talk um vier". Wir haben heute ein ganz spannendes Thema mit interessanten Gästen für Sie vorbereitet. Es geht um die ewige Frage: „Heiraten – Ja oder Nein?" Kommen wir gleich zu Frau Michaela Doll. Frau Doll, Sie sind seit 50 Jahren verheiratet. Können Sie uns das Geheimnis Ihrer Ehe verraten?

Michaela Doll: Es gibt aus meiner Sicht kein Geheimnis. [1] ______________ gab es Höhen und Tiefen. Wenn ich sagen würde, dass immer nur alles Sonnenschein war, dann wäre das [2] ______________ gelogen. [3] ______________, es gibt in jeder Beziehung Probleme, aber [4] ______________ hält dich ein Trauschein [5] ______________ davor zurück, die Flinte allzu schnell ins Korn zu werfen, auch dann, wenn es mal nicht so toll läuft.

Moderator: Herr Sonnhofer, Sie haben sich vor kurzem zum dritten Mal scheiden lassen. Haben Sie zu früh aufgegeben?

Peter Sonnhofer: Das würde ich so nicht sagen. Man weiß – [6] ______________ – nie, was einen in der Partnerschaft erwartet. Und ich bin froh darüber. Wenn ich vor meinen Ehen jeweils alle Vor- und Nachteile abgewogen hätte, hätte ich nie geheiratet, [7] ______________ Was allerdings schon stimmt ist, dass man [8] ______________ mit der Heirat der ganzen Welt zeigt, dass der Partner und man selbst ernsthaft zusammengehören – das kann man [9] ______________ auch ohne Trauring zeigen, aber mit, das ist schon noch etwas anderes.

2 Eine Talkshow mit dem Thema „Heiraten – Ja oder Nein?"

Sprechen
Lesen

a Die folgenden Personen nehmen an der Talkshow teil. Was glauben Sie, welche Aspekte werden diese Teilnehmer in der Diskussion wahrscheinlich erwähnen?

1 Juliane Rüsch, 29, begeisterter Single

2 Michaela Doll, 71, seit 50 Jahren verheiratet

3 Peter Sonnhofer, 43, dreifach geschieden

4 Stefan Vastic, 18, heiratet bald

b Mit welcher der folgenden Aussagen identifizieren Sie sich am stärksten?

A Liebe kommt, Liebe geht. Ich will mir den Traum einer funktionierenden Ehe trotzdem nicht nehmen lassen. ______________________

B Es gibt keine romantischere Vorstellung, als mit einem Menschen alles zu teilen. Also sollte man heiraten. ______________________

C Wer heute noch heiraten will, muss weltfremd sein. ______________________

D Mit 80 dem einen besonderen Menschen gegenüberzusitzen – das bedeutet echtes Glücksgefühl und Liebe für mich. ______________________

Hören 2, 7–8
Sprechen

c Welchen Diskussionsteilnehmern würden Sie diese Aussagen zuordnen? Notieren Sie den jeweiligen Namen im Aufgabenteil b. Hören Sie dann nochmals die zweite Version der Talkshow sowie die Fortsetzung und überprüfen Sie Ihre Vermutungen.

3 Was meinen Sie?

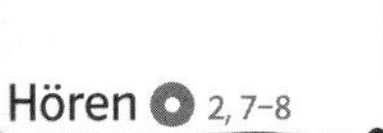

a Hören Sie noch einmal. Welche der Phrasen werden im Interview verwendet? Kreuzen Sie an.

1. Das würde ich so nicht sagen.
2. Was meinen Sie damit genau?
3. Wie wäre es damit, …
4. Wie sehen Sie das?
5. Hier regt sich Widerspruch, nehme ich an.
6. Vielleicht könnten Sie …
7. Das sehe ich völlig anders.
8. Hundert Prozent Ihrer Meinung.
9. Denken Sie auch, dass …
10. Gut, dass Sie diesen Punkt ansprechen.
11. Ich möchte noch etwas zu diesem Punkt sagen.
12. Würden Sie dem zustimmen?
13. Mich würde interessieren, was Sie dazu meinen?
14. Es ist durchaus richtig, was Sie erwähnen.
15. … und Sie?
16. Nein, auf keinen Fall.
17. Ich bin mir aber nicht sicher, ob …
18. Da bin ich anderer Meinung.

b Markieren Sie die Phrasen in Aufgabenteil a verschiedenfarbig, z. B.: grün = zustimmend, schwarz = nach der Meinung fragend, rot = ablehnend. Welche Phrasen kennen Sie noch?

4 Was meinen Ihre Gesprächspartner?

Sprechen

a Arbeiten Sie in Gruppen. Fragen Sie Ihre Partner nach deren Meinung zu den Aussagen unter Aufgabe 2b. Verwenden Sie dabei die Redemittel von Aufgabe 3a. Am Ende stellt ein Gruppenmitglied die verschiedenen Standpunkte der Gruppe im Kurs vor.

b Was halten Sie überhaupt von Talkshows? Sind sie dafür geeignet, sich eine eigene Meinung zu bilden? Sprechen Sie im Kurs darüber.

5 Sprache im Mittelpunkt: Erinnern Sie sich an die Formen des Konjunktivs II?

Formen und Strukturen S. 174

Ergänzen Sie die Konjunktivformen. Auf den Seiten 62/63 finden Sie einige davon.

!

1. Konjunktiv II bei den regelmäßigen und vielen unregelmäßigen Verben: *würde +* ______________
2. haben, sein, werden, können, dürfen, müssen, wollen, sollen: *hätte,* ______________
3. kommen, gehen, lassen, bleiben, geben: *käme,* ______________
4. Konjunktiv II der Vergangenheit: *hätte/wäre +* ______________

KONJUNKTIV II:

Bei einigen unregelmäßigen Verben: Präteritumform des Verbs + Konjunktivendung -e + Personalendungen (-st, -n, -t, n); die Vokale a, o, u, werden zu ä, ö, ü.

5 Gemeinsam statt einsam

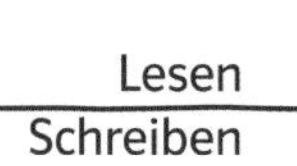

Lesen
Schreiben

1 Eine Statistik

Über Entwicklungen sprechen. Formen Sie die Aussagen 1 bis 8 um. Benutzen Sie dabei die Ausdrücke im Schüttelkasten.

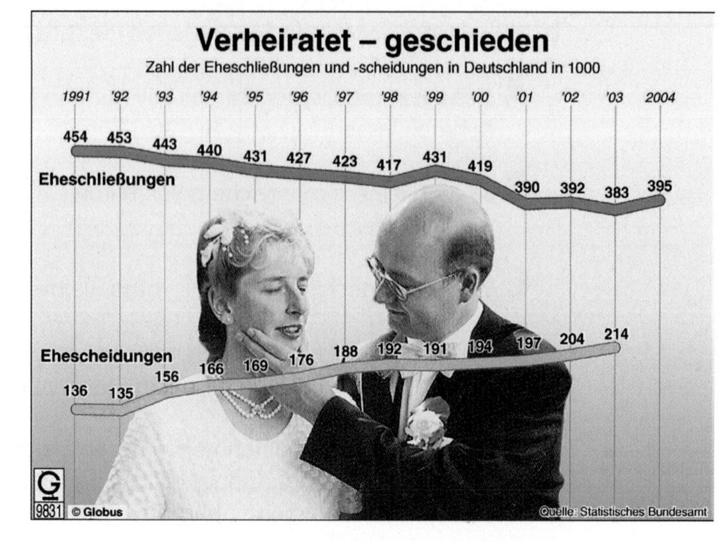

1. Von 1991 bis 2004 haben immer weniger Deutsche geheiratet.
2. Besonders in den Jahren von 1999 bis 2003 schien die Ehe außer Mode gekommen zu sein.
3. Tatsache ist jedoch, dass im Jahr 2004 wieder mehr Paare geheiratet haben.
4. Aber niemand glaubt, dass die Zahl der Eheschließungen im Jahr 2010 wieder so hoch sein wird wie im Jahr 1991.
5. Die Statistik besagt, dass die Deutschen immer mehr dazu neigen, sich scheiden zu lassen.
6. Es ist anzunehmen, dass die Zahl der Scheidungen in Zukunft nicht sinken wird.
7. Wissenschaftler sind sich sogar sicher, dass die Scheidungsrate weiter steigen wird.
8. Man kann davon ausgehen, dass auch in Zukunft der Trend in Richtung Scheidung geht.

vermutlich scheinbar zweifelsohne tatsächlich offensichtlich
sicherlich wahrscheinlich keineswegs selbstverständlich

1. *Zweifelsohne haben von 1991 bis 2004 immer weniger Deutsche geheiratet.*

Sprechen

2 Exkurs: Besuch in der Schreibwerkstatt 1

a Darauf sollten Sie achten. Wie heißen die Schreibtipps? Ordnen Sie zu.

1. Informationen sammeln
2. den logischen
3. die einzelnen Punkte sinnvoll
4. gliedern in Einleitung,
5. in der Einleitung: zum
6. im Hauptteil: pro und contra oder Entwicklung (gestern, heute,
7. argumentieren: behaupten, begründen,
8. am Schluss: zusammenfassen,
9. bei den Sätzen auf logische Gedanken- und

A Thema hinführen
B Ausblick geben
C (Stichworte, Mindmap)
D morgen), eigene Erfahrung
E anordnen
F Satzverknüpfungen achten
G Zusammenhang suchen
H Beispiele nennen, schlussfolgern
I Hauptteil, Schluss

1. *C*
2. ☐
3. ☐
4. ☐
5. ☐
6. ☐
7. ☐
8. ☐
9. ☐

b Welche Selbstkorrekturtechniken verwenden Sie beim Schreiben? Ergänzen Sie im Kurs die Liste.

☐ Zeitformen konsequent?
☐ Verb auf Position 2? Satzklammer?
☐ Wortstellung im Mittelfeld?
☐ Verb im Nebensatz am Ende?
☐ Nomen großgeschrieben?
☐ …

3 Exkurs: Besuch in der Schreibwerkstatt 2

Formen und Strukturen
S. 158, 164, 177, 178

a Worauf beziehen sich die unterstrichenen Wörter im folgenden Text? Inwiefern machen sie ihn besser lesbar? Wenn es die unterstrichenen Wörter nicht gäbe, was würde an ihrer Stelle stehen?

Der Moderator von „Micha – Talk um vier" begrüßt die Gäste, [1] die er zu seiner Show mit dem Thema „Heiraten – Ja oder Nein?" eingeladen hat, und beginnt gleich [2] danach mit der Diskussion. Frau Doll, eine ältere Dame, hält den Trauschein für das richtige Rezept, um eine lange Ehe zu führen. [3] Sie ist sich [4] darin mit Peter Sonnhofer einig: Auch [5] er findet Heiraten gut und wichtig, obwohl er dreimal geschieden ist. „[6] Damit zeigt man Verantwortungsbewusstsein und Ernsthaftigkeit." [7] Das könne man so nicht sagen, widerspricht ihm Juliane Rüsch. Ihr Argument: So viele Ehen werden geschieden, [8] da sei es naiv, an die ewige Liebe zu glauben. [9] An dieser Stelle protestiert René Vastic lautstark.

b Verbessern Sie den Stil im folgenden Abschnitt.

Porträt einer Single-Frau: Juliane Rüsch
Die neunundzwanzigjährige Juliane ist Single aus Überzeugung. [1] Juliane hat sich bisher erfolgreich gegen Heiratsanträge gewehrt. Aus [2] Julianes Erfahrung halten nur ganz wenige Beziehungen ein Leben lang. [3] Nur ganz wenige Beziehungen halten ein Leben lang: Es ist naiv zu heiraten. Sie möchte außerdem gar nicht für immer an einen Menschen gebunden sein. [4] Für immer an einen Menschen gebunden zu sein, war ihrer Meinung nach früher eine gesellschaftliche Notwendigkeit, heute kann man sich [5] von der gesellschaftlichen Notwendigkeit unabhängig machen und nur die eigenen Gefühle entscheiden lassen. In dem Punkt, [6] nur die eigenen Gefühle entscheiden zu lassen, stimmen ihr sicher viele zu.

4 Eigene Meinung ausdrücken

Sprechen
Schreiben

a Wie stehen Sie zu folgender Aussage? Tauschen Sie sich zu zweit aus und machen Sie sich Notizen.

> Liebe ist beim Heiraten gar nicht das Wichtigste, sondern man braucht vor allem Mut.

b Schreiben Sie einen Text zu diesem Thema (ca. 200 Wörter). Vergessen Sie nicht, auch die in Aufgabe 1 angeführten Wörter zu verwenden.

Orientieren Sie sich an folgender Struktur:
- Absatz 1: Warum wollen Menschen überhaupt heiraten?
- Absatz 2: Was spricht für den Standpunkt, dass Liebe nicht so wichtig ist?
- Absatz 3: Was spricht für den Standpunkt, dass Mut wichtiger ist?
- Absatz 4: Fassen Sie Ihre eigene Meinung noch einmal zusammen.

5 Gemeinsam sind wir stark

Sprechen

1 Kennen Sie die Bremer Stadtmusikanten?

Rekonstruieren Sie im Kurs die Stationen des Märchens. Das Stichwortgeländer hilft Ihnen dabei.

Bauernhof ▸ Esel ▸ zu alt zum Säckeschleppen ▸ weggehen ▸ Plan: Stadtmusikant in Bremen werden ▸ Hund ▸ zu müde zum Jagen ▸ gemeinsam weitergehen ▸ Katze ▸ zu langsam zum Mäusefangen ▸ Hahn ▸ soll für die Sonntagssuppe geschlachtet werden ▸ zu viert weiterwandern ▸ in der Nacht im Wald ein Räuberhaus entdecken ▸ schreien, bellen, miauen, krähen ▸ Räuber fliehen ▸ glücklich in neuem Zuhause

Sprechen

2 Vier Porträts: Die Sorgen und Wünsche der Tiere

Wer sagt was? Ordnen Sie zu.

Sätze Nr. 3   Sätze Nr. ___   Sätze Nr. ___   Sätze Nr. ___

1. **a.** Wenn ich jünger wäre, würde ich weiter die Säcke zur Mühle tragen.
   b. Wäre ich jünger, hätte ich noch genügend Kraft, die Säcke zu tragen.
   c. Wenn ich doch jünger wäre!
   d. Hätte ich nur genügend Kraft!
2. **a.** Wenn ich nicht so müde wäre, würde ich schnell wie ein Hase laufen.
   b. Liefe ich schnell wie ein Hase, würde mein Herr mich noch auf die Jagd mitnehmen.
   c. Wenn ich doch nur auf die Jagd dürfte!
   d. Liefe ich doch so schnell wie früher!
3. **a.** Wenn ich nicht alle Zähne verloren hätte, könnte ich noch Mäuse fangen.
   b. Könnte ich noch Mäuse fangen, hätte ich ein angenehmes Leben.
   c. Wenn ich doch nicht alle Zähne verloren hätte!
   d. Könnte ich doch nur Mäuse fangen!
4. **a.** Wenn morgen nicht Sonntag wäre, müsste die Bäuerin kein Festessen kochen.
   b. Wollte die Bäuerin keine Suppe kochen, würde ich morgen nicht geschlachtet werden.
   c. Wenn doch nicht Sonntag wäre!
   d. Müsste die Bäuerin nur kein Festessen kochen!

Formen und Strukturen
S. 161, 174

3 Sprache im Mittelpunkt: Konditionale Nebensätze und Wunschsätze

Lesen Sie noch einmal die Sätze in Aufgabe 2 und ergänzen Sie die Regeln.

1. Konditionale Nebensätze mit nicht realisierbarer Bedingung in der Gegenwart/Zukunft:
   a. wenn + Konjunktiv II **b.** Ohne __________, konjugiertes Verb auf Position ___ .
   Beispielsätze in Aufgabe 2: 1a, __________
2. Eine nicht realisierte Möglichkeit in der Vergangenheit:
   a. __________ + Konjunktiv II der Vergangenheit. **b.** Ohne „wenn“, konjugiertes Verb auf Position 1.
   Beispielsätze in Aufgabe 2: __________
3. (Irreale) Wünsche kann man so ausdrücken:
   a. Nebensatz mit wenn + __________ oder + Konjunktiv II der Vergangenheit.
   b. Ohne wenn, __________ auf Position 1.
   Beispielsätze in Aufgabe 2: 1c, 1d, __________
4. Die Modalpartikeln nur und __________ machen den Wunsch intensiver.

Formen und Strukturen S. 164, 174

4 Sprache im Mittelpunkt: Die vier Stadtmusikanten im Wald vor dem Räuberhaus

Wo finden Sie hier Vergleiche? Markieren Sie.

Das Haus im Wald ist hell erleuchtet, als ob dort Leute wohnen würden. Tatsächlich: Einige Männer sitzen drinnen am Tisch. Es scheint so, als wären sie reiche Leute, denn der Tisch vor ihnen ist mit vollen Tellern und Gläsern gedeckt. Sie sehen aber auch wild und gefährlich aus, als ob sie vor nichts und niemandem Angst hätten. Als jedoch Esel, Hund, Katze und Hahn gleichzeitig ihre „Musik" anstimmen, erschrecken sie, als wären sie kleine Kinder. Sie laufen so schnell davon, als wäre ihnen der Teufel selbst begegnet. Und die vier Musikanten setzen sich vergnügt an den Tisch zum Essen.

Formen und Strukturen S. 164, 174

5 Sprache im Mittelpunkt: Irreale Vergleichssätze

Einer der folgenden Sätze ist falsch. Welcher? Sie können noch mal in Aufgabe 4 nachschauen.

!

1. Mit „als" oder „als ob" drückt man irreale Vergleiche aus.
2. Nach „als" oder „als ob" steht das Verb im Konjunktiv II.
3. Nach „als ob" steht das konjugierte Verb am Ende.
4. Nach „als" oder „als ob" darf man den Konjunktiv II der Vergangenheit nicht verwenden.
5. Nach „als" steht das konjugierte Verb auf Position 2.

Sprechen Schreiben

6 Die Bremer Stadtmusikanten – ein Erlebnisbericht

a Nehmen Sie noch einmal das Stichwortgeländer aus Aufgabe 1. Sammeln Sie nun in kleinen Gruppen Details, mit denen Sie die einzelnen Stationen ausschmücken können.

Esel = fühlt sich alt und frustriert, will aber noch was erleben, ist kommunikativ, ...

Wald = finster, gefährlich, einsam, Weg schwer zu finden

b Schreiben Sie jetzt das Märchen in Ihrer eigenen Fassung auf. Sie können auch eine modernisierte Version erfinden. Denken Sie dabei auch an Ihre Checkliste zur Selbstkorrektur (S. 64, Aufgabenteil 2b).

Sprechen

7 Projekt: Improvisationstheater

Planen Sie eine Theateraufführung.

1. Legen Sie das Stück fest: Spielen Sie „Die Bremer Stadtmusikanten" oder wählen Sie einen anderen Stoff.
2. Verteilen Sie die Rollen. Sie brauchen nicht nur Schauspieler, sondern auch eine / n Regisseur / in, eine Souffleuse, Bühnenarbeiter …
3. Diskutieren Sie, welches Bühnenbild und welche Requisiten Sie verwenden wollen. Wer kümmert sich worum?
4. Üben Sie das Improvisieren auf Deutsch. Helfen Sie sich dabei gegenseitig.
5. Suchen Sie sich ein Publikum und spielen Sie Ihr Stück vor.

6 Arbeit

1 Nichts als Arbeit?

Sprechen
Schreiben

a Sprechen Sie über die Bilder und begründen Sie, warum sie mit dem Thema „Arbeit" zu tun haben oder nicht. Bereiten Sie sich zu zweit vor und tauschen Sie sich dann im Kurs aus.

b Ordnen Sie jedem Bild zwei der folgenden Begriffe zu.

Ausdauer Krankenhaus Bedienung Beratung Selbstbewusstsein Betrieb Teamfähigkeit Firma Fleiß Halle Flexibilität Forschung Gespräch Feld Büro Gründlichkeit Institut Interesse Kreativität Organisation Kanzlei Planung Unternehmen Pflichtbewusstsein Untersuchung Praxis Verkauf Zuverlässigkeit Kontrolle Ernte Fabrik Hilfe Laden Verwaltung

c Sortieren Sie die Wörter im Kasten nach den drei Kriterien.

Arbeitsplätze	Tätigkeiten	Eigenschaften

d Ergänzen Sie in jeder Spalte weitere Wörter. Sie können auch ein einsprachiges Wörterbuch benutzen.

2 Berufe in Hülle und Fülle

Sprechen
Schreiben

a Suchen Sie in Gruppen für jeden Buchstaben des Alphabets (außer Q, X, Y) einen Beruf. Die schnellste Gruppe gewinnt.

A: Apotheker, B: ...

b Wählen Sie einen Beruf aus Ihrer Liste und ordnen Sie diesem passende Wörter aus Aufgabe 1 zu.

3 Gedankensplitter eines Berufstätigen

Hören 2, 9
Sprechen

a Hören Sie den inneren Monolog eines Berufstätigen und stellen Sie dann Vermutungen zu den folgenden Fragen an.

- Welchen Beruf hat der Mann?
- Wo arbeitet er?
- Ist er mit seiner Arbeit zufrieden?
- Wie alt ist er?
- Wie ist seine familiäre Situation?
- Wo und wie lebt er?
- Wie sieht sein Arbeitsalltag aus?
- Was wird er tun?

Schreiben
Sprechen

b Gestalten Sie nun selbst den inneren Monolog einer berufstätigen Person und gehen Sie dabei nach der folgenden Anleitung vor. Arbeiten Sie zu zweit oder in Arbeitsgruppen.

- Wählen Sie einen Beruf.
- Gestalten Sie gemeinsam eine Rollenbiografie, indem Sie die Fragen aus Aufgabenteil a für Ihre erdachte Person beantworten.
- Versetzen Sie sich nun in die Situation dieser Person und stellen Sie sich vor, während der Arbeitszeit zwei Minuten über Ihre Arbeit nachzudenken.
- Notieren Sie die Gedanken. Seien Sie dabei kreativ!
- Spielen Sie Ihre Szene im Kurs vor: Eine/r nimmt die Haltung der Person ein (Wie steht oder sitzt sie?), die/der andere steht dahinter und spricht die Gedanken der Person laut.

4 Berufe präsentieren

a Erarbeiten Sie in kleinen Gruppen eine Präsentation zu einem der Berufe aus Aufgabe 2a.

- Sammeln Sie Informationen über den Beruf: Welche Ausbildung braucht man dafür, wie sieht der Arbeitsplatz aus, welche Eigenschaften sollte man haben, … ?
- Was finden Sie an diesem Beruf positiv?
- Welche Probleme kann es geben?
- Wie können Sie Ihre Präsentation visuell unterstützen?
- …

b Präsentieren Sie den anderen Gruppen „Ihren" Beruf.

Was Sie in dieser Lektion lernen können:

- mündlich Vermutungen über Sachverhalte, Gründe und Folgen anstellen
- eine vorbereitete Präsentation gut verständlich vortragen
- in längeren und komplexeren Texten rasch wichtige Einzelinformationen finden
- zu allgemeinen Artikeln oder Beiträgen eine Zusammenfassung schreiben
- im Radio Informationen aus Nachrichten- und Feature-Sendungen verstehen
- komplexe Informationen über alltägliche und berufsbezogene Themen verstehen
- detaillierte Anweisungen und Aufträge inhaltlich genau verstehen
- Anzeigen verfassen, die eigene Interessen oder Bedürfnisse betreffen
- Informationen und Sachverhalte schriftlich weitergeben und erklären
- zu einem gemeinsamen Vorhaben beitragen und dabei andere einbeziehen
- den eigenen Standpunkt begründen und Stellung zu Aussagen anderer nehmen
- anderen Personen Ratschläge oder detaillierte Empfehlungen geben
- klare und detaillierte Absprachen treffen und getroffene Vereinbarungen bestätigen
- einen kurzen Text relativ spontan und frei vortragen
- literarische Texte lesen, dabei die Gesamtaussage und viele Details verstehen

Welt der Arbeit

1 Arbeitswelt

Sprechen

a Welche Inhalte stehen hinter folgenden Titeln? Bitte stellen Sie im Kurs Vermutungen an.

Zu alt für den Arbeitsmarkt   Wer dient, verdient!   Frauen im Management
Die kleinen Globalisierer   Jobverlust: In den Betrieben geht die Angst um
Ausgeträumt: Wie der Traumjob Wirklichkeit wird   Arbeit oder Familie
Arbeitswelt: Blick in die Zukunft   Deutsche Unternehmen im Ausland

b Wählen Sie einen Titel, notieren Sie ca. drei Assoziationen dazu und tragen Sie Ihre Ideen im Kurs vor.

2 Arbeit in der Welt

Lesen
Sprechen

a Welcher der Titel aus Aufgabe 1 passt am besten zu folgendem Text?

„Tragen Sie lieber einen massengefertigten Anzug, der Ihnen von einem pickligen Kerl im Warenhaus verkauft wird – 5 oder einen maßgeschneiderten Anzug von einem Mann, für den Anzüge eine lebenslange Passion bedeuten?" So wirbt der Hongkonger Schneider 10 Raja Daswani alle paar Wochen in der New York Times und anderen amerikanischen Zeitungen. Wer Daswanis Dienste in Anspruch nehmen 15 will, trifft ihn in einem Hotelzimmer irgendwo in den Vereinigten Staaten, wird von ihm vermessen und fotografiert. Die Daten gehen per E-20 Mail nach Hongkong. Nach drei Wochen bekommt man den neuen Anzug per Kurier zugestellt – für ein Drittel des üblichen Preises.

25 Typisch Amerika? Falsch, die asiatischen Herrenausstatter kommen mittlerweile auch nach London und Frankfurt, um europäischen Bankern 30 neue Westen zu verpassen.

Die Globalisierung wird klein. Nicht mehr nur große Multis agieren über Landesgrenzen hinweg, sondern auch Mittel-35 ständler und Kleinstunternehmer wie der geschäftstüchtige Schneider Daswani. Und die Bewegung geht nicht nur in eine Richtung. Auch deutsche 40 Mittelständler brechen auf in die Welt. Nach Ermittlungen der Deutschen Industrie- und Handelskammer (DIHK) haben in diesem Jahr insgesamt 45 40 Prozent der deutschen Industrieunternehmen den Entschluss gefasst, im Ausland zu investieren – bei den mittelgroßen Industrieunterneh-50 men (zwischen 200 und 999 Beschäftigte) ist es sogar jedes zweite.

Drei Motive treiben die Globalisierer an: Sie wollen vor 55 Ort einen eigenen Vertrieb oder Kundendienst aufbauen, sich über die Herstellung im Ausland Märkte erschließen und natürlich billiger produ-60 zieren. Die meisten streben in die neuen EU-Länder nach Osteuropa, dicht gefolgt von China.

Aber schadet der Mittelstand 65 der deutschen Wirtschaft nicht, wenn er mehr Vorprodukte in aller Welt einkauft – oder gar selber dort fertigt? Forscher haben über mehrere 70 Jahre hinweg die Motive für die Standortwahl im Ausland gründlich studiert: Dabei sind sie zur Überzeugung gelangt, dass der Aufbau einer 75 Auslandsproduktion keineswegs eine Verringerung der Beschäftigung im Inland zur Folge haben muss. Im Gegenteil: Wachstumsimpulse für 80 den deutschen Betrieb sind durchaus wahrscheinlich. So hat der schwäbische Maschinenbauer Trumpf zu Hause Arbeitsplätze geschaffen und 85 später erhalten, indem er früh in die USA expandiert und dort den Markt erobert hat. Für das Unternehmen Leoni aus Nürnberg wurde es zum 90 Erfolgsrezept, seine Werke in die Länder mit den jeweils niedrigsten Arbeitskosten zu verlagern. Nur dadurch, sagt Firmenchef Klaus Probst, 95 könnten Entwicklung und Verwaltung in Deutschland gehalten werden. Und der Getriebehersteller ZF aus Friedrichshafen ist nicht zuletzt 100 deshalb so gut im Geschäft, weil er seinen Großkunden aus der Automobilindustrie bis ins ferne China mit eigenen Fertigungsstätten folgt.

105 Auch die Ökonomen G. B. Navaretti und A. Venables stützen das Argument. Sie vertreten die Ansicht, dass Direktinvestitionen im Aus-110 land die Wirtschaft zu Hause stärken, insbesondere dann, wenn in Niedriglohnländern investiert wird. Multinationale Firmen seien im Schnitt 115 deutlich produktiver als rein nationale Unternehmen. Sie hätten mehr Zugang zu neuen Ideen, Design-Philosophien, Kundenwünschen.

120 Und doch sollten die kleinen Globalisierer sich in Acht nehmen. Zu Beginn müssten bis zu 40 Prozent des Umsatzes der neuen Produkte auf-125 gewendet werden, um Logistik und Produktionsstätten aufzubauen und Mitarbeiter anzulernen, warnt die Boston Consulting Group. Oft sei-130 en Experten aus der Heimat gefragt, um die Qualität zu sichern – sie fehlten dann zu Hause. Auch „Negativreaktionen im Heimatland" wür-135 den eine Rolle spielen, von den Kosten für Werksschließungen ganz zu schweigen. Die Mittelständler müssen also aufpassen, nicht einfach 140 einer Mode zu folgen.

b Welche Informationen finden Sie zu den folgenden Punkten im Text?

1. Akteure der Globalisierung: Wer gehört zu den Globalisierern?
2. Motive der Globalisierer?
3. Auswirkungen der Globalisierung auf das Herkunftsland?
4. Schwierigkeiten der Globalisierer?

Schreiben

3 Kurzfassung

Wählen Sie fünf Schlüsselwörter aus dem Text von Aufgabe 2 und fassen Sie ihn mithilfe folgender Redemittel kurz zusammen.

Text vorstellen: Bei dem Text „…" (Titel) handelt es sich um … (Textsorte) in / aus / … (Quelle)

Beispiele anführen: Diese Aussage wird durch (einige / viele / zahlreiche) Beispiele aus … (Bereich) belegt. | Der Autor verdeutlicht dies mit Beispielen aus …

wesentliche Informationen darstellen: Die Hauptaussage des Textes ist folgende: … | Es geht hauptsächlich / vor allem darum, … | Es wird außerdem / darüber hinaus / zudem beschrieben / dargestellt, … | Der Autor betont / hebt hervor / bezieht sich auf … (+ Akk.)

Formen und Strukturen S. 154

4 Sprache im Mittelpunkt: Nomen-Verb-Verbindungen

a Im Text gibt es einige Nomen-Verb-Verbindungen. Ergänzen Sie hier die passenden Verben.

1. in Anspruch nehmen
2. den Entschluss ____________
3. zur Überzeugung ____________
4. zur Folge ____________
5. die Ansicht ____________
6. sich in Acht ____________
7. eine Rolle ____________

b Dasselbe kann man auch mit Verben ausdrücken. Ordnen Sie den folgenden Verben die Nomen-Verb-Verbindungen aus Aufgabenteil a zu.

A aufpassen 6
B beschließen ____
C meinen ____
D nutzen ____
E herausfinden / sicher sein ____
F wichtig sein ____
G nach sich ziehen / folgen ____

6 Arbeiten, um zu lernen

1 Generation Praktikum

Hören 2, 10–15
Sprechen

a Haben Sie Erfahrungen mit Praktika? Welche? Welche positiven oder negativen Assoziationen verbinden Sie damit? Bitte tauschen Sie sich im Kurs aus.

b Sie hören Ausschnitte einer Radioreportage zum Thema „Praktikum". Notieren Sie beim ersten Hören, ob die Sprecher eher positiv (+) oder eher negativ (-) eingestellt sind.

K. Berger *Sprecherin*	**A. Scheu** *Praktikant*	**Dr. F. Bertram** *Arbeitsmarkt-psychologe*	**R. Höning** *Praktikantin*	**S. Wagner** *Praktikantin*	**H. von Perlow** *Unternehmer*

c Hören Sie noch einmal und notieren Sie die positiven und die negativen Argumente, die genannt werden.

2 Bewerbung

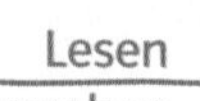

Lesen
Sprechen

a Lesen Sie den Bewerbungsbrief und überprüfen Sie, ob er alle Teile eines Bewerbungsbriefes enthält.

Unterschrift Anrede Gruß Datum Absender
Betreff Empfänger Text Anlagen ...

b Unterstreichen Sie die Ausdrücke, die Sie in jedem Bewerbungsbrief benutzen können. Vergleichen Sie im Kurs.

Lebenslauf

Angaben zur Person

Nachname/Vorname W
Adresse Kul
Telefon +4
E-Mail jowi.
Geburtsdatum 22.0

Schul- und Berufsbildung

seit 04/2003 bis heute Studium Schwer
02/2007 Erstes Di
03/2005 Vordiplom
06/2001 Abitur (Nc

Praxiserfahrung

01/2006–04/2006 Deutsche Ba
10/2005–12/2005 Henkel Cosm
01/2005–04/2005 GTZ-Office Jak Außendarstellu

Sprachkenntnisse

Englisch
Französisch
kompetente Sprac
selbstständige Spi

Zivildienst

01/2002–03/2003 Krankenhaus des

Jochen Winkelmeier · Kubinstraße 98a · 90455 Nürnberg

AF-BIOTECH
Claudia Kunz
Hamburger Allee 97
30159 Hannover

25.08.2007

Praktikumsbewerbung: Bereich Vertriebsinnendienst

Sehr geehrte Frau Kunz,

nach unserem gestrigen Telefongespräch sende ich Ihnen hiermit meine Bewerbungsunterlagen für ein Praktikum in Ihrem Unternehmen.
Zurzeit studiere ich an der Universität Mannheim Betriebswirtschaftslehre mit dem Schwerpunkt Marketing. Meine Diplomarbeit mit dem Thema „Der Wissenschaftscharakter der Betriebswirtschaftslehre" wird Ende September abgeschlossen sein.
Aufgrund der bisher durchgeführten Praktika (siehe Lebenslauf) verfüge ich bereits über umfassende Erfahrungen im Marketing-Bereich.
Da Sie ein zukunftsweisendes Unternehmen sind, das ganz neue Wege geht, würde ich gern die Möglichkeit nutzen, den Bereich Vertrieb gerade in Ihrer Firma noch näher kennen zu lernen.
Darüber hinaus hoffe ich, meine bisher erworbenen Kenntnisse während eines Praktikums in Ihrem Unternehmen einbringen zu können.
Über die Einladung zu einem persönlichen Gespräch würde ich mich sehr freuen.

Mit freundlichen Grüßen

Jochen Winkelmeier

Jochen Winkelmeier

Anlagen

3 Praktikant gesucht

Lesen
Sprechen

a Bei welchem der unten genannten Unternehmen könnte der Schreiber des Bewerbungsbriefes (Aufgabe 2a) sich auch bewerben?

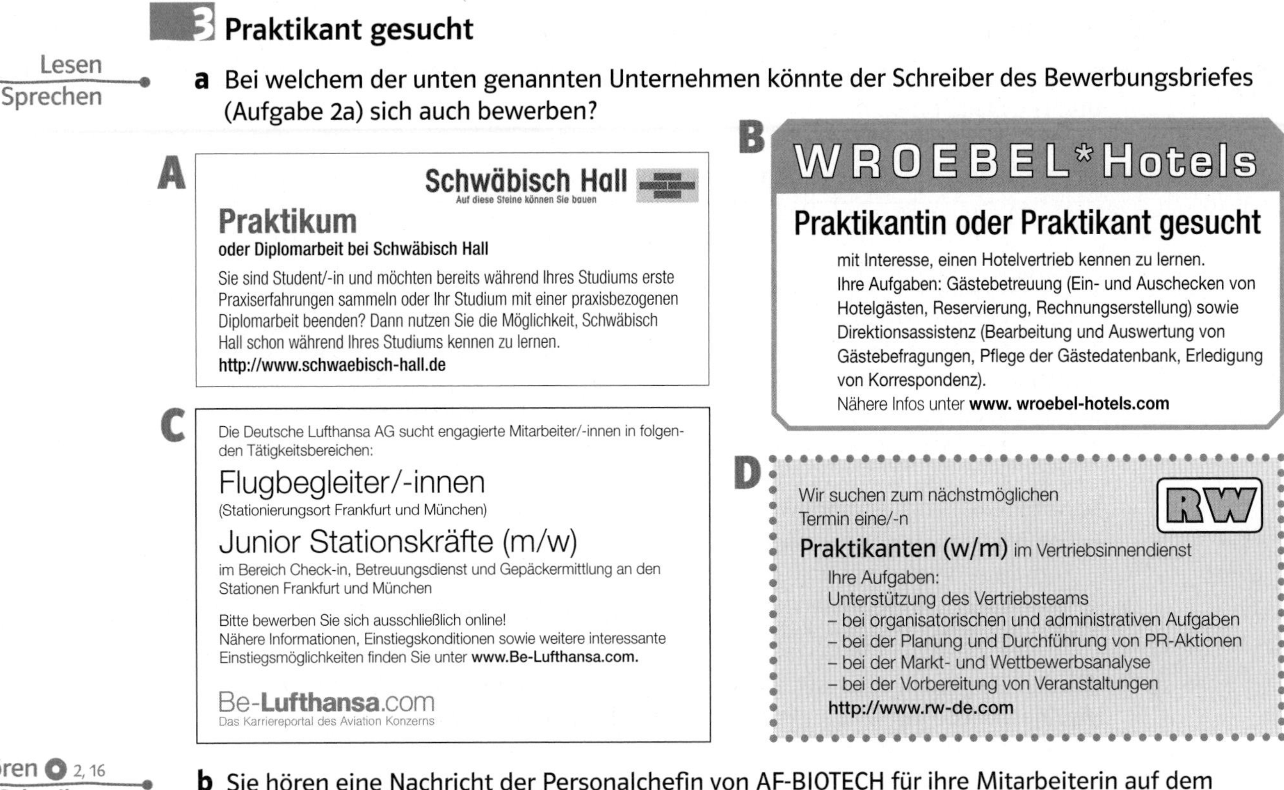

Hören 2, 16
Schreiben

b Sie hören eine Nachricht der Personalchefin von AF-BIOTECH für ihre Mitarbeiterin auf dem Anrufbeantworter. Korrigieren Sie den Brief nach den Angaben der Personalchefin.

Hannover, 30.08.2007

Praktikum: Ihre Bewerbung

Sehr geehrter Herr Winkelmeier,

herzlichen Dank für Ihre Bewerbung. Wir freuen uns über Ihr Interesse an einem Praktikumsplatz.

Unsere Erwartungen an einen Praktikanten werden von Ihnen ja zum Großteil erfüllt: Sie haben ein wissenschaftliches Studium abgeschlossen. Sie beherrschen die gängigen MS-Office-Anwendungen (Excel, Word, Power Point) und haben hoffentlich auch Spaß an der Teamarbeit sowie am selbstständigen Arbeiten.

Engagement, Flexibilität und Zuverlässigkeit setzen wir voraus. Es erwartet Sie eine abwechslungsreiche und verantwortungsvolle Tätigkeit in einem Team.

Hier nochmals Ihre Aufgaben: Sie unterstützen das Vertriebsteam bei der Umsetzung von Aktionen und Projekten, im operativen Tagesgeschäft (z. B. Betreuung unserer Kunden), bei der Erstellung und Auswertung verschiedener Daten aus dem Vertriebsbereich, sowie bei der Vorbereitung von Kundenveranstaltungen. Dabei erhalten Sie einen Überblick über die täglichen Abläufe und die Möglichkeit, selbstständig und eigenverantwortlich Teilprojekte zu übernehmen.

Dauer des Praktikums: 3 Monate
Wann könnten Sie beginnen.

Mit freundlichen Grüßen

Carola Kunz
Carola Kunz

4 Annoncen

Schreiben

Überlegen Sie im Kurs, welche sprachlichen Merkmale typisch für Anzeigen sind. Verfassen Sie dann selbst eine Anzeige zu einem der folgenden Vorschläge.

- Praktikumsplatz in Deutschland gesucht
- Brieffreund gesucht
- Tandempartner gesucht
- Übersetzer gesucht
- Ferienjob gesucht

6 Leben, um zu arbeiten?

1 Aufgaben

Lesen
Sprechen

a Zu welchen Branchen gehören folgende Aussagen? Notieren Sie die passende Nummer. Eine Branche bleibt übrig.

Pharmazie	Hotel	Verlag	Maschinenbau	Mode	Reise	Bank	Unternehmensberatung
4							

1. Die Verkaufszahlen könnten gesteigert werden, wenn unser Segment Kriminalliteratur ausgeweitet werden würde.
2. Unseren Gästen wird nicht nur im Wellness-Bereich viel geboten, sie werden auch im Fitness-Bereich optimal betreut.
3. Die Bewegungen auf dem Aktienmarkt werden genau beobachtet.
4. Ein neues Medikament wurde entwickelt. Bevor es aber verkauft werden darf, muss es auf dem deutschen Markt noch getestet werden.
5. Nachdem Trends erkannt worden sind, werden neue Modelle entworfen und hergestellt.
6. Die Probleme wurden analysiert, die Mitarbeiter wurden ausführlich beraten. So konnte der Firma aus der Krise geholfen werden.
7. In den nächsten Monaten sollten neue Urlaubsorte entdeckt werden und Verhandlungen mit verschiedenen Veranstaltern aufgenommen werden.

b Würden Sie gern in einer der oben genannten Branchen arbeiten? Welche dieser in den Sätzen 1 bis 7 beschriebenen Aufgaben würde Ihnen Spaß machen? Warum?

2 Sprache im Mittelpunkt: Erinnern Sie sich, wie das Passiv gebildet wird?

Formen und
Strukturen
S. 172

a Unterstreichen Sie alle Passivformen in Aufgabe 1a.

b Welche Passivformen finden Sie dort? Formulieren Sie gemeinsam die Regeln.

worden   Partizip Perfekt   ist/war   Modalverb (konjugiert)   werden (Infinitiv)
Partizip Perfekt   ~~wird/wurde~~   Partizip Perfekt   werden (Infinitiv)   würde   Partizip Perfekt

!

1. Das Passiv Präsens/Präteritum bildet man so: *wird/wurde* + ______.
2. Das Passiv Perfekt/Plusquamperfekt bildet man so: ______ + ______ + ______.
3. Das Passiv im Konjunktiv II der Gegenwart bildet man so: ______ + ______ + ______.
4. Das Passiv mit Modalverben (Präsens/Präteritum/Konjunktiv II der Gegenwart) bildet man so: ______ + ______ + ______.

c Sie können sich auch eine Tabelle machen.

	Präsens	Präteritum	Perfekt	Plusquamperfekt	Konjunktiv	Modalverben
ich	*werde ...*	*wurde ...*	*bin ... worden*			
du						
er/sie/es						
wir						
ihr						
sie/Sie						

3 Spaß bei der Arbeit?

Sprechen

a Überlegen Sie zu dritt, ob Arbeit Spaß machen kann oder muss. Stellen Sie Ihre Ideen im Kurs vor und diskutieren Sie sie.

Hören 2, 17–18
Sprechen

b Sie hören jetzt ein Interview mit Prof. Malik. Finden Sie Ihre Ideen wieder?

Hören 2, 17–18
→ GI

c Bitte hören Sie das Interview noch einmal und lösen Sie die fünf Aufgaben dazu: Welche Behauptungen hören Sie?

1. a. Spaß bei der Arbeit ist nötig.
b. Spaß bei der Arbeit ist immer möglich.
c. Spaß bei der Arbeit ist wünschenswert.
2. a. Eine Arbeit macht mehr Spaß, wenn sie sozial angesehen ist.
b. Eine Arbeit macht mehr Spaß, wenn man auch im Privatleben Spaß hat.
c. Eine Arbeit macht mehr Spaß, wenn man dabei seine eigenen Stärken zur Geltung bringen kann.
3. a. Bei der Berufswahl soll man sich an dem orientieren, was einem leicht fällt.
b. Bei der Berufswahl soll man sich an dem orientieren, was einem Spaß macht.
c. Bei der Berufswahl soll man sich an dem orientieren, was einen nicht langweilt.
4. a. Wenn man etwas ungern tut, tut man es auch immer schlecht.
b. Wenn man etwas gern tut, tut man es auch immer gut.
c. Wenn man etwas gut tut, tut man es häufig auch gern.
5. a. Eine zufrieden stellende Tätigkeit zeigt einem den Sinn der Arbeit.
b. Sinnvolle Tätigkeit macht einen stolz.
c. Man findet den Sinn einer Arbeit im Ergebnis, nicht in der Tätigkeit selbst.

4 Sprache im Mittelpunkt: Welche Formen stehen für „man"?

Formen und Strukturen S. 177

Lesen Sie noch mal die Aussagen in Aufgabe 3c. Markieren Sie die entsprechenden Formen und ordnen Sie sie zu.

Nominativ	Akkusativ	Dativ	Genitiv
man			*eines (ungebräuchlich)*

5 Neuorientierung gesucht!

Schreiben
Sprechen

a Ihr Freund hat die Lust an seiner Arbeit verloren. Mailen Sie ihm und geben Sie ihm das weiter, was Sie zum Thema „Freude an der Arbeit" gehört haben.

b Suchen Sie einen Partner, tauschen Sie Ihre Texte aus und geben Sie sich gegenseitig Tipps, was Sie noch besser schreiben könnten. Fragen Sie auch Ihre Lehrerin oder Ihren Lehrer, wenn Sie unsicher sind.

6 Arbeiten, um zu leben

Sprechen

1 Rollenspiel: Wer soll die Stelle bekommen?

a Das Auswahlkomitee tagt. Entscheiden Sie sich für einen Kandidaten.

- Ausgangssituation: Ein großes, renommiertes Unternehmen sucht eine/n IT-Experten oder Expertin. Die gut bezahlte Aufgabe: Gruppenleitung eines Teams von acht bis zehn Personen für die firmenspezifische Software-Entwicklung. Das Auswahlkomitee hatte fünf Kandidaten zum Bewerbungsgespräch eingeladen. Nun wird diskutiert, wer die Stelle erhalten soll.
- Wählen Sie im Plenum fünf Mitglieder des Auswahlkomitees (Mitglied A bis E). Die anderen Kursteilnehmer bilden fünf Gruppen, die je ein Komitee-Mitglied unterstützen.
- Bereiten Sie in Ihren Unterstützergruppen das Gespräch vor. Sie haben sich ganz klar für eine/n Bewerber/in entschieden: Sammeln Sie Argumente, die Ihr/e Sprecher/in in der anschließenden Komiteesitzung vortragen kann, und überlegen Sie sich eine gute Gesprächsstrategie. Machen Sie sich am besten Notizen.
- Das Auswahlkomitee tagt: Versuchen Sie, die anderen Komiteemitglieder von Ihrem Kandidaten oder Ihrer Kandidatin zu überzeugen. Das Komitee MUSS sich nach 15 Minuten Diskussionszeit für eine/n Bewerber/in entscheiden!
  Die Unterstützergruppen beobachten ihre/n Gruppensprecher/in, damit sie Ihnen nachher eine Rückmeldung zum Gesprächsverhalten geben können. Machen Sie sich dazu am besten Notizen.

b Manöverkritik. Jede Unterstützergruppe kreuzt an, welche Kritikpunkte für ihr Komiteemitglied zutreffen, und ergänzt die Liste mit weiteren Kritikpunkten. Sprechen Sie anschließend mit Ihrem Gruppensprecher anhand der Liste über die Punkte, die er / sie hätte verbessern könnte.

1. Es hätte lauter gesprochen werden müssen.
2. Die Berufserfahrung des Kandidaten hätte deutlicher genannt werden sollen.
3. Die Doppelbelastung berufstätiger Frauen hätte als Argument genannt werden können.
4. Die Förderung von Personen mit ausländischer Herkunft hätte thematisiert werden müssen.
5. Die Qualifikation des Kandidaten / der Kandidatin hätte unterstrichen werden sollen.
6. Die Frage des Arbeitsklimas im Team hätte nicht vergessen werden dürfen.
7. Die Bedeutung guter Examen und Referenzen hätte in Frage gestellt werden können.
8. Die Wichtigkeit so genannter Soft Skills hätte diskutiert werden müssen.
9. Einige Fragen hätten gar nicht gestellt werden dürfen.
10. ______________________________

FORMULIERUNGEN:

Du hättest lauter sprechen müssen. Und du hättest die Berufserfahrung unseres Kandidaten deutlicher hervorheben sollen. ...

2 Sprache im Mittelpunkt: Modalverben – komplexere Formen

Formen und Strukturen S. 166, 170, 172, 174

a Tragen Sie die Sätze aus Aufgabe 1b in eine Tabelle wie unten ein. Woran erkennen Sie Aktiv, woran Passiv?

Position 1	Position 2	Mittelfeld	Satzende
Es	hätte	lauter	gesprochen werden müssen.
Du	hättest	lauter	sprechen müssen.

! Modalverben im Perfekt, Plusquamperfekt, Konjunktiv II der Vergangenheit: Was stimmt jeweils?

1. „hat", „hatte", „hätte" steht ☐ auf Position 2 ☐ am Satzende als letztes Verb.
2. Das Modalverb im Infinitiv steht ☐ auf Position 2 ☐ am Satzende als letztes Verb.

b Ergänzen Sie die Regeln.

Partizip II ~~Hilfsverb „haben"~~ Modalverb im Infinitiv werden
Modalverb im Infinitiv Hilfsverb „haben" Verb im Inifinitiv

!

1. Das Perfekt, das Plusquamperfekt und den Konjunktiv II der Vergangenheit mit Modalverben im Aktiv bildet man so: *Hilfsverb „haben"* + ____________ + ____________.
2. Das Perfekt, das Plusquamperfekt und den Konjunktiv II der Vergangenheit mit Modalverben im Passiv bildet man so: ____________ + ____________ + ____________ + ____________.

3 Absprachen und Vereinbarungen

Sprechen

Üben Sie zu zweit. Treffen Sie Absprachen für eine der folgenden Situationen. Die Redemittel in den Schüttelkästen können dabei nützlich sein. Stellen Sie einige Absprachen im Kurs vor.

1. Eine Freundin soll während Ihres Urlaubs Ihre Wohnung mit Katze und Pflanzen versorgen.
2. Ihr fünfzehnjähriger Sohn macht zu selten Hausaufgaben und spielt zu oft am Computer.
3. Ihre Nachbarn sind schon etwas älter und brauchen Hilfe bei der Gartenarbeit. Sie hingegen sind tagsüber nicht zu Hause, was immer wieder Probleme mit der Post u. Ä. verursacht.
4. Ihr Kollege erklärt Ihnen, was Sie während seiner Dienstreise für ihn erledigen sollen.
5. Ihre Professorin verlangt von Ihnen, dass Sie zusätzlich zu Ihren Aufgaben als Hilfswissenschaftler/in das Manuskript für ihr neustes Buch Korrektur lesen.

etwas vereinbaren: Machen wir doch mal einen Plan. | Ich halte das auch gleich schriftlich fest. | Sie sollten aber auch nicht vergessen … | Das wäre wirklich wichtig. | Halten wir fest: … | Am besten vereinbaren wir gleich noch …

nachfragen: Gibt es sonst noch etwas, was wir klären sollten? | Was verstehen Sie darunter? | Sie wollen, dass … | Soll ich …?

zum Schluss kommen: Dann machen Sie es so. | So könnte es gehen. | Ich probiere es, aber ich weiß nicht, ob das immer klappt. | Wenn Sie es nicht schaffen, können wir immer noch eine andere Lösung suchen. | Mir fällt nichts mehr ein.

6 Erst die Arbeit, dann das Vergnügen

1 Im Gespräch: Arbeit in der Welt

Sprechen
Schreiben

a Organisieren Sie einen Mini-Kongress zu diesem Thema.

- Überlegen Sie gemeinsam im Kurs, mit welchen Aspekten des Themas „Arbeit" Sie sich in dieser Lektion beschäftigt haben. Welche Aspekte fehlen? Was ist gerade aktuell? Machen Sie eine Themenliste.
- Bilden Sie kleine Arbeitsgruppen und wählen Sie einen Themenaspekt aus.
  Formulieren Sie Fragen: Was interessiert Sie? Was wäre wissenswert?
  Formulieren Sie Thesen: Was wissen Sie zu diesem Aspekt? Welche kontroversen Ansichten stehen sich gegenüber?
- Bereiten Sie mithilfe Ihrer Fragen und Thesen einen Mini-Vortrag vor: Notieren Sie Stichwörter, anhand derer Sie frei über Ihr Thema sprechen können.
- Stellen Sie alle ausgewählten Themenaspekte im Kurs zu einer Vortragsliste zusammen. Überlegen Sie sich dabei eine sinnvolle Reihenfolge für Ihre Kongressvorträge.
- Der Kongress beginnt. Wählen Sie eine/n Sprecher/in pro Arbeitsgruppe, der oder die den Vortrag hält.

Formulierungsprobleme überwinden: Wie hieß doch gleich ...? | Moment, ich fange noch mal an ... | Also, ich meine ... | Ich wollte sagen, dass ... | Also ...

b Reflektieren Sie gemeinsam mit Ihrer Lehrerin / Ihrem Lehrer, welche sprachlichen Schwierigkeiten und Erfolgserlebnisse Sie hatten.

2 Bürotheater

Sprechen

a Bürotypen und Büroutensilien. Ordnen Sie die Wörter im Schüttelkasten den nummerierten Zeichnungen zu.

der Papierkorb   der Chef / die Chefin   die Kaffeemaschine   der Kopierer
der Faulpelz   der Aktenvernichter   die Quasselstrippe   der Drehstuhl   das Telefon
der Computer   die Besprechung   die rechte Hand des Chefs / der Chefin
das Schwarze Brett   die Putzkolonne   die Keksdose für Besucher

b Arbeiten Sie in einem Büro? Welche Typen und Utensilien erkennen Sie wieder? Erzählen Sie im Kurs Anekdoten aus Ihrem Büroleben oder spielen Sie gemeinsam typische Büroszenen.

Sprechen

3 Ist das Arbeit?

Überlegen Sie sich zu zweit Begründungen dafür, ob die Situationen 1 bis 8 Arbeit sind oder nicht, und diskutieren Sie diese dann im Kurs.

1. Kursteilnehmer lernen ein Gedicht auswendig.
2. Eine Arbeiterin näht sich nach Feierabend ein Kleid.
3. Ein Vogelpärchen baut sich ein Nest.
4. Eine Sängerin singt ihrem Kind ein Gute-Nacht-Lied vor.
5. Katharina (16 Jahre) schreibt morgen eine Klassenarbeit in Biologie. Sie bereitet sich vier Stunden lang darauf vor.
6. Die Deutschlehrerin geht nach dem Kurs mit ihrer Klasse noch einen Kaffee trinken.
7. Der Autor Heinz Kahlau schreibt ein Gedicht.
8. Ein Angestellter wartet in der Teeküche auf das Ende der Arbeitszeit.

Lesen
Sprechen

4 Ein Gedicht von Heinz Kahlau

a **Lesen Sie bitte. Welche Überschrift würden Sie dem Gedicht geben? Stellen Sie Ihren Vorschlag im Kurs vor.**

A Gedicht über Fließbandarbeit
B Gedicht über Hände

Sie saß am Band, an diesen langen Tischen,
saß vorgebeugt und zeigte kein Gesicht.
Sie lötete Kontakte an die Spulen,
es war wie jeden Tag in ihrer Schicht.

Doch ihre Hände waren nicht wie Vögel,
die zwischen Gittern müde hin und her
die ewiggleiche stumme Sehnsucht flattern,
als gäbe es für sie nichts andres mehr.

Sie hatte Hände, die wie Tänzer waren,
denn sie bewegten sich so leicht und frei,
als ob die Anmut dieser schmalen Finger
ganz ohne Mühe zu erreichen sei.

Der ewig gleiche Griff von Tag zu Tag.
Die gleiche Drehung, sieben lange Stunden.
Was tut der Kopf, zu dem die Hand gehört?
Hat dieser Kopf den stummen Tanz erfunden?

Was tut die Frau nach solchem Arbeitstag,
wenn ihre Hebel wieder Hände werden?
Malt sie mit ihrem Kind ein buntes Bild,
formt sie Figuren, zart, aus Ton und Erden?

Spielt sie Gitarre, näht sie sich ein Kleid,
denkt sie sich Hebel aus anstatt der Hände?
Liest sie ein Buch, in dem sie danach sucht:
Wie macht der Mensch der Hebelhand ein
Ende?

b **Markieren Sie mit zwei verschiedenen Farben: Welche Wörter haben mit Arbeit, welche mit Kreativität zu tun? Klären Sie im Kurs eventuelle Verständnisprobleme.**

c **Ordnen Sie jedem Satz eine oder zwei Strophen des Gedichts zu.**

	Strophe
1. Der Autor fragt sich, was die Frau während der Arbeit wohl denkt.	______
2. Er beobachtet eine Frau bei der Fließbandarbeit.	1
3. Ihm fällt auf, dass ihre Bewegungen untypisch für eine Bandarbeiterin sind.	______
4. Er möchte wissen, ob sie nach der Fließbandarbeit kreativ tätig ist.	______
5. Er bewundert die ästhetische Art und Weise, wie sie ihre Finger bewegt.	______
6. Er denkt darüber nach, was sie privat – nach der Arbeit in der Fabrik – macht.	______

d **Geben Sie die Aussage des Gedichts in ein oder zwei Sätzen wieder.**

7 Natur

Sprechen

1 Natur

Denken Sie eine Minute lang bei geschlossenen Augen an „Natur“: Welche Bilder, Geräusche, Gerüche, Gefühle kommen Ihnen dabei in den Sinn? Machen Sie sich dann Notizen und tauschen Sie sich anschließend zu zweit darüber aus.

Hören 2, 19
Sprechen

2 Klingende Natur

a Hören Sie die Musik. Welche Assoziationen haben Sie dazu?

b Welches der Bilder A bis D passt am besten zur Musik? Warum? Tauschen Sie sich in Kleingruppen aus.

Lesen
Sprechen

3 Die Jahreszeiten

a Welcher Text passt zu welcher Jahreszeit? Bitte begründen Sie. Arbeiten Sie zunächst zu zweit und stellen Sie dann Ihre Zuordnung im Kurs vor.

Die Welt wird schöner mit jedem Tag,
Man weiß nicht, was noch werden mag,
Das Blühen will nicht enden.
Ludwig Uhland

Ein Sturm hat gestern Nacht die Bäume kahlgefegt und das Grün vor meinen Fenstern in ein Gitterwerk von nackten Ästen verwandelt.
Wolfgang Hildesheimer

Der Schatten, den ich mir erwählt,
Erfrischt mich kaum.
Die Hitze hat das Holz geschält
Am Birnenbaum.
Karl Krolow

Schönes, grünes, weiches Gras.
Drin liege ich.
Inmitten goldgelber Butterblumen!
Arno Holz

Ein Schweigen in den schwarzen Wipfeln wohnt.
Ein Feuerschein huscht aus den Hütten.
Georg Trakl

Nicht ein Flügelschlag ging durch die Welt,
still und blendend lag der weiße Schnee.
Nicht ein Wölklein hing am Sternenzelt,
keine Welle schlug im starren See.
Gottfried Keller

Die Winde pfeifen, hin und her bewegend
Das rote Laub, das von den Bäumen fällt,
Es seufzt der Wald, es dampft das kahle Feld, ...
Heinrich Heine

Es regte sich kein Hauch am heißen Tag,
nur leise strich ein weißer Schmetterling;
doch ob auch kaum die Luft sein Flügelschlag
bewegte, sie empfand es und verging.
Friedrich Hebbel

Die Blätter fallen, fallen wie von weit,
als welkten in den Himmeln ferne Gärten; ...
Rainer Maria Rilke

Es färbte sich die Wiese grün,
Und um die Hecken sah ich's blühn,
Tagtäglich sah ich neue Kräuter,
Mild war die Luft, der Himmel heiter.
Novalis

b **Teilen Sie Ihren Kurs in vier Arbeitsgruppen: Jede beschäftigt sich mit einer anderen Jahreszeit. Sammeln Sie alles, was Sie mit dieser Jahreszeit verbinden, gestalten Sie ein Plakat dazu und präsentieren Sie es dann den anderen.**

- Was ist typisch / charakteristisch für die Natur in dieser Jahreszeit?
- Was ist typisch / charakteristisch für das Verhalten und die Aktivitäten von Menschen und Tieren in dieser Jahreszeit?
- Gibt es bei den Jahreszeiten Unterschiede zwischen den deutschsprachigen Ländern und Ihrem Herkunftsland?
- Wie ist Ihre persönliche Einstellung zu dieser Jahreszeit?

4 Die Geschichte von der Schneeflocke

Hören 2, 20
Sprechen

Hören Sie die Geschichte zweimal. Machen Sie Notizen und erzählen Sie dann anhand Ihrer Notizen die Geschichte nach: erst zu zweit, dann gemeinsam im Kurs.

Was Sie in dieser Lektion lernen können:

über aktuelle oder abstrakte Themen sprechen und Gedanken und Meinungen dazu äußern
literarischen oder alltäglichen Erzählungen folgen und viele wichtige Details verstehen
eine Geschichte zusammenhängend erzählen
im Radio Informationen aus Nachrichten- und Feature-Sendungen verstehen
sich während eines Gesprächs oder einer Präsentation Notizen machen
Informationen und Sachverhalte schriftlich weitergeben und erklären
Erfahrungen und Ereignisse detailliert und zusammenhängend schriftlich beschreiben
Informationen in Ansagen und Mitteilungen verstehen
detaillierte Informationen umfassend und inhaltlich korrekt weitergeben
in Artikeln und Berichten über aktuelle Themen Haltungen und Standpunkte verstehen
Informationen aus längeren Texten zusammenfassend wiedergeben
ein Problem darlegen, dabei Vermutungen über Ursachen und Folgen anstellen sowie Vor- und Nachteile abwägen
in längeren und komplexeren Texten rasch wichtige Einzelinformationen finden
in längeren Reportagen zwischen Tatsachen, Meinungen, Schlussfolgerungen unterscheiden
komplexe Informationen über alltägliche und berufsbezogene Themen verstehen
ein Interview führen und auf interessante Antworten näher eingehen

7 Von der Natur lernen

Sprechen

1 Die Natur als Lehrmeister

Haben Sie schon von der Wissenschaft der Bionik gehört? Was wissen Sie darüber? Warum wird die Natur wohl „Lehrmeister" genannt?

Sprechen
Lesen

2 Natur und Technik

a Was glauben Sie? Für welche technischen Entwicklungen standen die nachfolgenden Tiere, Pflanzen und Phänomene Modell?

b Ordnen Sie die Fotos oben den Erklärungen 1 bis 6 zu.

Die Natur löst manches technische Problem auf so geniale Art, dass der Mensch mit seinen begrenzten Möglichkeiten davon nur träumen kann. Doch die Wissenschaft entdeckt immer mehr Möglichkeiten, von der Natur zu lernen. Die Bionik hält Einzug in die unterschiedlichsten Bereiche der Technik. Einige Beispiele:

1. Stacheldraht ist ein Allerweltsprodukt. Niemand macht sich Gedanken darüber. Woher stammt die Idee zu dieser simplen und doch wirkungsvollen Methode der Feindabwehr?
2. Zangen und Scheren liegt ein sehr einfaches technisches Prinzip zugrunde: zwei sich kreuzende Schenkel und ein Gelenk in der Mitte. Die Hebelwirkung macht das Werkzeug so effektiv.
3. Das Zeltdach des Olympiaparks in München: ein architektonisches Glanzstück und eine technische Meisterleistung. Das 74.800 qm große Dach wird von in sich vernetzten Stahlseilen gebildet.
4. Soldaten haben ein gutes Mittel zur Tarnung: Kleinteilige Farbflecke auf Uniformen bewirken, dass die Körperkonturen aufgelöst werden. So ist man schwer vor ähnlichfarbigem Hintergrund zu erkennen.
5. Vor mehr als 400 Jahren gelang der erste Fallschirmsprung. Heutzutage sind Fallschirme technisch sehr ausgereift.
6. Um sich leichter im Wasser bewegen können, zieht der Mensch Taucherflossen an.

	Foto		Foto
1. Stacheldraht	______	4. Tarnuniform	______
2. Zange / Schere	______	5. Fallschirm	______
3. Zeltdach	______	6. Schwimmflossen	______

c Kennen Sie weitere Beispiele für die moderne Technik, bei der die Natur Vorbild ist? Überlegen Sie gemeinsam im Kurs.

3 Die Natur als Ingenieur: Was ist Bionik?

Hören 2, 21 – Schreiben

a Hören Sie den ersten Teil einer Radioreportage. Vergleichen Sie die Informationen mit Ihren Vermutungen aus Aufgabe 1.

b Hören Sie diesen Teil der Reportage noch einmal und machen Sie sich Notizen zu folgenden Punkten:

1. Warum ist die Natur ein Vorbild?
2. Bedeutung des Wortes
3. Beispiele von Bionik

4 Der Klassiker der Bionik: der „Lotuseffekt"

Hören 2, 22 – Sprechen

a Kennen Sie diesen Begriff? Bitte erklären Sie oder vermuten Sie (mithilfe der Fotos unten), woher der Begriff stammt und was er bedeuten könnte.

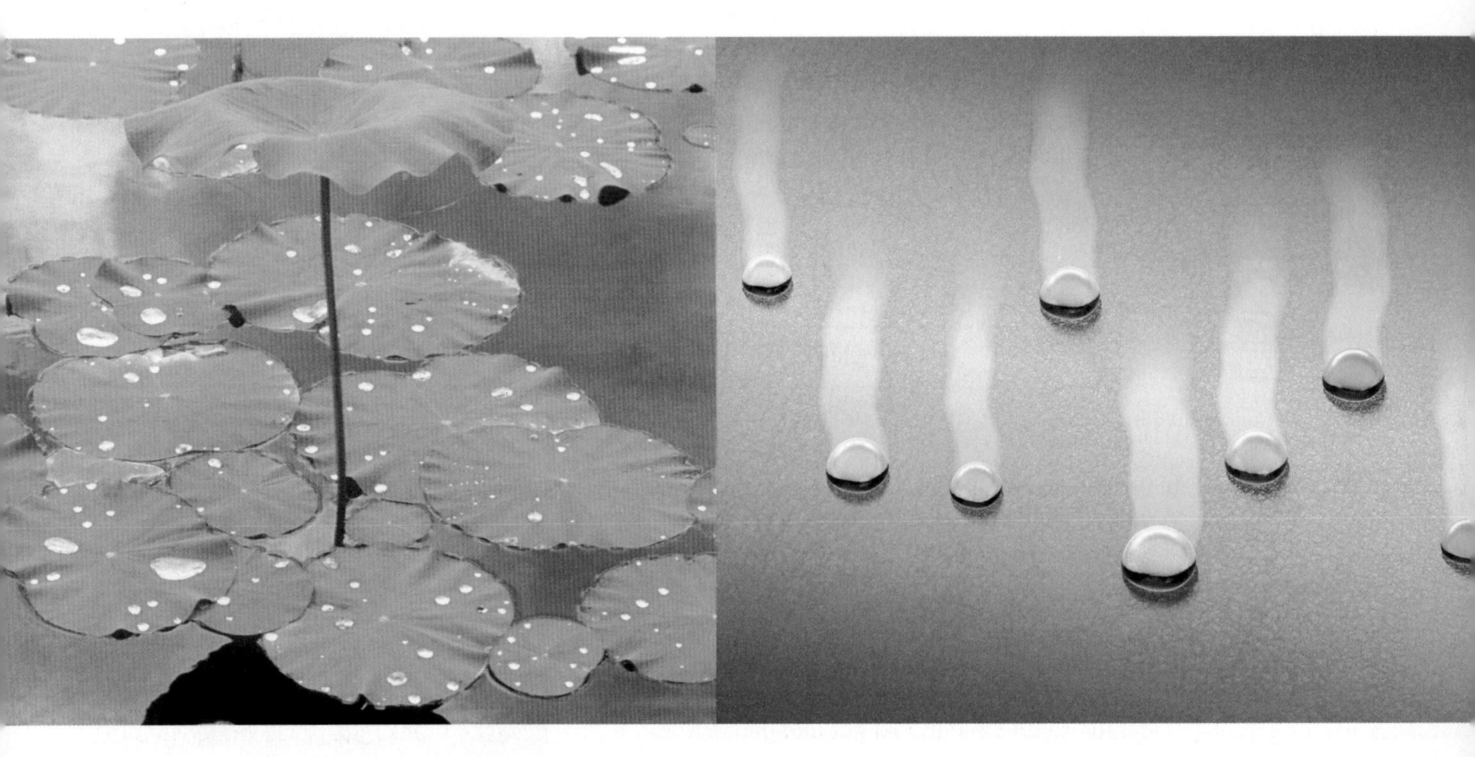

b Hören Sie jetzt den zweiten Teil der Reportage. War Ihre Erklärung des Lotuseffekts richtig?

c Hören Sie diesen Abschnitt der Reportage noch einmal und achten Sie auf die folgenden Punkte:

1. Wie funktioniert der Lotuseffekt?
2. Wie wenden die Bioniker ihn heute an?
3. Welche Anwendungsgebiete für den Lotuseffekt sind künftig denkbar?

d Vergleichen Sie zu zweit Ihre Notizen und ergänzen Sie sich gegenseitig.

5 Informationen weitergeben

Schreiben

Ihr Kollege konnte die Radioreportage nicht hören, da er auf Dienstreise war. Er hat Sie nun gebeten, ihn kurz per E-Mail darüber zu informieren. Schreiben Sie die Mail und sagen Sie darin etwas zu folgenden Punkten:

- Was hat Bionik erstens mit Natur, zweitens mit Technik zu tun?
- Resümieren Sie die wichtigsten Informationen der Reportage über Bionik.
- Wie fanden Sie die Radiosendung?

7 Naturkatastrophen

1 Naturschauspiel oder Naturkatastrophe?

Sprechen

Diskutieren Sie: Welche der folgenden Begriffe sehen Sie als Naturschauspiel, welche als Katastrophe an?

Erdbeben Vulkanausbruch Geysir Eisberg Hochwasser Sandsturm Polarlicht
Lawine Dürre Tsunami Sonnenfinsternis Blizzard Hurrikan Gewitter
Erdrutsch Ebbe und Flut Meteoriteneinschlag Waldbrand Sonnenuntergang

2 Selbst erlebt?

Schreiben

Lesen Sie die Anzeige und antworten Sie darauf. Berichten Sie über ein Erlebnis in der Natur (Sie können auch etwas erfinden.): Wann? / Wo? / Was genau haben Sie gesehen, gehört, gefühlt? …

Naturereignisse oder -katastrophen selbst erlebt?

Berichte gesucht Für meine Seminararbeit in Psychologie suche ich persönliche Berichte über Erlebnisse mit Naturereignissen oder -katastrophen. Diskretion garantiert.

Bitte schicken Sie Ihren Bericht an
rainer.domhan@rainerdomhan.de

3 Schon gehört? Katastrophenmeldungen

Hören 2, 23-30
Schreiben

a Hören Sie die Kurznachrichten und notieren Sie die Informationen aus den einzelnen Meldungen in eine Tabelle mit folgenden Spalten.

wo?	was?	wann?	Folge?
Jakarta			

Sprechen

b Welche Merkmale sind typisch für Kurznachrichten? Was ist charakteristisch für Nachrichtensprecher? Sammeln Sie im Kurs.

Schreiben
Sprechen

c Wählen Sie zu zweit drei Kurzmeldungen aus Aufgabenteil a. Formulieren Sie die Kurzmeldungen mithilfe der Stichwörter in der Tabelle aus und machen Sie eine kleine Nachrichtensendung daraus. Üben Sie, den Text gut und deutlich zu sprechen.

d Wenn Sie Lust haben, nehmen Sie Ihre Kurznachrichten im Kurs auf. Welche Gruppe hat am deutlichsten gesprochen?

4 Meinungen und Kommentare

Lesen

Lesen Sie die Kommentare aus einem Online-Forum und markieren Sie, welche Position (1 oder 2) die Verfasser jeweils vertreten.

Sagen Sie uns Ihre Meinung. Regelmäßig formulieren wir eine aktuelle Fragestellung, die Sie online diskutieren können.

Die aktuelle Frage: Naturkatastrophen

Jedes Jahr verwüsten Hurrikane ganze Landstriche. Wirbelstürme und Überschwemmungen treiben Hunderttausende Menschen in die Flucht. Sind Naturkatastrophen (1) Vorboten eines von Menschenhand verursachten Klimawandels oder (2) ganz natürliche Phänomene?

Kommentare

A Wohl selten zuvor bewegte die Furcht vor den verheerenden Folgen der Erderwärmung so viele Menschen wie in diesen Tagen. Diese Entwicklung scheint für manche Journalisten ein Ansporn zu sein, plakativ eine Gegenposition zu vertreten. Das gilt auch für die beiden größten Wochenzeitschriften. Nachdem Gero von Randow in der „Zeit" meinte, wir sollten uns nicht aufregen und versicherte, die diesjährige Hurrikan-Saison sei „normal", legt nun Gerald Traufetter im Spiegel nach mit der Feststellung, die Katastrophe habe mit der globalen Erwärmung nichts zu tun. Diese Aussagen sind wissenschaftlich unhaltbar und politisch fatal. Tabea Blum

B Hurrikane, Taifune, Auftauen des Permafrostbodens ... Alle 3 Jahre 'ne Jahrhundertflut. Zufall? Da finde ich es geradezu zynisch, wenn Gero von Randow schreibt, die bevorstehende Sturmkatastrophe bringe uns keine böse Botschaft vom Klimawandel. Auf die Dauer sei der Forderung nach Klimaschutz nicht gedient, wenn jede Wetterkatastrophe zu seiner Begründung herhalten müsse. Fakt ist aber: Wenn wir unser Verhalten nicht VOLLSTÄNDIG ändern, dauert es nicht mehr lange, bis die Natur sich der ungeliebten Spezies „Mensch" entledigt. Wenn ich mit Tempo 200 auf eine Mauer zurase, bremse ich und diskutiere nicht! Ein Naturwissenschaftler!

C Leute, orientiert euch an den messbaren Fakten und nicht an Weltuntergangsphantasien. Und auch wenn es banal klingt, das Klima war noch nie konstant, und beständig ist nur die Veränderung. Traufetter schreibt, die Hurrikan-Aktivität sei zwischen 1920 und 1960 schon einmal sehr stark gewesen und habe bis Mitte der 90iger-Jahre abgenommen. Derzeit nehme sie wieder zu. Machen wir uns also lieber Gedanken darüber, wie wir mit diesen Veränderungen umgehen und wie wir deren Folgen abmildern können. Joachim Scheirich

D Alles Aberglaube! Die Natur hat schon mehrfach ohne uns Eiszeiten, meterhohe Schwankungen des Meeresspiegels, Polverschiebungen etc. zustande gebracht. Es spricht für die Arroganz der Menschen, dass sie aus ein paar Jahren Wetterbeobachtung langfristige Trends ableiten und sich dann auch noch selbst als Ursache dafür ausmachen wollen. Wir sollten uns lieber um uns selbst Sorgen machen, denn eines wird auf der Erde mit Sicherheit überleben: die Natur. Die ist weitaus widerstandsfähiger, als wir glauben. Bei den Menschen bin ich mir nicht so sicher. Helmut Gräter

E Wir fördern eine Entwicklung, die irgendwann ohnehin stattfinden wird: einen Klimawechsel. Wir sind Gäste, der Boss ist und bleibt die Natur. Katharina Meierhold

F Winter fallen aus, im Sommer eine Hitze wie in den Tropen und dazwischen Stürme und sintflutartige Regenfälle – wer da von natürlichen Entwicklungen spricht, hat keinen Verstand! Alex König

5 Sprache im Mittelpunkt: indirekte Rede

Formen und Strukturen S. 173

a Lesen Sie die Kommentare in Aufgabe 4 noch einmal. Unterstreichen Sie die Äußerungen, die nicht von den Verfassern sind, sondern von den beiden Journalisten Gero von Randow und Gerald Traufetter.

b Ergänzen Sie die Sätze in der Tabelle.

	Indirekte Rede
Gero von Randow meint,	die diesjährige Hurrikan-Saison ______________. die bevorstehende Sturmkatastrophe ______________.
Gerald Traufetter schreibt,	die Katastrophe ______________. die Hurrikan-Aktivität ______________.

c Was haben die beiden Journalisten wohl direkt gesagt? Schreiben Sie die Aussagen in die Tabelle.

	Direkte Rede
Gero von Randow behauptet:	„Die diesjährige Hurrikan-Saison ______________." „Die bevorstehende Sturmkatastrophe ______________."
Gerald von Traufetter sagt:	„Die Katastrophe ______________." „Die Hurrikan-Aktivität ______________."

d Vergleichen Sie nun die Sätze und überlegen Sie zu zweit, welche Signale Sie für indirekte Rede finden.

e Wählen Sie drei oder vier Sätze aus den Kommentaren D bis F in Aufgabe 4 und geben Sie sie in der indirekten Rede wieder.

6 Klimawandel

Sprechen

Wie ist Ihre Meinung zum Thema Klimawandel? Diskutieren Sie im Kurs und nehmen Sie Bezug auf die Kommentare in Aufgabe 4.

7 Klonen

1 Klonen – Chancen und Gefahren

Sprechen
Schreiben

a Was verbinden Sie mit diesem Thema? Welche Fragen haben Sie dazu?

Sammeln Sie in der Gruppe. Notieren Sie die einzelnen Informationen oder Fragen auf je ein Kärtchen und heften Sie diese in zwei Spalten an die Tafel.

b Tauschen Sie die Informationen im Kurs aus und suchen Sie dann Informationen zu den übrig gebliebenen Fragen.

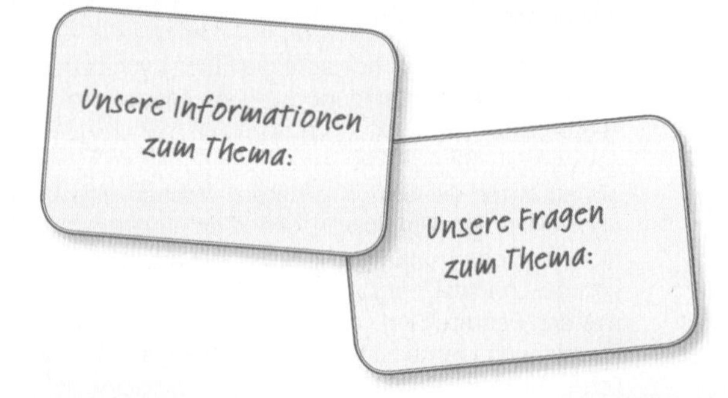

2 Klonen – ein Geschäft?

Lesen
Sprechen

a Arbeiten Sie zu zweit: Jede/r liest einen Artikel und gibt dann der/dem anderen die Informationen zusammenfassend wieder.

Die Geschichte übers Klonen sollte 100.000 Dollar kosten

Wie die „New York Times" berichtet, hat der Wissenschaftsjournalist Michael A. Guillen verschiedenen Fernsehsendern und der Zeitung selbst eine Klon-Geschichte als Exklusiv-Beitrag angeboten. 5 Er soll, wie die „Times" berichtet, dabei bisweilen ein Honorar von mehr als 100.000 Dollar verlangt haben.

Guillen will genau beweisen können, dass zwei Frauen der Raelianer-Sekte geklonte Babys auf die 10 Welt gebracht haben. Dem Sender Fox soll er ein regelrechtes Reality-Fernsehen angeboten haben, eine dokumentarische Seifenoper, die angeblich vor der Geburt in der Familie eines geklonten Kindes beginnt und mit der Niederkunft endet. Fox 15 lehnte das Angebot aber ab, es erschien dem Sender, wie es heißt, mit zu vielen ethischen Fragen belastet.

Nun soll Guillen laut Bericht der „Times" dieser einen exklusiven Artikel über ein Paar angebo- 20 ten haben, das versuche, durch Klonen ein Kind zu bekommen. Guillen will der einzige sein, dem der Zugang zu den Betroffenen erlaubt sei. Er will in den letzten Jahren in engem Kontakt zu sämtlichen bedeutenden Klon-Forschern gestanden ha- 25 ben und will insgesamt mehr wissen als die einzelnen Forscher. Doch auch die „Times" lehnte ab.

Hwang will trotz langem Sündenregister wieder klonen

Wie „The Korea Times" am 27. Juni berichtete, beabsichtigt Hwang Woo-suk, seine Klonversuche wieder aufzunehmen. In einem Monat soll er mit rund 30 Forschern, von welchen die meisten seinem früheren Team angehörten, vorerst 5 einmal mit Tierversuchen beginnen. Versuche zur Gewinnung von embryonalen Stammzellen mithilfe von geklonten menschlichen Embryonen könnten später ebenfalls durchgeführt werden.

Hwang Woo-suk will private Sponsoren gefunden haben, 10 die sein Comeback ermöglichen.

Bekanntlich wurde Hwang von der südkoreanischen Justiz zur Rechenschaft gezogen, da er nicht nur bei seinen „bahnbrechenden" Publikationen in den Jahren 2004 und 2005 Daten gefälscht hatte, sondern auch erhaltene For- 15 schungsgelder im Millionenbereich veruntreut hatte. Ein Teil floss in seine eigene Tasche, während den anderen Teil Politiker und Geschäftsleute erhielten, die seine Forschung unterstützten. Insgesamt soll Hwang für seine Klonversuche 2.236 Eizellen von 136 Eizellspenderinnen von vier medizi- 20 nischen Institutionen erhalten haben.

Außerdem verletzte Hwang das Bioethikgesetz, indem er Frauen aus seinem Forscherteam zur Eizellspende animierte und von lokalen Kliniken Eizellen ohne Zustimmung der Spenderinnen erhielt. Die Untersuchungsbehörden fanden 25 heraus, dass er 113 Eizellen von 72 Spenderinnen erhalten hatte, deren Zustimmung nie eingeholt worden war.

b Woher haben die Autoren ihre Informationen?

3 Sprache im Mittelpunkt: Informationen aus zweiter Hand

Formen und Strukturen S. 168

a Überlegen Sie gemeinsam im Kurs: Welche Informationen in den Zeitungstexten sind Tatsachen? Welche Aussagen sind Informationen aus zweiter Hand? Woran kann man das als Leser/in erkennen?

b Was passt zu wem? Versuchen Sie, die Informationen zuzuordnen und überprüfen Sie Ihre Zuordnung dann mithilfe der Texte in Aufgabe 2.

Michael A. Guillen — will
Hwang Woo-suk — soll

2236 Eizellen erhalten haben.
in engem Kontakt zu Klon-Forschern gestanden haben.
ein unglaublich hohes Honorar verlangt haben.
mit Tierversuchen beginnen.
einen Exklusiv-Beitrag angeboten haben.
die Geburt von zwei geklonten Babys beweisen können.
mehr als alle Beteiligten über die Sache wissen.
die einzige Kontaktperson zu einem Paar mit Klon-Baby sein.
private Sponsoren gefunden haben.

c Versuchen Sie nun, aus dem Kontext herauszufinden, welche Bedeutung die Modalverben „sollen" und „wollen" hier haben und markieren Sie die richtige Lösung.

1. „Er **soll** etwas getan haben." bedeutet:
a. Man hat ihn gezwungen, etwas zu tun.
b. Man sagt, dass er etwas getan hat.
c. Man hat erwartet, dass er etwas tut.

2. „Er **will** etwas getan haben." bedeutet:
a. Es war sein Wunsch, etwas zu tun.
b. Er bedauert, etwas getan zu haben.
c. Er behauptet, etwas getan zu haben.

d Tragen Sie nun die Sätze aus Aufgabenteil b in die Tabelle ein.

subjektiver Gebrauch der Modalverben „sollen" und „wollen" – Gegenwart			
	Modalverb		Infinitiv (+ 2. Modalverb)
Guillen			*beweisen können.*

subjektiver Gebrauch der Modalverben „sollen" und „wollen" – Vergangenheit				
	Modalverb		Partizip	haben / sein
Hwang		*private Sponsoren*	*gefunden*	

4 Sensationspresse: Haben Sie das gelesen?

Lesen
Sprechen

Arbeiten Sie zu zweit: Ein Partner berichtet von seinen Nachrichten 1 bis 3, der andere von 4 bis 6. Gebrauchen Sie dabei die Modalverben „sollen" und „wollen" wie in Aufgabe 3.

1. Eine alte Dame hat 50.000 US-Dollar für ein neun Wochen altes Klon-Kätzchen bezahlt.

2. Hwang Woo-suk behauptet, dass er mit seiner Klonforschung Schwerkranken geholfen hat.

3. Eine Amerikanerin hat am vergangenen Freitag in Europa ein Klonbaby zur Welt gebracht.

4. Kinderlose Paare können schon jetzt eingefrorene Embryonen kaufen.

5. Der Physiker Richard Seed behauptet, dass er bald die erste Klonklinik der Welt eröffnen kann.

6. Die Überlebenschance von Klonbabys ist deutlich gestiegen.

7 Ernährung – natürlich

1 Natürliche Ernährung?

Sprechen

a Was verbinden Sie mit „natürlicher Ernährung"? Sammeln Sie in Kleingruppen.

b Welche der folgenden Arten von Ernährung kennen Sie? Tauschen Sie sich in Ihrer Kleingruppe aus.

Functional Food Schonkost Veganismus Gourmetgastronomie
Rohkost Slow Food Feinkost Tiefkühlkost Vegetarismus Trennkost
Vollwerternährung Fasten Molekulargastronomie Fast Food

c Informieren Sie sich genauer über eine der genannten Ernährungsmöglichkeiten.

d Tragen Sie die Informationen in der Kleingruppe zusammen und diskutieren Sie dann die Fragen.

- Was könnten Gründe für eine solche Art der Ernährung sein? Wägen Sie Vor- und Nachteile gegeneinander ab.
- Welche Folgen wären bei zu viel oder zu wenig davon möglich?
- Welche der Art(en) bevorzugen Sie?

2 Genfood – Segen oder Fluch?

Sprechen
Lesen

a So lautet der Titel eines Zeitungsartikels. Bitte erklären Sie die Wörter. Was wissen Sie über das Thema? Sammeln Sie in Kleingruppen.

b Lesen Sie den Artikel und markieren Sie alle Begriffe zum Thema Gentechnik. Wählen Sie dann drei Begriffe aus und erklären Sie deren Bedeutung. Präsentieren Sie Ihr Ergebnis im Kurs.

Genfood – Segen oder Fluch?

Das Thema weckt Emotionen – es geht schließlich um die Gesundheit, den täglichen Essgenuss und natürlich ums Geld. Die Vorstellungen des deutschen Otto Normalverbrauchers über Gentechnik schweben (5) irgendwo zwischen Horrorszenarien und Heilsvisionen. Die Skepsis überwiegt jedoch. Die Mehrheit der Deutschen möchte keine genveränderten Lebensmittel auf ihren Tellern. Umfragen belegen es – Genfood wird (10) von 70 Prozent der Bevölkerung abgelehnt. Das tiefe Misstrauen gegen genmanipulierte Nahrung lässt sich jedoch nicht nur mit dem ausgeprägten Sicherheitsdenken der Deutschen erklären, denn die neue Technologie (15) der Lebensmittelproduktion kann auch sonst in Europa bislang nicht richtig Fuß fassen.
Dabei sind die Versprechungen der Befürworter der neuen Technologie sehr verlockend. Sie reichen von einer haltbaren „Anti-Matsch- (20) Tomate" über Raps als Vitaminfabrik, dürre- und schädlingsresistente Pflanzen, Kartoffeln mit größerem Stärkegehalt bis zu genmanipulierten Wäldern, die mehr Kohlendioxid binden und damit das Klima schützen sollen. (25)
Für die Gegner der Gentechnik ist die Technologie noch nicht ausgereift und ihre Risiken für die Umwelt und die Gesundheit des Menschen sind für sie daher noch nicht absehbar. Auch ließe sich bisher nicht beweisen, ob etwa (30) die Genvitamine überhaupt vom menschlichen Organismus absorbierbar seien.
Die Fronten sind verhärtet. Starke Argumente für und wider wechseln sich dabei auch beim Thema Bekämpfung der Hungersnot (35) in der Welt ab. Bereits heute leiden darunter etwa 800 Millionen Menschen. Mithilfe der Gentechnik ließe sich der Hunger, so die Erwartungen vieler Forscher, zumindest lindern, da man ertragsreichere Pflanzensorten (40) einsetzen könnte.
Heinz Saedler, Direktor am Max-Planck-Institut für Züchtungsforschung in Köln, findet die Aussicht faszinierend, dieses große Problem der Menschheit mit der Genforschung (45) zu besiegen. Und es ist für ihn besiegbar. Daher ist die „grüne" Gentechnik seiner Ansicht nach ein absolutes Muss und angesichts der wachsenden Weltbevölkerung und schrumpfenden Anbauflächen alternativlos. (50)

Das wachsende Problem der Ernährung der Menschheit in den kommenden Jahrzehnten sieht auch Klaus-Dieter Jany von der Bundesforschungsanstalt für Ernährung und 55 Lebensmittel in Karlsruhe: „Ergo muss die Nahrungsmittelproduktion verdoppelt werden. Das ist ohne Gentechnik nicht zu machen." Widerspruch kommt hier von den Grünen-Politikern: Die einzigen, die daraus 60 einen wirklichen Nutzen ziehen würden, seien die internationalen Saatgutkonzerne. Die Vorstellung, dass die Kleinbauern in den Entwicklungsländern künftig auf die Lieferungen der Saatgutkonzerne restlos angewiesen sein könnten, sei erschreckend. Schließlich 65 solle man die Ursachen der Hungerkatastrophe bekämpfen und den armen Ländern ermöglichen, sich selbst zu ernähren, statt sie vom subventionierten Lebensmittelimport abhängig zu machen. 70

c Lesen Sie nun den Artikel noch einmal. Welche Informationen sind neu für Sie?

d Machen Sie einen Notizzettel und notieren Sie Tatsachen, Meinungen (pro und contra) und Schlussfolgerungen zum Thema Genfood aus dem Text.

Tatsache	Meinung (pro)	Meinung (contra)	Schlussfolgerung

e Welcher Meinung schließen Sie sich an? Diskutieren Sie im Kurs.

3 Sprache im Mittelpunkt: Das Gleiche mit anderen Worten sagen

Formen und Strukturen S. 172, 182

Was kommt jeweils dem ersten Satz am nächsten? Bitte markieren Sie.

1. Hunger lässt sich lindern.
   a. … kann gelindert werden.
   b. … wird gelindert.
   c. … muss man lindern.
2. Ohne Gentechnik ist das nicht zu machen.
   a. … macht man das nicht.
   b. … kann das nicht gemacht werden.
   c. … wird das nicht gemacht.
3. Die Plage Hunger ist besiegbar.
   a. … muss besiegt werden.
   b. … soll besiegt werden.
   c. … kann besiegt werden.
4. Wissenschaftler fordern: Gentechnik ist einzusetzen.
   a. … darf eingesetzt werden.
   b. … muss eingesetzt werden.
   c. … kann eingesetzt werden.

4 Sprache im Mittelpunkt: Passiversatzformen

Formen und Strukturen S. 172, 182

a Suchen Sie weitere Beispiele für Passiversatzformen im Zeitungsartikel von Aufgabe 2.

Passiv-Ersatz	Passivsatz
lässt sich + Infinitiv	mit „können"
sein + zu + Infinitiv	mit „müssen" oder „können"
Adjektivendung -bar (Wortbildung Adjektive: Verbstamm + Endung -bar)	mit „können"

b Wandeln Sie die Passiversatzformen in Passivsätze oder in Sätze mit „man" um.

Das tiefe Misstrauen gegen genmanipulierte Nahrung lässt sich nicht nur mit dem ausgeprägten Sicherheitsdenken der Deutschen erklären. –> Das tiefe Misstrauen gegen genmanipulierte Nahrung kann nicht nur mit dem ausgeprägten Sicherheitsdenken der Deutschen erklärt werden.

7 Mit Pflanzen heilen

Lesen

→GI

1 Der Kräutergarten der Natur

Leider ist der Text am rechten Rand teilweise verschwunden. Ergänzen Sie jeweils das fehlende Wort. Bitte geben Sie nur eine Lösung an.

Krankheiten mithilfe von Heilpflanzen zu behandeln, ist eine der ältesten Errungenschaften der Menschheit. Man kann sogar sagen, dass die Phytotherapie bis zum Ende des 19. Jahrhunderts die wichtigste Medizinlehre überhaupt *war*. **Bsp.**

Bereits im 16. Jahrhundert begann Paracelsus damit, die bei uns heimischen Heilkräuter systematisch zusammenzufassen, und entwickelte Methoden, wie ______ **1**
gewünschten Wirkstoffe am besten aus den Pflanzen extrahiert werden ______. **2**

Er machte damit die Phytotherapie zu einer Erfahrungswissenschaft, die danach mehr und mehr naturwissenschaftlichen Grundsätzen folgte.

Viele der Arzneimittel, die heute chemisch hergestellt werden, stammen ursprünglich aus der Pflanzenheilkunde. So enthält zum Beispiel Aspirin ______ **3**
Wirkstoff aus der Rinde des Weidenbaumes, stark schmerzlindernde Substanzen wie die Opiate werden aus dem Milchsaft des Schlafmohnes gewonnen, und erst vor kurzem fand man im Schneeglöckchen den Wirkstoff Galantamin, der jetzt ______ **4**
der Alzheimer-Erkrankung eingesetzt wird.

In der Phytotherapie werden Pflanzen als Frischpflanzen, als Extrakte oder auch ______ **5**
Form von Tees, Kapseln, Tropfen und Salben verwendet. Im Allgemeinen ______ **6**
pflanzliche Präparate ein recht breites Wirkungsspektrum und – was besonders vorteilhaft ist – deutlich weniger Nebenwirkungen als synthetische ______. **7**

An Phytopharmaka werden heute die gleichen hohen Anforderungen gestellt ______ **8**
an chemisch produzierte Arzneimittel. Was Qualität, Wirksamkeit ______ **9**
Unbedenklichkeit anbetrifft, müssen sie die gleichen gesetzlichen Bestimmungen erfüllen. Außerdem dürfen nur Wirkstoffe verordnet werden, deren Nutzen ______ **10**
ist als das Risiko. In dieser Hinsicht sind pflanzliche Arzneien den synthetischen Medikamenten sogar meist überlegen. Als Ausgangsmaterial sollten Pflanzen ______ **11**
kontrolliertem Anbau genutzt werden, bei denen sich der Wirkstoffgehalt standardisieren lässt, so dass jede Tablette oder Kapsel immer die gleiche Dosis enthält.

Ihr Haupteinsatzgebiet haben Phytopharmaka bei Befindlichkeitsstörungen wie nervöser Unruhe, bei Einschlafproblemen sowie bei Erkältungen, Magenproblemen und leichten Herz-Kreislauf-Störungen. Damit decken sie bereits einen Großteil ______ **12**
häufigsten Beschwerden ab, mit denen Patienten zum Arzt oder Apotheker kommen. Aber auch auf anderen Gebieten wie Allergien, Wechseljahr-Problemen, depressiven Verstimmungen oder zur Stärkung des Immunsystems sind pflanzliche Arzneimittel auf dem Vormarsch.

Trotz der guten Verträglichkeit der Phytopharmaka sollten auch sie nicht ______ **13**
einen längeren Zeitraum eingenommen werden, ohne sich zuvor bei einem Fachmann informiert zu haben. Vor allem Kombinationen verschiedener Heilkräuter oder auch mit herkömmlichen synthetischen Medikamenten sind ______ **14**
immer unbedenklich. Ein Beratungsgespräch mit dem Apotheker ist auf alle Fälle sinnvoll und gibt zusätzlich Sicherheit, das Richtige für seine Gesundheit zu ______. **15**

2 Naturheilkunde im Gespräch

ören 2, 31-32
Lesen

a Hören Sie das Interview: Welche zusätzlichen Informationen hören Sie?

b Hören Sie das Interview noch einmal und markieren Sie die Redemittel, die die Interviewerin benutzt.

ein Interview beginnen: Entschuldigen Sie bitte, haben Sie etwas Zeit? Ich würde / Wir würden Sie gern zum Thema … interviewen. | Ich bin … und möchte gern / Wir sind … und möchten ein Interview über … durchführen. Hätten Sie ein wenig Zeit für mich / uns?

Verständnis sichern: Habe ich (Sie) richtig verstanden? Sie meinen … | Wenn ich Sie (vorhin / eingangs / am Anfang) richtig verstanden habe, meinen Sie, dass … Stimmt das (so)? | Ich bin nicht sicher, ob ich Sie richtig verstanden habe. Meinen Sie … ? | Sie sagten (vorhin): … Würden Sie das bitte erläutern? | Was versteht man unter …? / Was verstehen Sie unter …?

auf Antworten näher eingehen: Darf ich noch einmal auf den Punkt … zurückkommen? | Ich möchte gern noch einmal auf das zurückkommen, was Sie vorhin gesagt haben: … | Ich würde gern noch mal auf das eingehen, was Sie eingangs / zu Beginn / gerade / vorhin gesagt haben: … | Dürfte ich den Gedanken / den Punkt … noch einmal aufgreifen? …

ein Interview gliedern: Darf ich zunächst mal … | Kommen wir zur Frage: … | Ich würde jetzt gern zum nächsten Punkt kommen. | Können wir bitte (noch etwas) beim Thema … bleiben? | Kommen wir noch mal zurück zur Frage: …

etwas nachfragen: Dürfte ich bitte kurz nachfragen: …? | Könnte ich (direkt) dazu eine Frage stellen: …? | Eine (kurze) Frage bitte: …?

einen Interviewpartner unterbrechen: Entschuldigen Sie bitte die Unterbrechung, aber … | Entschuldigung, darf ich Sie kurz unterbrechen? … | Tut mir leid, wenn ich Sie unterbreche: … | Da würde ich gern kurz einhaken: …

ein Interview abschließen: Das war sehr interessant, Frau / Herr … Vielen Dank! | Frau / Herr … ich danke Ihnen für dieses interessante / informative Gespräch. | Hiermit sind wir am Ende unseres … Ich danke Ihnen für …

3 Mein Interview

Sprechen
Schreiben

a Arbeiten Sie zu zweit. Wählen Sie eines der Themen aus der Lektion. Bereiten Sie ein Interview vor. Überlegen Sie, wer genau die Interviewpartner sind, welche Fragen Sie stellen wollen / können und notieren Sie sich Stichwörter dafür.

b Suchen Sie sich dann einen neuen Partner. Interviewen Sie sich gegenseitig. Benutzen Sie die Redemittel aus Aufgabe 2.

c Sprechen Sie im Kurs darüber, was bei den Interviews gut gelaufen ist und was Sie schwierig fanden.

8 Wissen und Können

1 Das Land des Wissens und Könnens

Sprechen

Schauen Sie sich die Karte an. Was bedeuten die Wörter darauf? Was fällt Ihnen sonst dazu ein? Sprechen Sie im Kurs darüber.

2 Wissen oder Können?

Lesen
Sprechen

a Ordnen Sie zu zweit die Aussagen den Begriffen „Wissen“ bzw. „Können“ zu. Falls Sie mehrere Zuordnungen für möglich halten, begründen Sie sie bitte.

1. 5 x 5 = 25 *Wissen*
2. Armin Hary lief bereits 1960 die 100-Meter-Distanz in 10,0 Sekunden. *Können*
3. Am 9. November 1989 fiel die Mauer von Berlin. ______
4. Der Brite Zoe Finn schaffte in einer Minute 78 Saltos auf dem Trampolin. ______
5. Der Mensch ist ein Säugetier. ______
6. In 3 Minuten und 18 Sekunden schälte Alan St. Jean 22,67 Kilogramm Zwiebeln. ______
7. Picasso entwarf seine Skizzen oft mit nur wenigen Zeichenstrichen. ______
8. Ein Stein ist ein Gegenstand. ______

b Tauschen Sie sich im Kurs aus und diskutieren Sie Ihre unterschiedlichen Zuordnungen. Suchen Sie eigene Beispiele für die beiden Kategorien.

3 Abenteuerspielplatz im Kopf. Ein Gespräch mit Prof. Artur Fischer

ren 2, 33–34
Sprechen

a Schauen Sie sich die Bilder an. Was ist darauf dargestellt? Was kann man mit diesen Dingen tun?

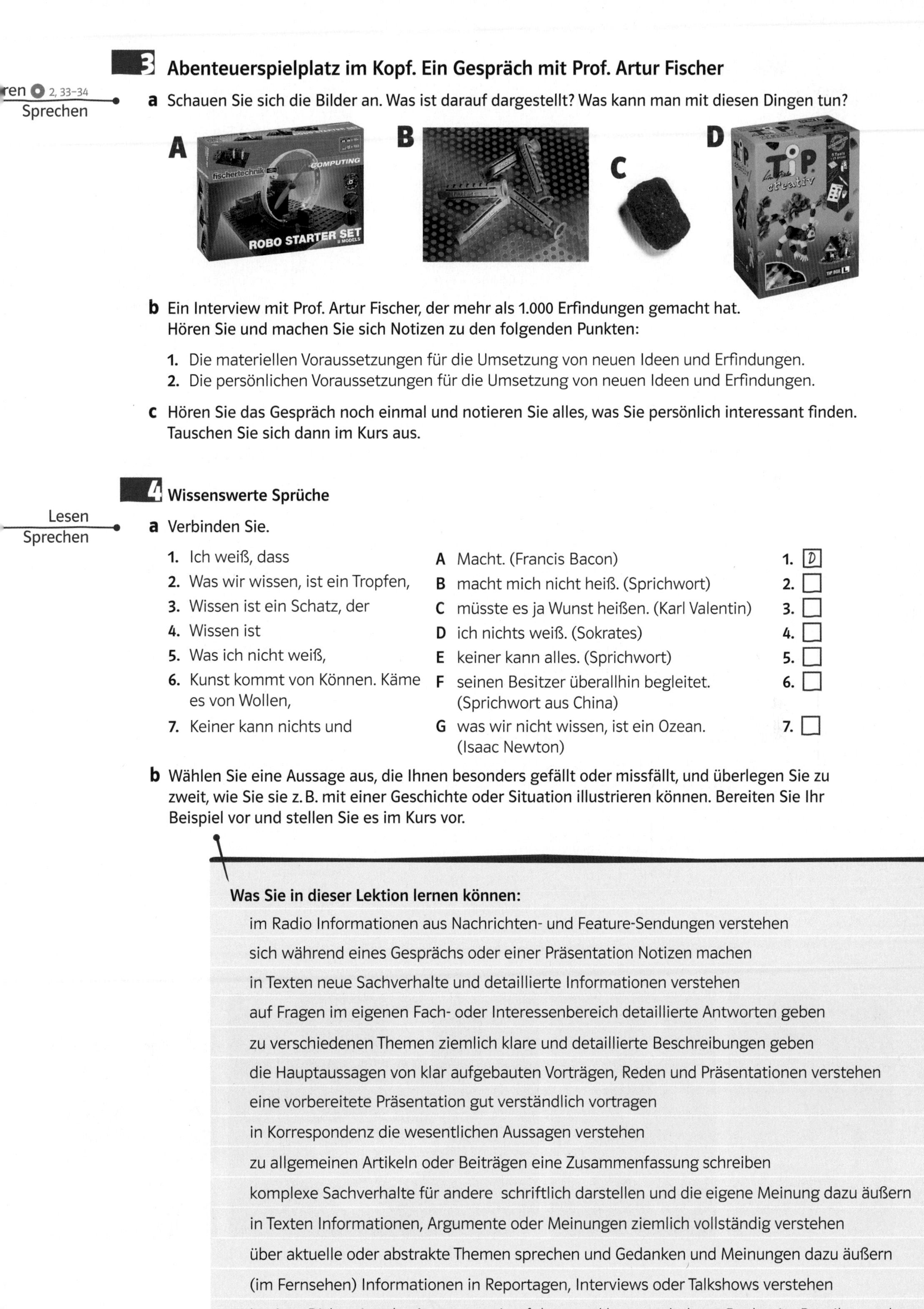

b Ein Interview mit Prof. Artur Fischer, der mehr als 1.000 Erfindungen gemacht hat. Hören Sie und machen Sie sich Notizen zu den folgenden Punkten:

1. Die materiellen Voraussetzungen für die Umsetzung von neuen Ideen und Erfindungen.
2. Die persönlichen Voraussetzungen für die Umsetzung von neuen Ideen und Erfindungen.

c Hören Sie das Gespräch noch einmal und notieren Sie alles, was Sie persönlich interessant finden. Tauschen Sie sich dann im Kurs aus.

4 Wissenswerte Sprüche

Lesen
Sprechen

a Verbinden Sie.

1. Ich weiß, dass	**A** Macht. (Francis Bacon)	**1.** D
2. Was wir wissen, ist ein Tropfen,	**B** macht mich nicht heiß. (Sprichwort)	**2.** ☐
3. Wissen ist ein Schatz, der	**C** müsste es ja Wunst heißen. (Karl Valentin)	**3.** ☐
4. Wissen ist	**D** ich nichts weiß. (Sokrates)	**4.** ☐
5. Was ich nicht weiß,	**E** keiner kann alles. (Sprichwort)	**5.** ☐
6. Kunst kommt von Können. Käme es von Wollen,	**F** seinen Besitzer überallhin begleitet. (Sprichwort aus China)	**6.** ☐
7. Keiner kann nichts und	**G** was wir nicht wissen, ist ein Ozean. (Isaac Newton)	**7.** ☐

b Wählen Sie eine Aussage aus, die Ihnen besonders gefällt oder missfällt, und überlegen Sie zu zweit, wie Sie sie z. B. mit einer Geschichte oder Situation illustrieren können. Bereiten Sie Ihr Beispiel vor und stellen Sie es im Kurs vor.

Was Sie in dieser Lektion lernen können:

- im Radio Informationen aus Nachrichten- und Feature-Sendungen verstehen
- sich während eines Gesprächs oder einer Präsentation Notizen machen
- in Texten neue Sachverhalte und detaillierte Informationen verstehen
- auf Fragen im eigenen Fach- oder Interessenbereich detaillierte Antworten geben
- zu verschiedenen Themen ziemlich klare und detaillierte Beschreibungen geben
- die Hauptaussagen von klar aufgebauten Vorträgen, Reden und Präsentationen verstehen
- eine vorbereitete Präsentation gut verständlich vortragen
- in Korrespondenz die wesentlichen Aussagen verstehen
- zu allgemeinen Artikeln oder Beiträgen eine Zusammenfassung schreiben
- komplexe Sachverhalte für andere schriftlich darstellen und die eigene Meinung dazu äußern
- in Texten Informationen, Argumente oder Meinungen ziemlich vollständig verstehen
- über aktuelle oder abstrakte Themen sprechen und Gedanken und Meinungen dazu äußern
- (im Fernsehen) Informationen in Reportagen, Interviews oder Talkshows verstehen
- in einer Diskussion der Argumentation folgen und hervorgehobene Punkte im Detail verstehen

8 Was ist Wissen?

1 Definitionen

a Wie würden Sie „Wissen" definieren? Sammeln Sie im Kurs.

b Lesen Sie die Texte. Welche Unterschiede fallen Ihnen auf? Besprechen Sie sie zu zweit.

Für den Begriff des Wissens lässt sich keine präzise und allgemein anerkannte Definition finden. Es bestehen zahlreiche, häufig ähnliche Definitionen, die abhängig vom Standpunkt des jeweils Definierenden formuliert sind. Hier drei Beispiele:

A

Wissen: Gesamtheit der Kenntnisse, die jemand (auf einem bestimmten Gebiet) hat.

B

Als Wissen bezeichnet man den Erkenntniszustand allgemeiner intersubjektiv vermittelter Sicherheit. Wissen wird von Erfahrung, Erkenntnis, Gewissheit, Empfinden, Meinen und Glauben abgegrenzt. Wir unterscheiden zumindest drei Formen des Wissens: „Wissen-Dass", „Wissen-Von" und „Wissen-Wie".

C

Das Wort „Wissen" stammt von dem althochdeutschen Wort „wizzan" (gesehen haben) ab. Eine gebräuchliche und populäre Definition von Wissen lautet wie folgt: Wissen bezeichnet das Netz aus Kenntnissen, Fähigkeiten und Fertigkeiten, die jemand zum Lösen einer Aufgabe einsetzt.

c Lesen Sie nun die Texte noch einmal und kreuzen Sie richtig (r) oder falsch (f) an.

1. Es gibt keine allgemein gültige Definition des Begriffs „Wissen". r f
2. Wissen unterscheidet sich von Erfahrung und Meinung. r f
3. Wissen ist immer Spezialwissen in einem bestimmten Bereich. r f
4. Es gibt unterschiedliche Formen des Wissens. r f
5. Es gibt kein Wissen ohne Fertigkeiten. r f

d Können Sie der Behauptung zustimmen, dass es mehrere Arten von Wissen gibt? Wenn ja: welche? Diskutieren Sie im Kurs.

2 Wie erwirbt man Wissen?

Lesen
Sprechen

a Lesen Sie die Erklärung aus dem Lexikon und geben Sie ein praktisches Beispiel für die verschiedenen Arten, Wissen zu erwerben.

■ **Man kann Wissen erwerben**

primär:
- durch zufällige Beobachtung
- durch systematische Erforschung (Experiment)
- durch deduzierende Erkenntnis

sekundär:
- durch lernende Aneignung von Wissensstoff (Wissenschaft)

b Interviewen Sie nun Ihre/n Partner/in, wie er oder sie Wissen auf einem bestimmten Gebiet erworben hat.

- Sprechen Sie über den Wissenserwerb z.B. in der Schule, im Studium, in der Ausbildung, im täglichen Leben, ...
- Machen Sie Notizen und bereiten Sie einen Steckbrief über Ihren Gesprächspartner vor: Auf welchen Gebieten weiß er oder sie einiges? Wie hat er oder sie dieses Wissen erworben?
- Hängen Sie die Steckbriefe im Kurs aus, gehen Sie herum und lesen Sie sie.

erfragen: Kannst du mir sagen, wie ... | Ich habe das nicht ganz verstanden ... | Könntest du das noch mal erklären? | Könntest du das noch mal anders/genauer sagen? | Wie hast du das genau gemacht? | Wie kamst du eigentlich dazu?

sich korrigieren: Ich habe mich missverständlich ausgedrückt. Ich meinte Folgendes: ... | Was ich eigentlich sagen wollte, war Folgendes: ... | Besser gesagt, ...

Äußerung verdeutlichen: Ich meine damit ... | Du verstehst, was ich damit sagen wollte?

kommentieren: Das finde ich toll! | Das ist aber interessant! | Das ist eine gute Idee! | Das finde ich nicht gut/unmöglich. | Das gefällt mir gar nicht. | Da bin ich skeptisch.

Schreiben
Sprechen

3 Worüber wüssten Sie gern mehr?

Gibt es eigentlich Dinge, die man unbedingt wissen muss? Warum (nicht)? Bereiten Sie Notizen für einen kleinen Redebeitrag (ca. zwei Minuten) zu diesem Thema vor.

Sprechen

4 Kleines Quiz: Erfindungen oder „zum ersten Mal"

Welche der drei angebotenen Lösungen ist jeweils die richtige?

- Benennen Sie einen Quizmaster. Bis auf den Quizmaster schließen jetzt alle ihre Bücher.
- Bilden Sie zwei Gruppen.
- Der Quizmaster liest die Fragen und die Jahreszahlen vor. Wer zuerst antwortet, bekommt einen Punkt. Der Quizmaster notiert die Antwort der schnelleren Gruppe.
- Wenn alle Fragen gestellt sind, prüft der Quizmaster mithilfe des Arbeitsbuchs, welche Antworten richtig waren. Falsche Antworten bedeuten einen Punkt Abzug!
- Die Gruppe mit den meisten Punkten gewinnt.

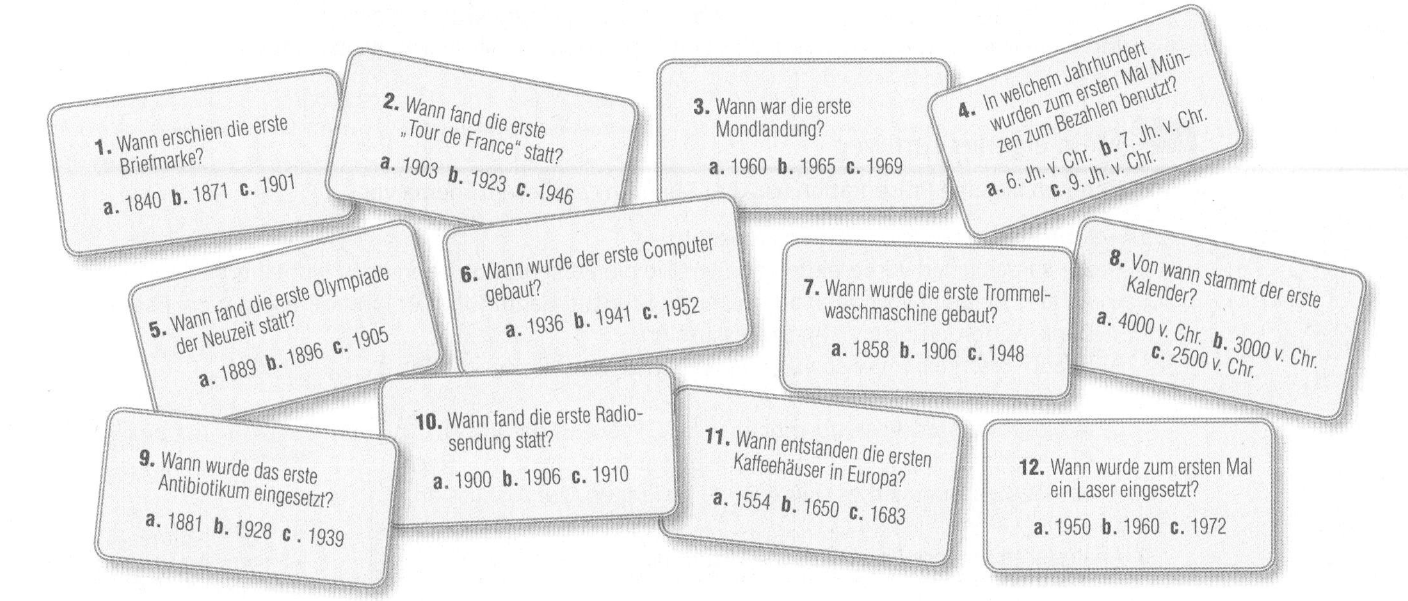

8 Vom Wissen zum Können

1 Eine Präsentation: Der weite Weg vom Wissen zum Können

Sprechen
Lesen

a Welche Unterschiede gibt es in der Entwicklung von Wissen bzw. Können? Studieren Sie, was auf Folie 1 und 2 dargestellt ist, und tauschen Sie sich dann im Kurs aus.

Thema: Bei Folie 1 geht es um … | Folie 1 zeigt … | Auf Folie 2 ist dargestellt, wie …

Entwicklung: Während bei Folie 1 sich … entwickelt, sieht die Entwicklung bei Folie 2 … aus | Bei Folie 1 verändert sich …, bei Folie 2 hingegen … | Die Kurve verläuft … | … steigt (leicht / stark / exponentiell) an | Die Kurve sinkt. | Es gibt einen Sprung. | Die Entwicklung verläuft in Sprüngen.

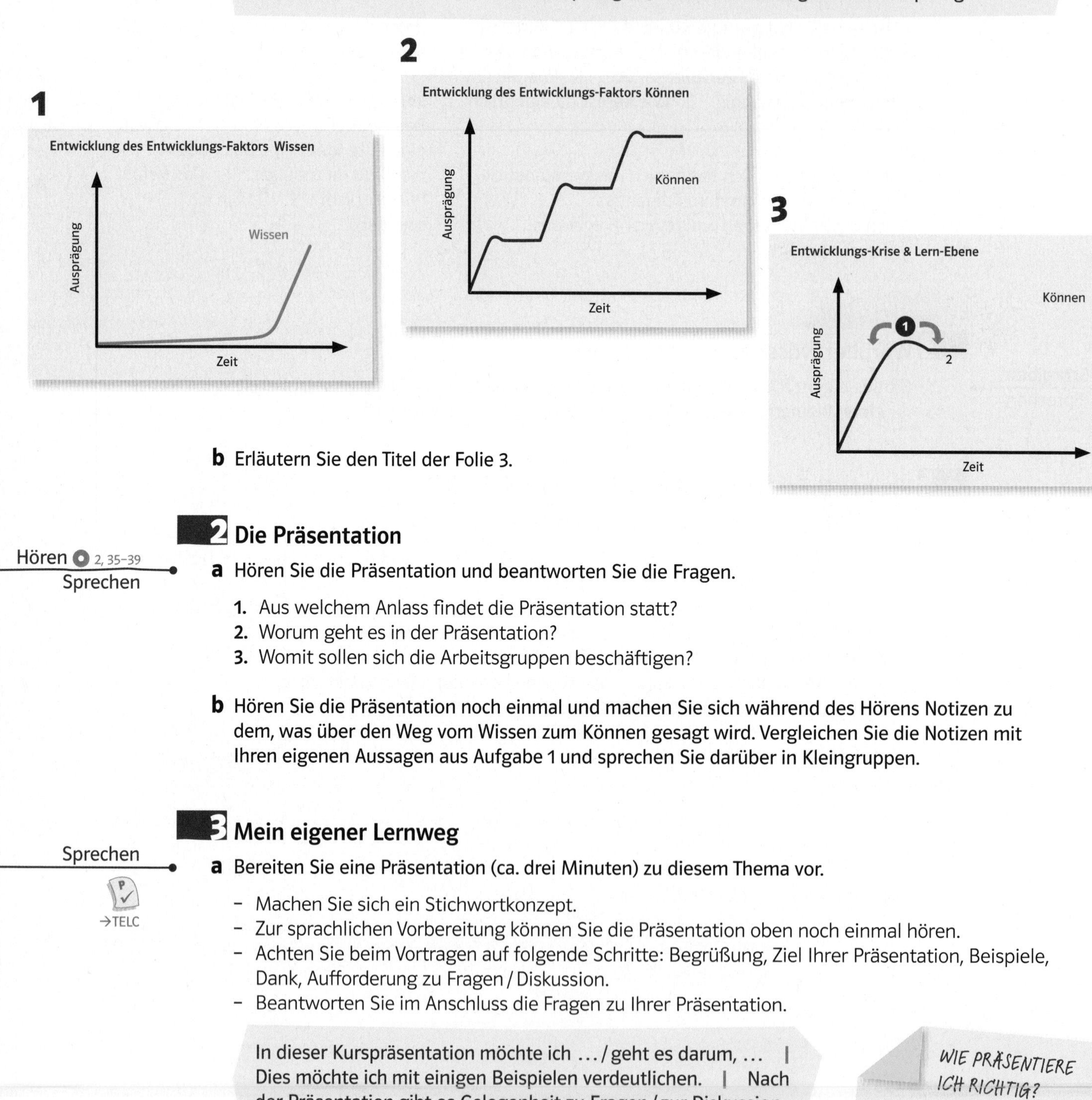

b Erläutern Sie den Titel der Folie 3.

2 Die Präsentation

Hören 2, 35–39
Sprechen

a Hören Sie die Präsentation und beantworten Sie die Fragen.

1. Aus welchem Anlass findet die Präsentation statt?
2. Worum geht es in der Präsentation?
3. Womit sollen sich die Arbeitsgruppen beschäftigen?

b Hören Sie die Präsentation noch einmal und machen Sie sich während des Hörens Notizen zu dem, was über den Weg vom Wissen zum Können gesagt wird. Vergleichen Sie die Notizen mit Ihren eigenen Aussagen aus Aufgabe 1 und sprechen Sie darüber in Kleingruppen.

3 Mein eigener Lernweg

Sprechen

→TELC

a Bereiten Sie eine Präsentation (ca. drei Minuten) zu diesem Thema vor.

- Machen Sie sich ein Stichwortkonzept.
- Zur sprachlichen Vorbereitung können Sie die Präsentation oben noch einmal hören.
- Achten Sie beim Vortragen auf folgende Schritte: Begrüßung, Ziel Ihrer Präsentation, Beispiele, Dank, Aufforderung zu Fragen / Diskussion.
- Beantworten Sie im Anschluss die Fragen zu Ihrer Präsentation.

In dieser Kurspräsentation möchte ich … / geht es darum, … | Dies möchte ich mit einigen Beispielen verdeutlichen. | Nach der Präsentation gibt es Gelegenheit zu Fragen / zur Diskussion.

b Analysieren Sie Ihre Präsentationen im Kurs.

WIE PRÄSENTIERE ICH RICHTIG?

Lesen Sie noch einmal die Tipps für Präsentationen in Lektion 4.

4 Lernen macht glücklich

Lesen
Sprechen

a Lesen Sie die folgenden Auszüge aus drei Leserbriefen zu einem Zeitungsartikel mit dem Titel „Lernen macht glücklich". Welcher Brief ist in welchem Stil geschrieben?

1. wissenschaftlich: ______ **2.** standardsprachlich: ______ **3.** umgangssprachlich: ______

A ... Was für ein wundervoller Artikel! Ja, „Lernen macht glücklich"! Der Mensch braucht eben immer neue Anregungen, sonst verkümmert er. Das belegen auch die neuesten Untersuchungen der Hirnforschung. „Es lebt der Mensch, solang' er lernt!" Diesen Artikel sollte sich jeder Lehrer über seinem Schreibtisch einrahmen. (Elke Schneider, Wuppertal)

B ... schon ein cooler Artikel, aber voll einseitig! „Lernen macht glücklich, wegen der Erfolgserlebnisse", schreibt Ihr superkluger Redakteur. Ha! Ha! Bei mir war es genau das Gegenteil. Schule ist und bleibt Horror! Und ich kenne viele, denen es genauso geht. Wann schreiben Sie mal über die? (Thomas Zielinsky, Gummersbach)

C ... In Ihrem sehr guten Artikel über das Lernen vermisse ich zwei m. E. essenzielle Punkte: erstens den Bezug auf die unterschiedlichen Lerntypen und zweitens den wichtigen Faktor „Motivation". Gerade letztere scheint zumindest unseren Schülern weitgehend zu fehlen. Würde sich da nicht ein Artikel lohnen? (Dr. Klaus Schüller, Köln)

b Unterstreichen Sie jeweils die Hauptaussage und tragen Sie sie dann in die Tabelle ein. Vergleichen Sie Ihre Eintragungen im Kurs.

Leserbrief 1	Leserbrief 2	Leserbrief 3

5 Wie kann ich meine Lernmotivation steigern?

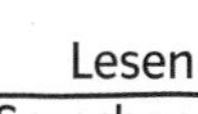

a Welche Beispiele passen zu welcher Überschrift im Kasten? Ordnen Sie zu.

aus Fehlern lernen ~~Zwischenziele setzen~~ angenehme Folgen schaffen
kreative Arbeitstechniken einsetzen realistische Ziele setzen in Portionen lernen

1. Bis zum Wochenende kann ich die Hälfte der unregelmäßigen Verben, die im Test der übernächsten Woche abgefragt werden. *Zwischenziele setzen*
2. In einer Viertelstunde will ich fünf neue Vokabeln lernen. ______
3. Heute Morgen lerne ich zwei Stunden und heute Abend wieder zwei Stunden. ______
4. Wenn ich das Referat fertig habe, gehe ich mit Freunden ins Café. ______
5. Ich führe eine Tabelle mit den Fehlern, die ich beim Schreiben am häufigsten mache. ______
6. Ich versuche an das, was ich schon weiß, anzuknüpfen, z. B. durch Wortnetze, Skizzen, Bilder etc. ______

b Besprechen Sie die Zuordnung zu zweit. Welche anderen Methoden kennen Sie, um die Lernmotivation zu steigern? Notieren Sie sie.

c Sammeln Sie Ihre Ideen im Kurs und erarbeiten Sie gemeinsam ein Lernplakat zum Thema „Lernmotivation".

1 „Macht Musik klüger?" Ein Artikel in einer Fachzeitschrift

Sprechen
Lesen

a Stellen Sie Vermutungen an, worum es in einem Text mit dieser Überschrift gehen wird. Tauschen Sie sich im Kurs aus.

b Lesen Sie den Text und notieren Sie dabei ca. fünfzehn Schlüsselwörter.

Macht Musik klüger?

Manche Botschaft kann Musik genauer ausdrücken als Worte: Liebe, Glück, Schmerz – darin liegt ihr rätselhafter Zauber. Komponierte Tonfolgen lösen nahezu identische Muster der Hirnaktivität aus wie gesprochene Sätze. Das belegen Studien am Leipziger Max-Planck-Institut für Kognitions- und Neurowissenschaften. Denn auf Klänge geht jede menschliche Kommunikation zurück. So hat Musik den Menschen als soziales Wesen schon in grauer Vorzeit geformt und formt ihn noch heute.

Neueste Studien am Leipziger Max-Planck-Institut belegen, dass aktives Musizieren, also die Annäherung an die menschliche Ursprache, auch die Kompetenz im Umgang mit der heutigen Muttersprache steigert. So untersuchte der Doktorand Sebastian Jentschke 24 Kinder von zehn und elf Jahren: eine Gruppe junger Musiker, deren Großteil im Leipziger Thomanerchor singt, und eine Gruppe junger Nichtmusiker. Obwohl alle Kinder aus demselben sozialen Milieu und von Eltern mit ähnlichem Bildungsstand stammen, registrierte das Elektroenzephalogramm (EEG) bei den jungen Musikern stärkere Hirnreaktionen auf sprachliche Syntaxverletzungen als in der Kontrollgruppe.

Zudem zeigten die jungen Musiker durchschnittlich einen höheren Intelligenzquotienten. Hinweise darauf, wie wichtig musikalische Erziehung im Schulalter sei, hatten zwar schon mehrere Studien geliefert. Die Leipziger Untersuchung gilt jedoch als erste, die neurophysiologisch belegt, was bisher lediglich zu beobachten war: dass Musik Kinder offenbar klüger macht und auch ihre sozialen Fähigkeiten positiv beeinflusst. Die Befunde decken sich mit Beobachtungen der Psychologin Maria Spychiger von der Universität Fribourg: Sie berichtet von einem deutlich verbesserten Sozialverhalten der Kinder aus 50 Schulklassen, die im Zuge einer Schweizer Studie zwischen 1989 und 1992 zusätzliche Musikstunden genossen hatten. Der Grund sei wohl, dass die Kinder beim gemeinsamen Musizieren geübt hätten, aufeinander zu achten, sagt Spychiger.

Macht Musik also bessere Menschen? Zumindest bessere Hirne. So müssen sich beim Instrumentenspiel beide Hände über die Hirnbrücke hinweg koordinieren. Und auch die weiteren simultanen Aktivitäten etwa des Hörzentrums lassen beim Musiker durch Übung einen Regelkreis entstehen, der nahezu das gesamte Gehirn beansprucht. Es entstehen Verknüpfungen, die auf andere Weise nicht zustande kommen.
An der Universität Zürich wird gemessen, wie das Gehirn von Musikern beim Musikhören durchblutet wird. Tatsächlich ist im Musikerhirn ziemlich viel los, und zwar auch dann, wenn der Musiker nur passiv Musik hört. Ergebnis: Bei den Laien waren nur die Bereiche für das Hören und für einige Emotionen aktiv, bei Profi-Musikern dazu auch die Regionen für die Sprache (das so genannte Broca-Areal), die Bereiche für Motorik und Handbewegungen, für Sehen und bewusstes Steuern von Handlungen. Die Musiker hörten also nicht nur Musik, sondern sahen etwas, stellten sich dazu Handlungsabläufe vor und ordneten das Gehörte in andere Zusammenhänge ein.

Wegen dieser Wirkung der Musik auf das Gehirn hat sich Musik längst als Therapeutikum bewährt. Patienten mit geschädigten Hirnarealen, die die Sprache verloren haben, finden durch die Intonationstherapie oft wieder Möglichkeiten zur Kommunikation. Sie versuchen, ihre Wünsche zu singen, was leichter gelingt, weil sich diese Ausdrucksform einer größeren Zahl von Hirnarealen bedient als Sprache.

Musik verhilft autistischen Kindern zur Kontaktaufnahme mit der Umwelt. Und der Leipziger Doktorand Jentschke hofft, dass seine Ergebnisse einmal bei der Behandlung sprachentwicklungsgestörter Kinder helfen. An manchen Krankenhäusern unterstützt Musik, die den Patienten berieselt, bereits die Arbeit der Narkoseärzte. Es hört sich wunderlich an. Aber wenn ein Miles Davis von der Liebe spielt, ein Schönberg von körperlichem Schmerz berichtet oder ein Robbie Williams die Leichtigkeit einer Epoche beschwört, von der es hieß, „It don't mean a thing if it ain't got that swing", dann ergibt das für den Menschen nicht einen jeweils isolierten Sinn. Er profitiert individuell und gesellschaftlich, biologisch und medizinisch. Das hört sich wunderlich an. In gesprochener Sprache.

c Arbeiten Sie jetzt zu zweit. Vergleichen Sie Ihre Schlüsselwörter und einigen Sie sich auf zehn gemeinsame Schlüsselwörter. Stellen Sie Ihre Wörter im Kurs vor und begründen Sie Ihre Auswahl.

2 Zusammenfassen und Stellung nehmen

Schreiben

a Fassen Sie jetzt den Text von Aufgabe 1 anhand Ihrer Schlüsselwörter schriftlich zusammen.

In dem Artikel, „Macht Musik klüger?" geht es darum, zu zeigen, wie Musik ...

Redemittel für die Zusammenfassung: Bei dem Text ... handelt es sich um ... | Die Hauptaussage des Textes ist folgende: ... | Es geht hauptsächlich / vor allem darum, ... | Es wird außerdem / darüber hinaus / zudem beschrieben / dargestellt, ... | Der Autor betont / hebt hervor / bezieht sich auf ... | Diese Aussage wird durch einige / viele / zahlreiche Beispiele aus ... (Bereich) belegt. | Der Autor verdeutlicht dies mit Beispielen aus ...

b Bereiten Sie Ihre Stellungnahme zum Text wie folgt vor:

- Sammeln Sie Ideen.
- Ordnen Sie Ihre Ideen.
- Wählen Sie zwei oder drei Hauptgedanken aus.
- Notieren Sie Begründungen und Beispiele zu jedem Gedanken.

c Nehmen Sie nun kurz Stellung zum Inhalt des Textes. Vergessen Sie nicht, Ihre Meinung zu begründen.

Zu dem Artikel „Macht Musik klüger" möchte ich wie folgt Stellung nehmen: ...

Text bewerten: Ich finde diesen Artikel ..., weil | Ich halte den Text für ...

Besonderheiten hervorheben: Besonders bemerkenswert / interessant / spannend / neu ist für mich / finde ich ...

Beispiele anführen: Dies möchte ich durch folgendes Beispiel verdeutlichen: ... | Das folgende Beispiel kann dies belegen: ... | ... beispielsweise ...

8 Lernen und Gedächtnis

Lesen
Sprechen

1 Üben und behalten

a Lesen Sie die folgenden drei Zeitungsmeldungen und analysieren Sie, wie sie aufgebaut sind.

	Hauptinformation	Beleg	Nebeninformation
A Musikgenies	Zeilen:	Zeilen:	Zeilen:
B Gedächtnis	Zeilen:	Zeilen:	Zeilen:
C Lustobjekt	Zeilen:	Zeilen:	Zeilen:

A

Das Geheimnis der Musikgenies

Wer Musiker werden will, weiß: Ohne mindestens zehn Jahre Üben reicht es nicht einmal für ein Musikstudium. Das geht aus (5) einer Studie der Forschungsgruppe um den Psychologen K. Anders Ericsson hervor. Danach haben Studenten, die Musiklehrer werden wollen, nicht nur über (10) 3.500 Stunden geübt, sondern sie haben auch sehr früh angefangen: in der Regel mit sieben Jahren.

B

Sprache und Gedächtnisprozesse

Die Gedächtnisleistung des Menschen ist auch auf seine jeweilige Sprache zurückzuführen. Das haben Sprachwissenschaftler (5) aus China und Deutschland festgestellt. Indem man Informationen innerlich immer wieder wiederholt, merkt man sie sich. Dies ist jedoch nur in begrenztem Um- (10) fang möglich. Da das Chinesische eine Sprache ist, in der fast jede einzelne Silbe eine feste Bedeutung hat, können sich Chinesen Informationen in sehr kurzer und (15) konzentrierter Form merken. Deshalb schneiden Chinesen in Gedächtnistests meist besser ab als zum Beispiel Deutsche.

C

Das Lustobjekt Gehirn

Lernen ist lustvoll und macht glücklich. Und zwar in jedem Alter. Das haben Hirnforscher am Leibniz-Institut (5) für Neurobiologie in Leipzig nachgewiesen. Denn Lernen und das erfolgreiche Lösen von Problemen wirken direkt auf das Belohnungszen- (10) trum des Gehirns.

b Welche Behauptungen werden jeweils aufgestellt? Wie stehen Sie persönlich dazu? Diskutieren Sie darüber in Ihrer Arbeitsgruppe.

zustimmen: Ich kann dem nur voll zustimmen. | Das sehe ich ganz genauso. | Das ist auch meine Erfahrung, denn …

widersprechen: Ich kann mir nicht vorstellen, dass … | Da muss ich dir widersprechen. | Glaubst du wirklich, dass …?

Einwände äußern: Vielleicht ist das so, aber … | Man sollte jedoch bedenken, dass … | Ja, aber … | Tut mir leid, aber ich sehe das doch etwas anders.

hervorheben: Ich finde Folgendes wichtig: …

Hören 2, 40–41
Sprechen

2 Vergessen – ein Gespräch mit einem Gedächtnisforscher

a Warum vergisst man eigentlich häufig so schnell? Ist es wichtig, zu vergessen? Sprechen Sie darüber in Ihrer Arbeitsgruppe.

b Hören Sie jetzt das Interview und lösen Sie die folgenden Aufgaben.

1. Hören Sie zuerst das ganze Interview und machen Sie sich Notizen zu der Frage: Was erfahren wir über Stress und seine Wirkungen auf das Gehirn?
2. Hören Sie nun den ersten Teil des Gesprächs noch einmal und notieren Sie Stichpunkte zu dem Beispielfall, den Professor Markowitsch nennt. Versuchen Sie dann, die Geschichte des Mannes in Ihrer Arbeitsgruppe kurz mündlich zusammenzufassen.
3. Hören Sie jetzt den zweiten Teil des Interviews und machen Sie sich Notizen zu den fünf Langzeit-Gedächtnissystemen, die Prof. Markowitsch beschreibt.
4. Sprechen Sie in Ihrer Arbeitsgruppe über das Interview: Gibt es für Sie neue Informationen? Was ist interessant? Kennen Sie ähnliche Fälle wie den dort beschriebenen? Wie bauen Sie Stress ab?

3 Sprache im Mittelpunkt: Bedeutungen von „können"

Formen und Strukturen S. 166

a Lesen Sie die acht Überschriften von Zeitungsmeldungen. Welche der folgenden Bedeutungen sind darin „versteckt"? (Es kann mehr als eine Bedeutung sein.)

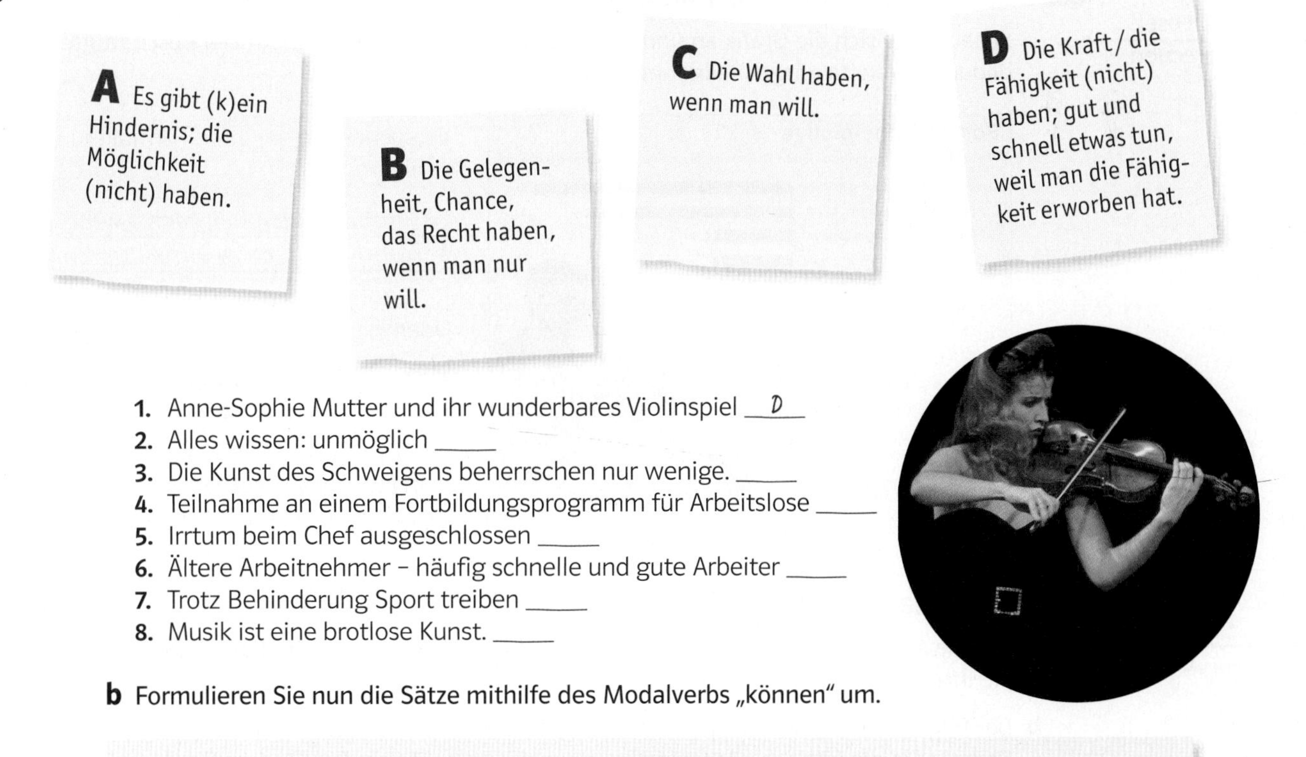

1. Anne-Sophie Mutter und ihr wunderbares Violinspiel _D_
2. Alles wissen: unmöglich ____
3. Die Kunst des Schweigens beherrschen nur wenige. ____
4. Teilnahme an einem Fortbildungsprogramm für Arbeitslose ____
5. Irrtum beim Chef ausgeschlossen ____
6. Ältere Arbeitnehmer – häufig schnelle und gute Arbeiter ____
7. Trotz Behinderung Sport treiben ____
8. Musik ist eine brotlose Kunst. ____

b Formulieren Sie nun die Sätze mithilfe des Modalverbs „können" um.

1. *Anne-Sophie Mutter kann wunderbar Violine spielen.*

4 Sprache im Mittelpunkt: Welche Modalverben verbergen sich hinter den folgenden Sätzen?

Formen und Strukturen S. 166

Formulieren Sie die Sätze um. Es gibt oft mehrere Möglichkeiten.

1. In der Vorlesung ist Rauchen verboten. *In der Vorlesung darf man nicht rauchen.*
2. Ich bin verpflichtet, an dem Seminar teilzunehmen. ____
3. Erlauben Sie mir, eine Frage zu stellen? ____
4. In Deutschland besteht Schulpflicht für alle Kinder. ____
5. Ihr großer Wunsch ist es, Medizin zu studieren. ____
6. Wie oft verdoppelt sich das Wissen der Menschheit? Das vermag ich nicht zu sagen. ____
7. Liebe Kollegen! Bitte den Videoprojektor nicht immer an- und ausschalten. ____

8 Lebenslanges Lernen

Formen und Strukturen
S. 160

1 Sprache im Mittelpunkt: Wozu eigentlich lebenslanges Lernen?

a Lesen Sie die folgenden Aussagen und unterstreichen Sie die Wörter, die ein Ziel oder einen Zweck einleiten.

1. Als Fachmann muss man ständig lernen, damit der Fortschritt einen nicht überrollt.
2. Um mein Gehirn zu trainieren, versuche ich weiterzulernen.
3. Man sollte sich fortbilden, um bessere Karriereaussichten zu haben.
4. Ich lerne immer weiter, damit ich meinen Kindern in der Schule helfen kann.

b Wann steht „damit", wann „um ... zu"? Ergänzen Sie die folgenden Regeln.

!
1. Der Haupt- und der Nebensatz haben dasselbe Subjekt: __________
2. Der Haupt- und der Nebensatz haben zwei verschiedene Subjekte: __________
3. Das Verb ist konjugiert und steht am Satzende: __________
4. Das Verb ist im Infinitiv und steht am Satzende: __________

Lesen
Sprechen

2 Ziel und Zweck von Fortbildung

Schauen Sie sich die Grafik an und beschreiben Sie dann, mit welchem Ziel Beschäftigte an Fortbildungsveranstaltungen teilnehmen. Vergleichen Sie die Motive.

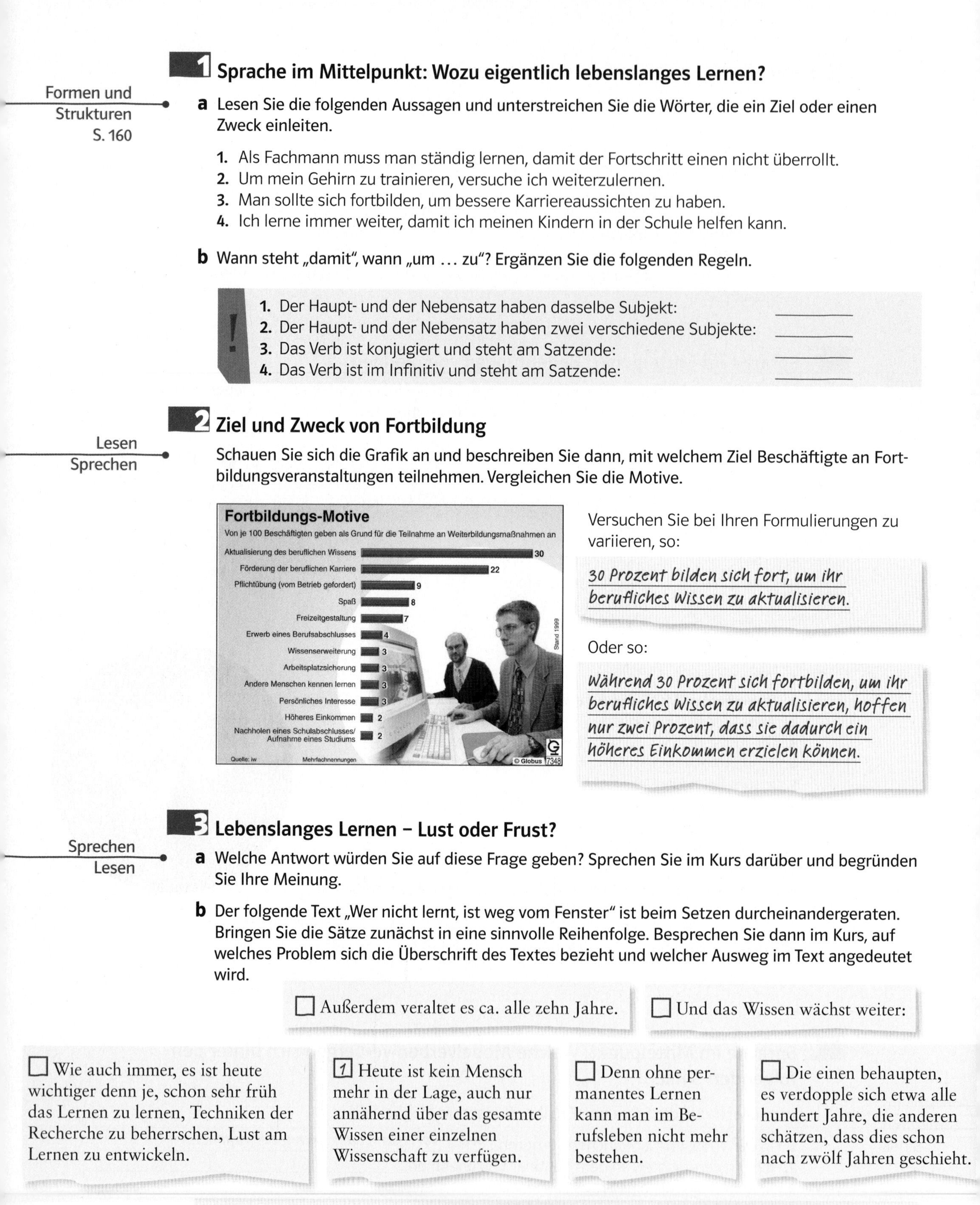

Versuchen Sie bei Ihren Formulierungen zu variieren, so:

30 Prozent bilden sich fort, um ihr berufliches Wissen zu aktualisieren.

Oder so:

Während 30 Prozent sich fortbilden, um ihr berufliches Wissen zu aktualisieren, hoffen nur zwei Prozent, dass sie dadurch ein höheres Einkommen erzielen können.

Sprechen
Lesen

3 Lebenslanges Lernen – Lust oder Frust?

a Welche Antwort würden Sie auf diese Frage geben? Sprechen Sie im Kurs darüber und begründen Sie Ihre Meinung.

b Der folgende Text „Wer nicht lernt, ist weg vom Fenster" ist beim Setzen durcheinandergeraten. Bringen Sie die Sätze zunächst in eine sinnvolle Reihenfolge. Besprechen Sie dann im Kurs, auf welches Problem sich die Überschrift des Textes bezieht und welcher Ausweg im Text angedeutet wird.

☐ Außerdem veraltet es ca. alle zehn Jahre.

☐ Und das Wissen wächst weiter:

☐ Wie auch immer, es ist heute wichtiger denn je, schon sehr früh das Lernen zu lernen, Techniken der Recherche zu beherrschen, Lust am Lernen zu entwickeln.

1 Heute ist kein Mensch mehr in der Lage, auch nur annähernd über das gesamte Wissen einer einzelnen Wissenschaft zu verfügen.

☐ Denn ohne permanentes Lernen kann man im Berufsleben nicht mehr bestehen.

☐ Die einen behaupten, es verdopple sich etwa alle hundert Jahre, die anderen schätzen, dass dies schon nach zwölf Jahren geschieht.

Heute ist kein Mensch mehr in der Lage, auch nur annähernd über das Wissen einer einzelnen Wissenschaft zu verfügen. ...

4 Lebenslanges Lernen – aber wie? Eine Diskussion

Hören 3, 1–4
Sprechen

a Hören Sie die Diskussion zu diesem Thema zunächst einmal ganz. Notieren Sie dabei, welche Tätigkeiten die Gesprächspartner ausüben. Machen Sie sich außerdem Notizen zu dem, was Sie über das Lernen hören.

Frau Grün	Frau Schneider	Anna und Metin	Herr Gerner	Herr Vorberg
Professorin und …				

b Hören Sie das Gespräch nun noch einmal und ordnen Sie die Aussagen 1 bis 14 den Personen zu. Wer sagt was?

Moderatorin	Frau Grün	Frau Schneider	Anna und Metin	Herr Gerner	Herr Vorberg
1,					

1. Wir müssen immer wieder Neues lernen.
2. Kinder sollen schon früh möglichst viel selbst entdecken. Das bedeutet „anders lernen".
3. Wissen entsteht dadurch, dass man ausprobiert, Fehler macht und daraus lernt.
4. Man kann nicht alles über „Versuch und Irrtum" lernen.
5. Nur wenn Kinder auch falsche Vorstellungen äußern dürfen, lernen sie wirklich.
6. Schüler werden bei uns unterstützt, es wird aber auch etwas verlangt.
7. In einer Schule, wo die Schüler entscheiden, was sie lernen, kann nur Chaos entstehen.
8. Wir erledigen unsere Aufgaben angstfrei.
9. Kinder erlernen soziale Kompetenzen wie Zuhören, Helfen etc.
10. Bedeutet das nicht sehr viel Mehrarbeit für die Lehrer?
11. Wenn nicht alle das Gleiche lernen, kann man den Unterrichtsstoff nicht durchbringen.
12. Wir versuchen, für jeden individuell eine passende Lösung zu finden.
13. Kinder wollen Meister werden.
14. Die Ergebnisse in unserem Labor sind gleich.

c Gefällt es Ihnen, wie in der Hamburger Schule gelernt wird? Könnten Sie sich vorstellen, selbst so zu lernen? Was hat dies mit „lebenslangem Lernen" zu tun?

5 Wenn ich könnte, wie ich wollte, …

Schreiben

Benutzen Sie alle möglichen Modalverben und schreiben Sie einen kleinen Text. Lesen Sie ihn dann im Kurs vor, wenn Sie möchten.

Wenn ich könnte, wie ich wollte,
und nicht müsste, wie ich muss,
wenn ich dürfte, was ich könnte,
müsste ich nicht …

Wenn ich dürfte, wie ich wollte,
würd' ich …

9 Gefühle

A B C

1 Gefühl oder Verstand?

Lesen
Sprechen

a Ordnen Sie die folgenden Begriffe den Bereichen Gefühl oder Verstand zu.

Angst Berechnung Eifersucht Einsicht Wut Unsinn
Vernunft Vorsicht Einsamkeit Neid Verständnis Vertrauen
Mitleid Leichtsinn Misstrauen Liebe Stolz Erfahrung

b Welche der Gefühle aus Aufgabenteil a finden Sie positiv? Welche sehen Sie kritisch?

2 Versuchen Sie, das folgende Gedicht von Erich Fried zu rekonstruieren.

Lesen
Sprechen

a Ordnen Sie jeder Zeile links eine Zeile rechts zu.

1. Es ist Unsinn	**A** sagt die Liebe	**1.**	F
2. Es ist was es ist	**B** sagt die Liebe	**2.**	
3. Es ist Unglück	**C** sagt die Liebe	**3.**	
4. Es ist nichts als Schmerz	**D** sagt die Angst	**4.**	
5. Es ist aussichtslos	**E** sagt der Stolz	**5.**	
6. Es ist was es ist	**F** sagt die Vernunft	**6.**	
7. Es ist lächerlich	**G** sagt die Erfahrung	**7.**	
8. Es ist leichtsinnig	**H** sagt die Vorsicht	**8.**	
9. Es ist unmöglich	**I** sagt die Berechnung	**9.**	
10. Es ist was es ist	**J** sagt die Einsicht	**10.**	

b Was ist „es"? Sammeln Sie Ideen und begründen Sie Ihre Vorschläge.

3 Gefühle erkennen

Hören 3, 5–9
Schreiben

a Versuchen Sie herauszuhören, welche Gefühle die Sprecher haben. Notieren Sie das Gefühl in der Tabelle unten in der ersten Spalte.

b Was könnte der Grund für diese Gefühle sein? Notieren Sie die Begründung in der zweiten Spalte.

Gefühl	Grund für das Gefühl
1. Freude	Weil sie eine Jugendfreundin wieder getroffen hat.
2.	
3.	
4.	
5.	

Sprechen
Schreiben

4 Gefühlvolle Wörter

Ergänzen Sie in kleinen Gruppen die Liste mit Wörtern und Zitaten zu „Gefühl".

Verben, die Gefühle ausdrücken: lachen, lächeln, jubeln, schreien, weinen, zittern, ...
andere Gefühlsverben: empfinden, erahnen, spüren, ...
Gefühlsnomen: Zorn, Eifersucht, Glück, Freude, Mitgefühl, ...
Gefühlsadjektive: gefühlskalt, gefühllos, gefühlvoll, ...
Gefühlsbeschreibungen: ein gutes Gefühl, ein komisches Gefühl, ein angenehmes Gefühl, ...
Gefühlszitate: Wer nicht zuweilen zu viel empfindet, der empfindet immer zu wenig. (Jean Paul, 1763–1825), ...

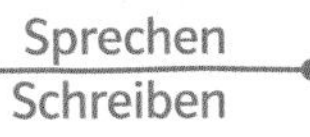

5 Gefühle nonverbal

a Wie drückt man mit dem Körper Gefühle aus? Ordnen Sie zunächst die Fotos den Gefühlen zu und sammeln Sie dann im Kurs.

Gefühl	Bild	Mimik, Gestik, Körperhaltung	Körperreaktionen
1. Freude			
2. Schüchternheit			
3. Wut			
4. Zufriedenheit			
5. Angst			
6. Mitgefühl			
7. Trauer			

b Verschiedene Kulturen zeigen (oder verbergen) Gefühle auf unterschiedliche Weise. Suchen Sie Beispiele für kulturell unterschiedliche Ausdrucksweisen.

Was Sie in dieser Lektion lernen können:

- eigene Gedanken und Gefühle mündlich beschreiben
- eigene Gedanken und Gefühle schriftlich beschreiben
- literarischen oder alltäglichen Erzählungen folgen und viele wichtige Details verstehen
- verschiedene Gefühle differenziert ausdrücken und auf Gefühlsäußerungen anderer reagieren
- literarische Texte lesen, dabei die Gesamtaussage und viele Details verstehen
- mündlich Vermutungen über Sachverhalte, Gründe und Folgen anstellen
- Informationen aus längeren Texten zusammenfassend wiedergeben
- in Korrespondenz die wesentlichen Aussagen verstehen
- in Texten Vermutungen über Sachverhalte, Gründe und Folgen anstellen
- in privater Korrespondenz Gefühle, Erlebnisse und Erfahrungen ausdrücken bzw. kommentieren
- in längeren und komplexeren Texten rasch wichtige Einzelinformationen finden
- einen kurzen Text relativ spontan und frei vortragen

9 Emotionen

1 Positive Gefühle, negative Gefühle

Sprechen
Lesen

a Wählen Sie einen der Titel und sammeln Sie in Kleingruppen Ihre Gedanken dazu.

A Warum es wichtig ist, Gefühle zu haben
B Warum negative Gefühle wichtig sind
C Warum positive Gefühle so wichtig sind

b Lesen Sie nun den Text. Welcher Titel passt Ihrer Meinung nach am besten?

Was sind Gefühle überhaupt? Die knappste Definition lautet: Gefühle sind verkörperte Informationen. Sie aktivieren sowohl das Denken als auch das Handeln.
Die Gesamtheit unserer Gefühle stellt ein Signalsystem dar, das uns einen schnellen Zugang zu unseren Vorlieben ermöglicht, zu den angeborenen und erworbenen. Alles in unseren Begegnungen mit der Umwelt und mit anderen Menschen wird positiv oder negativ codiert, mit einem Wert aufgeladen.
Unsere heutigen Gefühle sind zunehmend komplexer gewordene Anpassungsmechanismen, und sie unterscheiden sich in einer Reihe von Merkmalen:
Die negativen Emotionen wie Wut, Ekel, Hass oder Angst verengen das Spektrum unserer Denk- und Handlungsalternativen. Sie blenden alles aus, was nicht unmittelbar einer Problemlösung dient, und sie fokussieren Geist und Körper in kritischen Situationen, in Herausforderungen, Bedrohungen, Konflikten auf das jeweils sinnvolle Spektrum von Fähigkeiten oder Handlungsweisen: Wir laufen weg, wenn wir Angst vor etwas haben, drohen oder greifen an, wenn wir wütend auf jemanden sind, spucken aus, wenn wir uns vor etwas ekeln, verkriechen uns aus Scham und versuchen, Wiedergutmachung bei Schuldgefühlen zu erlangen. Negative Gefühle sind zudem oft von heftigen körperlichen Reaktionen begleitet: Erröten, erhöhtem Blutdruck, heftiger Muskelanspannung.
Die positiven Emotionen wie Freude, Zufriedenheit oder Heiterkeit dagegen erweitern das Spektrum unserer Denk- und Handlungsalternativen. Sie sind weit weniger präskriptiv, das heißt, es wird nicht wie bei negativen Gefühlen ein „Flüchten- oder Kämpfen-Programm“ ausgelöst, auch keine Reflexe wie etwa bei Ekel oder Scham. Positive Gefühle wirken oft unscheinbar und etwas vage, weil sie uns nicht so sichtbar mobilisieren, sondern eher den Geist als den Körper in Gang bringen.
Die Hauptwirkung der positiven Gefühle liegt darin: Sie machen uns offener, freier, zugänglicher, integrativer.
Positive Gefühle erweitern deshalb den Wahrnehmungshorizont. Wenn wir uns gut fühlen, sind wir zugleich auf das Sammeln von Informationen und auf die Erforschung der Umwelt eingestimmt.
Die amerikanische Psychologin Barbara Frederickson konnte in zahlreichen Experimenten nachweisen, dass wir unter Einfluss guter Gefühle wacher, aufmerksamer und als Folge davon auch klüger werden.
Während Gefühle wie Ärger, Wut, Zorn, Angst, Aggression und der sie begleitende Stress uns körperlich und seelisch aus der Balance bringen, haben die positiven Gefühle einen vierfachen Langzeitnutzen:
– Sie begünstigen den Aufbau und die Pflege sozialer Beziehungen und Bindungen, die uns das Leben erleichtern und auf die wir in Krisenzeiten zurückgreifen können.
– Sie ermöglichen und fördern das Lernen, die Kreativität und alle anderen Intelligenzleistungen, die uns Problemlösungen auf höherem Niveau erlauben.
– Sie wirken sich positiv auf die körperliche Gesundheit aus, indem sie Stressreaktionen mildern und schneller abbauen und wie ein Puffer gegenüber zukünftigem Stress wirken.
– Sie verbessern die Qualität unserer psychischen Fähigkeiten wie Widerstandskraft, Zielgerichtetheit und Optimismus und sie ermöglichen die Festigung der Identität.

Heißt das, dass wir permanent gut drauf sein müssen, um ein gutes Leben zu führen? Was ist mit negativen Gefühlen? Eine 90 Prise Ängstlichkeit, Aggressivität oder Selbstunsicherheit macht uns in vielen Bewährungssituationen effektiver, wie der Glücksforscher Ed Diener herausfand. Ein Maximum an Glück ist nicht nur nicht 95 machbar, es wäre auch kontraproduktiv. Eine Beziehung, in der es keine Differenzen, damit auch keine Kritik, keine Enttäuschungen gäbe, ist kaum vorstellbar. Denn in einer solchen Partnerschaft würden auch die positiven Emotionen ihre 100 Wirkung verlieren: Wenn überhaupt nie kritisiert oder geschmollt wird, verlieren Lob und Anerkennung ihre Wirkung.

2 Kurz und knapp

Lesen
Schreiben

a Lesen Sie noch einmal die Titelvorschläge in Aufgabe 1a. Antworten Sie in einem Satz auf die Fragen.

1. Warum ist es wichtig, Gefühle zu haben? ______
2. Warum sind negative Gefühle wichtig? ______
3. Warum sind positive Gefühle so wichtig? ______

b Formulieren Sie eine Zusammenfassung des Artikels in drei bis fünf Sätzen.

Der Artikel handelt von + Dat. | In diesem Text geht es um + Akk. | Im ersten / zweiten / dritten / … Abschnitt steht, dass … | Der Artikel thematisiert … | Die zentrale Aussage des Textes ist … | In dem Text wird deutlich, dass …

EINE ZUSAMMENFASSUNG SCHREIBEN

Erinnern Sie sich: Wortschatz für eine Zusammenfassung finden Sie auch in Lektion 6.

3 Gefühlsleben

Sprechen

Sammeln Sie im Kurs Vorschläge, wie man positive Gefühle vermehren bzw. negative Gefühle verringern kann.

4 Sprache im Mittelpunkt: Nomen, Verben und Adjektive mit festen Präpositionen

Formen und Strukturen S. 180

a Sortieren Sie die nachfolgenden Ausdrücke für Gefühle in die Tabelle ein.

Welche Ausdrücke sind für Sie positiv?	Welche Ausdrücke sind für Sie negativ?

Angst vor   wütend auf   Ekel vor   Sehnsucht nach   verliebt in   stolz auf   Hass auf
sich freuen auf / über   zufrieden mit   Lust auf   Ärger über   neidisch auf   eifersüchtig auf
trauern um   enttäuscht von   Interesse an   unglücklich über   Mitleid mit   begeistert von
sich begeistern für   dankbar für   sich schämen vor / für

b Nach welchen Ausdrücken in Aufgabenteil a folgt der Akkusativ, nach welchen der Dativ?

c Ergänzen Sie weitere Ausdrücke für positive oder negative Gefühle.

Schreiben

d Beschreiben Sie eine Situation, in der Gefühle eine Rolle spielen. Wählen Sie dazu mindestens drei Ausdrücke aus dem Kasten in Aufgabenteil a aus. Beschreiben Sie dabei auch genau die Gedanken und Gefühle.

9 Stark durch Gefühle

1 Equilibrium (Regie: Kurt Wimmer, 2002)

Hören 3, 10
Lesen

a Hören Sie die Filmbesprechung und bringen Sie die Stichworte der Filmkritikerin in die richtige Reihenfolge.

A Menschen ohne Emotionen ______
B Spannung und Dramatik ______
C anspruchsvoller Science-Fiction-Thriller 1
D stilvolle Inszenierung ______
E einen Umsturz planen ______
F Gefühle unterdrücken ______
G Widerstandsgruppe ______
H eigene Ästhetik ______
I Kommunikationssysteme zerstören ______
J düstere Zukunftsvision ______
K Gramaton-Kleriker ______
L Gefühle als Ursache für alle Kriege ______
M „Vater" schon lange tot ______
N tägliche Dosis Prozium II spritzen ______
O ein Muss für Action-Liebhaber ______
P John Preston ______
Q jetzigen Machthaber töten ______
R totalitäres System ______

Schreiben

b Schreiben Sie mithilfe der Wörter eine kurze Inhaltsangabe des Films.

2 Unterdrückte Gefühle im Film

Schreiben

a Alle Gefühle wurden unterdrückt. Verbinden Sie die passenden Satzteile miteinander. Oft sind mehrere Lösungen möglich.

1.	Die Freude darüber,	**A**	Neues auszuprobieren.	**1.**	C
2.	Die Liebe zu	**B**	allein zu sein.	**2.**	
3.	Die Angst davor,	**C**	anderen Menschen zu begegnen.	**3.**	
4.	Die Hoffnung darauf,	**D**	dass man etwas Tolles geleistet hat.	**4.**	
5.	Der Stolz darauf,	**E**	dass seine Erwartungen nicht erfüllt werden.	**5.**	
6.	Die Enttäuschung darüber,	**F**	den Geliebten zu treffen.	**6.**	
7.	Das Mitleid mit	**G**	ein erfülltes Leben zu führen.	**7.**	
8.	Die Lust darauf,	**H**	einen Fußballverein.	**8.**	
9.	Die Sehnsucht danach,	**I**	einem anderen Menschen.	**9.**	
10.	Die Begeisterung für	**J**	was man im Leben erreicht hat.	**10.**	
11.	Die Zufriedenheit mit dem,	**K**	einem Lebewesen.	**11.**	

b Ergänzen Sie die Sätze für sich persönlich.

Ich empfinde ...

1. Ärger *darüber, dass ich nicht mehr Zeit zum Deutschlernen habe.*
2. Freude ______.
3. Angst ______.
4. Stolz ______.
5. Begeisterung ______.
6. Sehnsucht ______.
7. Ekel ______.

3 Sprache im Mittelpunkt: Präpositionalpronomen (darauf, dafür, damit, ...)

Formen und Strukturen S. 178

Welche Aussage ist richtig? Bitte markieren Sie.

!

1. Präpositionalpronomen ersetzen einen Nebensatz, z. B. einen dass-Satz, einen indirekten Fragesatz, einen zu + Infinitiv-Satz.

2. Präpositionalpronomen können ein Hinweis auf einen Nebensatz sein, z. B. auf einen dass-Satz, auf einen indirekten Fragesatz oder auf einen zu + Infinitiv-Satz.

4 Gefühlshoch – Gefühlstief

Hören 3, 11–12
Sprechen

a Sie hören zwei Kurzberichte. Von welchen starken Gefühlsmomenten in ihrem Leben erzählen die Personen?

b Mit welchen Ausdrücken äußern sie ihre Gefühle? Machen Sie sich Notizen.

c Über Gefühle berichten: Vergleichen Sie Ihre Notizen in der Gruppe und danach mit der folgenden Liste.

positiv:
Das hat mir (wahnsinnig / echt) gut getan. | Das ist mir runtergegangen wie Öl. | Das ist / war rührend / süß / sehr nett / unglaublich / toll. | Ich bin / war gerührt / begeistert / von den Socken / hin und weg / im 7. Himmel / unglaublich stolz. | Ich hätte lachen und weinen können. | Du kannst dir (nicht) vorstellen, wie glücklich ich war / was das für mich bedeutet. | Das hat mich sehr gefreut.

negativ:
Das hat mir wehgetan. | Das hat mich verletzt / traurig gemacht / enttäuscht. | Ich bin / war entsetzt / enttäuscht / total fertig / wie betäubt / fix und fertig / am Ende / am Boden zerstört / wütend. | Das hätte ich nicht gedacht / erwartet. | Ich fühlte Wut / Trauer / Schmerz. | Ich hoffe, dass ich das nie wieder erlebe. | Hoffentlich erlebe ich so etwas nie wieder. | Meine Welt ist völlig aus den Fugen geraten.

d Auf berichtete Gefühlsänderungen reagieren: Mit welchen der Redemittel könnten Sie auf die Berichte aus Aufgabenteil a reagieren?

Anteilnahme:
Das kann ich verstehen. | Das tut mir leid. | Das muss toll / phantastisch / schlimm / schrecklich / ein (…) Gefühl gewesen sein. | Du warst bestimmt total glücklich / gut drauf / einsam / traurig. | Das hätte mich auch geärgert / gefreut / gewundert. | Das hätte ich auch gesagt / getan. | Du könntest … | Vielleicht solltest du …

Wertung:
Warum hast du das gemacht / gesagt? | Das kannst du doch nicht machen. | Wie kannst du nur so hart / weich / gutmütig / kalt sein. | Das finde ich übertrieben / doof / dumm. | Ich verstehe überhaupt nicht, wieso … | Das hätte ich nicht gemacht / gesagt. | Ich hätte … / Du hättest … | Ich wäre … | Ich würde …

5 Die richtigen Worte finden

Schreiben
Sprechen

Wählen Sie eine der folgenden Situationen: Was würden Sie in dieser Situation sagen? Bereiten Sie kleine Dialoge (Bericht und Reaktion) vor und präsentieren Sie diese dann im Kurs.

1. Sie arbeiten erst seit zwei Wochen in einer Firma und dachten, dass niemand weiß, dass Sie heute Geburtstag haben. Aber die Kollegen und der Chef haben eine kleine Party mit Essen und Getränken vorbereitet und Ihnen ein Geschenk gemacht. Sie erzählen Ihrer Frau / Ihrem Mann davon.
2. Ihr Freund / Ihre Freundin ist eifersüchtig und traurig, weil Sie oft mit anderen ausgehen. Sie reden mit Ihrer Mutter darüber.
3. Sie wollen mit Ihrem Chef sprechen, weil Sie das Gefühl haben, dass er verärgert ist. Sie wissen nicht, warum, vermuten aber, dass sein Ärger damit zusammenhängt, dass Sie keine Überstunden machen wollen. Sie sprechen mit einer Kollegin / einem Kollegen darüber.

9 Gefühle verstehen

1 San Salvador (1)

Lesen

Lesen Sie den Anfang einer Kurzgeschichte von Peter Bichsel.

Er hatte sich eine Füllfeder gekauft.
Nachdem er mehrmals seine Unterschrift, dann seine Initialen, seine Adresse, einige Wellenlinien, dann die Adresse seiner Eltern auf ein Blatt gezeichnet hatte, 5 nahm er einen neuen Bogen, faltete ihn sorgfältig und schrieb: „Mir ist es hier zu kalt", dann, „ich gehe nach Südamerika", dann hielt er inne, schraubte die Kappe auf die Feder, betrachtete den Bogen und sah, wie die Tinte eintrocknete und dunkel wurde (in der 10 Papeterie garantierte man, dass sie schwarz werde), dann nahm er seine Feder erneut zur Hand und setzte noch seinen Namen Paul drunter.
Dann saß er da.
Später räumte er die Zeitungen vom Tisch, überflog 15 dabei die Kinoinserate, dachte an irgendetwas, schob den Aschenbecher beiseite, zerriss den Zettel mit den Wellenlinien, entleerte seine Feder und füllte sie wieder. Für die Kinovorstellung war es jetzt zu spät.
Die Probe des Kirchenchores dauert bis neun Uhr, um halb zehn würde Hildegard zurück sein. Er wartete auf Hildegard. 20 Zu all dem Musik aus dem Radio. Jetzt drehte er das Radio ab.
Auf dem Tisch, mitten auf dem Tisch, lag nun der gefaltete Bogen, darauf stand in blauschwarzer Schrift sein Name Paul. 25
„Mir ist es hier zu kalt", stand auch darauf.
Nun würde also Hildegard heimkommen, um halb zehn. Es war jetzt neun Uhr. Sie läse seine Mitteilung, erschräke dabei, glaubte wohl das mit Südamerika nicht, würde dennoch die Hemden im 30 Kasten zählen, etwas müsste ja geschehen sein. Sie würde in den „Löwen" telefonieren.
Der „Löwe" ist mittwochs geschlossen.
Sie würde lächeln und verzweifeln und sich damit abfinden, vielleicht. … 35

2 Sprache im Mittelpunkt: Vermutungen Subjektiver Gebrauch der Modalverben (Gegenwart)

Formen und Strukturen S. 168

Tragen Sie die Informationen zu folgenden Punkten zusammen und stellen Sie Vermutungen an. Benutzen Sie dazu die Modalverben in der Tabelle.

- Ort der Handlung
- Zeit der Handlung
- Personen
- Hauptperson
- Beschäftigung der Hauptperson
- Gefühle der Hauptperson

Sicherheit	ca. 95 %	ca. 75 %	ca. 60 %	ca. 50 %	ca. 40 %
Modalangaben	sicher / bestimmt	wahrscheinlich	vermutlich / gut möglich, dass	möglicherweise / eventuell	vielleicht
Modalverben	muss	dürfte	könnte	kann	mag
„werden" wie ein Modalverb gebraucht		wird			

Paul muss zu Hause sein, denn im Text steht, Hildegard würde „heimkommen".
Hildegard dürfte eine gute Sängerin sein. Denn im Text steht, dass sie im Kirchenchor singt.

3 Wie geht die Kurzgeschichte weiter?

Sprechen

a Decken Sie die Fortsetzung der Geschichte auf der rechten Seite zu und stellen Sie zu zweit Vermutungen an.

b Präsentieren Sie Ihre Version im Kurs und vergleichen Sie.

4 San Salvador (2)

Lesen
Sprechen

a Lesen Sie die Kurzgeschichte nun ganz und fassen Sie ihren Inhalt zusammen.

Sie würde sich mehrmals die Haare aus dem Gesicht streichen, mit dem Ringfinger der linken Hand beidseitig der Schläfe entlang fahren, dann langsam den Mantel aufknöpfen.
40 Dann saß er da, überlegte, wem er einen Brief schreiben könnte, las die Gebrauchsanweisung für den Füller noch einmal – leicht nach rechts drehen – las auch den französischen Text, verglich den englischen mit dem deutschen, sah wieder seinen Zettel, dachte an Palmen, dachte an Hildegard. 45
Saß da.
Um halb zehn kam Hildegard und fragte:
„Schlafen die Kinder?"
Sie strich sich die Haare aus dem Gesicht.

b Was steht im Text? Markieren Sie die korrekten Aussagen, unterstreichen Sie die passenden Stellen im Text und notieren Sie die Zeilenangaben.

Zeile(n)

1. **Hauptpersonen** ______
   a. Die Hauptperson heißt Paul und lebt allein.
   b. Paul ist verheiratet und Familienvater.
2. **Situation** ______
   a. Paul probiert seinen neuen Füller aus.
   b. Paul schreibt einen Brief.
3. **Thema** ______
   a. Paul bekommt Fernweh und ihn überkommen Sehnsüchte.
   b. Paul möchte sich von seiner Frau trennen, weil er in seiner Beziehung unglücklich ist.

c Sprechen Sie im Kurs über folgende Punkte:

- Was bedeutet: „Mir ist es hier zu kalt"?
- Warum heißt die Geschichte „San Salvador"?
- Welche Beziehung haben Paul und Hildegard zueinander?
- Was bedeutet: „Sie strich sich die Haare aus dem Gesicht."?
- Warum schreibt Paul den Brief und bleibt trotzdem?

d Können Sie Pauls Verhalten verstehen? Kennen Sie dieses Gefühl? Sprechen Sie zu zweit über Ihre eigenen Sehnsüchte.

5 Interpretationen zu „San Salvador"

Lesen
Sprechen

a Fassen Sie die Hauptthese der jeweiligen Interpretation in einem Satz zusammen.

b Welche Interpretation finden Sie plausibel? Begründen Sie Ihre Meinung.

A In seiner Kurzgeschichte „San Salvador" erzählt Peter Bichsel vom Leiden am Alltag. Paul, der Protagonist der Geschichte, leidet als verheirateter Mann und Familienvater unter dem Einerlei des Alltags und der Kälte des Alleinseins. Die innige Bindung zu seiner Frau Hildegard und auch die von Wärme geprägte Atmosphäre in der Familie gehören der Vergangenheit an. Es bleibt nur noch die Sehnsucht, diesem eintönigen und kalten Alltag zu entfliehen …

B „Mich interessiert, was auf dem Papier geschieht." Diese Grundidee des Erzählens veranschaulicht Peter Bichsel in „San Salvador". Aus einer zufälligen Beschäftigung mit einem Gegenstand, dem Füller, entsteht ein Text. Zwar schreibt Paul „Fluchtsätze" und spielt das Szenario im Kopf durch. Doch dann bleibt er sitzen und handelt in keiner Weise so, dass wir seine Gedanken ernst nehmen sollten. Paul erlaubt sich etwas, was wir heute kaum noch tun: Er nimmt sich Zeit, seinen Gedanken und Gefühlen nachzuhängen …

6 Peter Bichsel

Lesen
Sprechen

Sammeln Sie Informationen über den Autor, visualisieren Sie diese an einer Pin-Wand, auf Overhead-Folie etc. und stellen Sie ihn in der Klasse vor.

9 Fingerspitzengefühl

1 Militärschnitt

Hören 3, 13–15
Sprechen

a Hören Sie die Erzählung. Notieren Sie nach dem ersten Hören nur die wichtigsten Informationen. Die Fotos oben können Ihnen helfen.

- Wer?
- Wo?
- Was?
- Wann?
- Warum?

b Hören Sie die Geschichte ein zweites Mal und versuchen Sie, diese nun im Detail zu verstehen. Tragen Sie die verstandenen Details in Kleingruppen zusammen.

c Formulieren Sie in Ihrer Kleingruppe fünf Fragen, die Ihnen für das Verständnis der Geschichte wichtig erscheinen, und schreiben Sie sie auf einen Zettel.

d Ein Repräsentant Ihrer Gruppe geht mit dem Zettel in eine andere Kleingruppe und lässt die Fragen dort beantworten.

2 Sprache im Mittelpunkt: Vermutungen
Subjektiver Gebrauch der Modalverben (Vergangenheit)

Formen und Strukturen S. 168

a Die Polizei ist am Tatort und stellt Vermutungen an. Welche Vermutungen stimmen wohl? Markieren Sie.

1. Es könnte ein Unfall gewesen sein.
2. Das Opfer muss sich selbst verletzt haben.
3. Der Ehemann dürfte sehr emotional reagiert haben.
4. Die Frau des Friseurs und das Opfer müssen sich heimlich getroffen haben.
5. Der Friseur und seine Frau könnten die Tat gemeinsam geplant haben.
6. Das Opfer und der Ehemann dürften sich nicht gekannt haben.

b Tragen Sie die Sätze aus Aufgabenteil a in die folgende Tabelle ein und ergänzen Sie drei weitere Vermutungen.

	Modalverb		Partizip	Infinitiv haben / sein
Es	könnte	ein Unfall	gewesen	sein.

3 Nagende Gefühle

Lesen
Schreiben

Lesen Sie die Mail und ergänzen Sie anschließend die fehlenden Informationen 1 bis 5.

Liebe Selma,

stell dir vor, was Manuel (du kennst ihn **doch**?!) gemailt hat: „Ja, ich bin in sie verliebt. Und ja, wir sind zusammen." Wenn das keine gute Nachricht zum neuen Jahr ist!!!! Der Mann wird **wohl** sehr glücklich sein. Schließlich hat er gerade eine hoffnungslose Schwärmerei durchlitten und eine neue Freundin mehr als verdient. Ich freue mich für ihn ... sagt mir mein Verstand. Mein Herz jedoch schreit immer wieder unüberlegte Dinge dazwischen, die so gar nicht angebracht sind. Denn seine Schwärmerei galt mir. Und obwohl ich ihm unzählige Male gnadenlos ehrlich gesagt habe, dass ich für ihn nicht das Gleiche empfinde und sich das vermutlich auch nicht ändern würde, gelingt es mir nicht, die angebrachte Freude zu fühlen. Denn ich muss zu meiner Schande gestehen: Ich bin **einfach** rasend eifersüchtig.

Ich frage mich, wie die Eifersucht überhaupt Macht über mich erlangt hat, **eigentlich** so ganz ohne Grund. Sie ist hier völlig fehl am Platz: Diese neue Freundin des E-Mail-Senders nimmt mir **ja** nicht den Partner weg, noch nicht mal einen Liebhaber, und sie nascht auch nicht von einem Kuchen, den ich gern gekostet hätte. Sie hat es nur geschafft, das Herz des Mannes zu gewinnen, der noch vor ein paar Wochen mir die unglaublichsten Komplimente gemacht, die schönsten Mixtapes geschenkt und das Gefühl gegeben hat, etwas ganz Besonderes zu sein. Und obwohl ich darunter gelitten habe, seine Gefühle nicht in gleichem Maße erwidern zu können, so hat es mir doch ungemein geschmeichelt, dass jemand wie er für mich schwärmte.

Wohin soll ich mit meiner Eifersucht? Soll ich es ihm sagen? Nein, auf keinen Fall!, sagt meine Verstand. Und trotzdem ... Liebe Selma, was soll ich **denn** tun? Bitte antworte deiner unruhigen

Katinka

1. Stimme des Gefühls: ____________________
2. Grund für das Gefühl: ____________________
3. Stimme des Verstandes: ____________________
4. Grund für die Stimme des Verstandes: ____________________
5. Lösung? ____________________

4 Sprache im Mittelpunkt: Gefühle unterstreichen

Formen und
Strukturen
S. 181

Bestimmen Sie die Bedeutung der in der Mail oben fett geschriebenen Modalpartikeln und modalen Adverbien im Kontext. Welche Bedeutung ist richtig? Bitte markieren Sie.

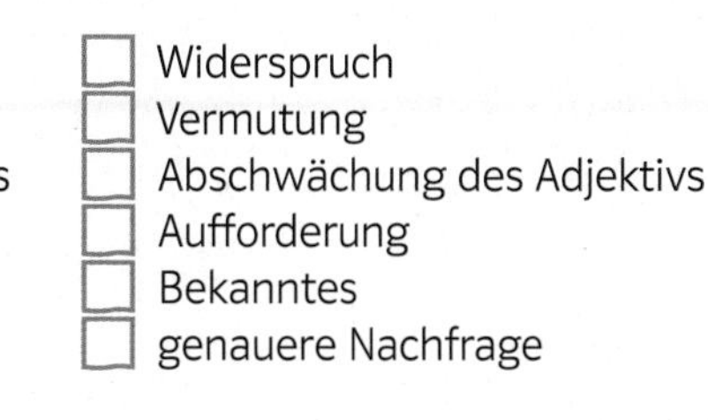

1. doch: ☐ Bestätigung ☐ Widerspruch
2. wohl: ☐ Überraschung ☐ Vermutung
3. einfach: ☐ Betonung des Adjektivs ☐ Abschwächung des Adjektivs
4. eigentlich: ☐ Einschränkung ☐ Aufforderung
5. ja: ☐ Warnung ☐ Bekanntes
6. denn: ☐ Vermutung ☐ genauere Nachfrage

5 Über Gefühle schreiben

Schreiben

Katinka hat auch Ihnen geschrieben. Wie würde Ihre Antwort aussehen? Bitte schreiben Sie eine Mail und äußern Sie Vermutungen, warum Katinka eifersüchtig reagiert. Gehen Sie auch auf Katinka ein, indem Sie von eigenen Gefühlen und Erlebnissen berichten.

9 Gemischte Gefühle

Lesen

→GI / TELC

1 Bücher: Erfahren Sie mehr über die Welt der Gefühle

Lesen Sie den Text und lösen Sie die Aufgabe

Gefühle bestimmen unser Leben ganz wesentlich. Seit in den neunziger Jahren der Begriff „Emotionale Intelligenz" eingeführt wurde, weiß man auch, dass das Vorhandensein von Gefühlen, Emotionen, Stimmungen und Affekten und der bewusste Umgang damit eine hohe emotionale Intelligenz ausmachen. Infolgedessen gibt es eine Reihe von Veröffentlichungen, die um das Thema „Gefühle" kreisen.

Was denken Sie, welches der acht Bücher (A–H) wäre für die einzelnen Personen von Interesse? Es gibt immer nur eine richtige Lösung. Es ist jedoch möglich, dass nicht für jede Person etwas Passendes zu finden ist, notieren Sie in diesem Fall „0".

Welches Buch wäre von Interesse für: **Lösung**

1. Marietta R., die seit Monaten unter der Trennung von ihrem Mann leidet, und sich endlich von ihren negativen Gefühlen befreien möchte. D
2. Tilman M., der wissen möchte, wie Tiere bei Massentierhaltung empfinden. 0
3. Olga S., die einen Ratgeber sucht, um sich besser gegen den psychischen Druck ihres Chefs wehren zu können. ____
4. Holger V., der eine Ausbildung zum Familientherapeuten macht und Genaueres über die Macht der Gefühle über die Psyche lernen möchte. ____
5. Johanna M., die Musikerin ist und gern etwas über den Einfluss von Gefühlen auf die Werke großer Komponisten erfahren würde. ____
6. Beatrice H., die ihrem sehr ängstlichen 5-jährigen Sohn durch Geschichten die Furcht nehmen möchte. ____
7. Pia Z., die sich als Gärtnerin für alles interessiert, was mit Natur und Gefühlen zu tun hat. ____

A

Katzen zeigen Gefühle

von Susan Saughton

Anhand eindrucksvoller Beispiele aus Literatur und Wissenschaft sowie durch Erfahrungen mit ihren eigenen Katzen beweist Susan Saughton, dass die Gefühlswelt der Katzen mehr ist als eine Summe aus Reflexen und Instinkten. Wie der Mensch lernen kann, das ganze Repertoire an Körperhaltung, Bewegungen und sogar Lauten zu verstehen, veranschaulicht sie in diesem aufschlussreichen und kurzweiligen Beitrag zur Psychologie der Katzenseele.

B

Die Stimme der Eiche. Pflanzen und ihre Gefühlswelten

von Birgit Winter

Pflanzen besitzen Gefühle und kommunizieren untereinander und mit ihrer Umwelt – so die These von Birgit Winter. Anschaulich offenbart sie dem Leser eine Übersicht über die neusten Erkenntnisse und den Forschungsstand auf diesem Gebiet und versucht herauszufinden, inwieweit wir in Pflanzen intelligente Gefühlswesen sehen können. Nach der Lektüre des Buches wird der Leser empfindsamer und wacher mit den Pflanzen seiner täglichen Umgebung umgehen. In jedem Fall ein Buch, das einen für neue Erkenntnisse öffnet und zum Nachdenken anregt.

C

Gefühlsmanagement

von Andreas Stein

Fast jeder kennt das: In bestimmten Situationen wollen wir sachlich bleiben und doch kommen Emotionen hoch, und Gefühle bestimmen letztendlich unser Handeln und unsere Entscheidungen. Nur wer dieser Tatsache ins Auge sieht und sie im Alltag berücksichtigt, kann seine tägliche Arbeit bewältigen und im Beruf bestehen. Ein Buch für alle, die lernen wollen, wie sie erfolgreich mit den eigenen Gefühlen und den Gefühlen ihrer Mitmenschen umgehen.

D

Denken Sie positiv. Der Weg zur inneren Freiheit

von Markus Zach

Sind sie innerlich erschöpft? Wollen Sie sich von belastenden oder krank machenden Gefühlen befreien? Oder wollen Sie durch mehr Ausstrahlungskraft besser überzeugen und die verborgenen Führungsqualitäten in Ihnen wecken? Mit dem Ratgeber von Markus Zach lernen Sie Übungsmethoden kennen, die Ihnen helfen, Ihre inneren Kräfte zu mobilisieren und so Ihre Gefühle zu verändern: Ausgeglichenheit und Ausstrahlung durch mehr positive Gefühle ist das Erfolgsrezept. Die leicht zu erlernenden Übungen basieren auf Erkenntnissen der Verhaltenstherapie und orientieren sich an bewährten Mentaltechniken.

E

Drohen mit Gefühlen – die Gefahr der emotionalen Erpressung

von Patricia Sleet

„Wenn du jetzt gehst, habe ich keinen Sohn mehr.", „Wenn du das tust, ist es aus mit uns.", „Wenn du deine Tochter wiedersehen willst, tust du jetzt, was ich sage." – Wer kennt sie nicht, die emotionalen Erpressungsversuche? Die „Erpresser" – Partner, Freunde, Eltern, Vorgesetzte – wissen genau, wo sie ansetzen müssen, um ihr Opfer zu „überzeugen". Die bekannte Psychologin Patricia Sleet veranschaulicht mit zahlreichen Fallbeispielen, wie solche Erpressungen funktionieren und wie man sich der Manipulation entziehen kann.

F

Psychologie der Emotionen

von Matthias Hösch

Wer mit den eigenen Gefühlen und mit den Emotionen anderer Personen klug umgehen will, muss zunächst die oft recht komplizierten Vorgänge dahinter verstehen lernen. Besonders für Pädagogen und Personen aus anderen sozialen Berufen ist das Verstehen der Gefühle von grundlegender Bedeutung. Mit diesem Lehrwerk bietet Matthias Hösch allen Interessierten eine verständliche Einführung in die Emotionspsychologie. Hösch bezieht dabei die Erkenntnisse über die biologischen Wurzeln unserer Emotionen ebenso ein wie die familiären und kulturellen Kontexte. Dieses Lehrbuch ist praxisnah und leicht verständlich aufgebaut; zahlreiche Fallbeispiele, Abbildungen und Übungen veranschaulichen die neuesten neurophysiologischen Erkenntnisse und geben Auskunft über die Wichtigkeit von Emotionen im sozialen Umfeld.

G

Die Botschaften der Musik

von Natalie Lerhoff

Musik erzeugt und verstärkt Gefühle, löst emotionale Reaktionen aus und beeinflusst die Gefühlswelt des Hörers in jeglicher Hinsicht. Während sich die Musiktherapie diese Tatsache schon lange zunutze macht, interessiert sich die wissenschaftliche Musikpsychologie erst in neuster Zeit für die Frage, was Menschen während des Hörens von Musik empfinden. Dieses Buch gibt einen Überblick über die neusten Forschungsergebnisse und über die aktuelle Diskussion. Somit richtet es sich an Musikpsychologen, Musiktherapeuten und Soziologen, aber auch an Musiker, Eltern, Pädagogen und alle anderen am Thema Interessierten.

H

Der kleine Hase wird mutig

von Klara Rösner

Der kleine Hase fürchtet sich vor dunklen Kellern, großen Kindern und Gespenstern. Deshalb spielt er lieber mit dem kleinen Maxi. Aber als der Wolf Maxi holen will, ist der kleine Hase kein Angsthase mehr, sondern zeigt, wie viel Mut in ihm steckt. Eine bezaubernde Geschichte für unsere Kleinen, die fasziniert und Mut macht.

2 Das Gefühl werde ich nie vergessen!

Schreiben
Sprechen

Wählen Sie ein Gefühl, mit dem Sie sich in der Lektion noch nicht näher beschäftigt haben, und bereiten Sie einen zweiminütigen Kurzvortrag darüber vor.

- Sammeln Sie Informationen darüber.
- Überlegen Sie Ihren eigenen Umgang mit diesem Gefühl.
- Machen Sie Notizen (Mimik, Gestik, Körperreaktionen, Gründe, …) und sprechen Sie dann frei.

10 Arbeiten international

1 Was bedeutet Arbeiten im Ausland?

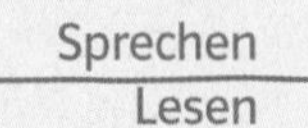

Sprechen
Lesen

a Was fällt Ihnen zu den Fotos ein? Sprechen Sie zu zweit.

b Lesen Sie die folgenden Aussagen und sprechen Sie im Kurs darüber. Mit welcher Meinung könnten Sie sich am ehesten identifizieren? Mit welcher sind Sie überhaupt nicht einverstanden?

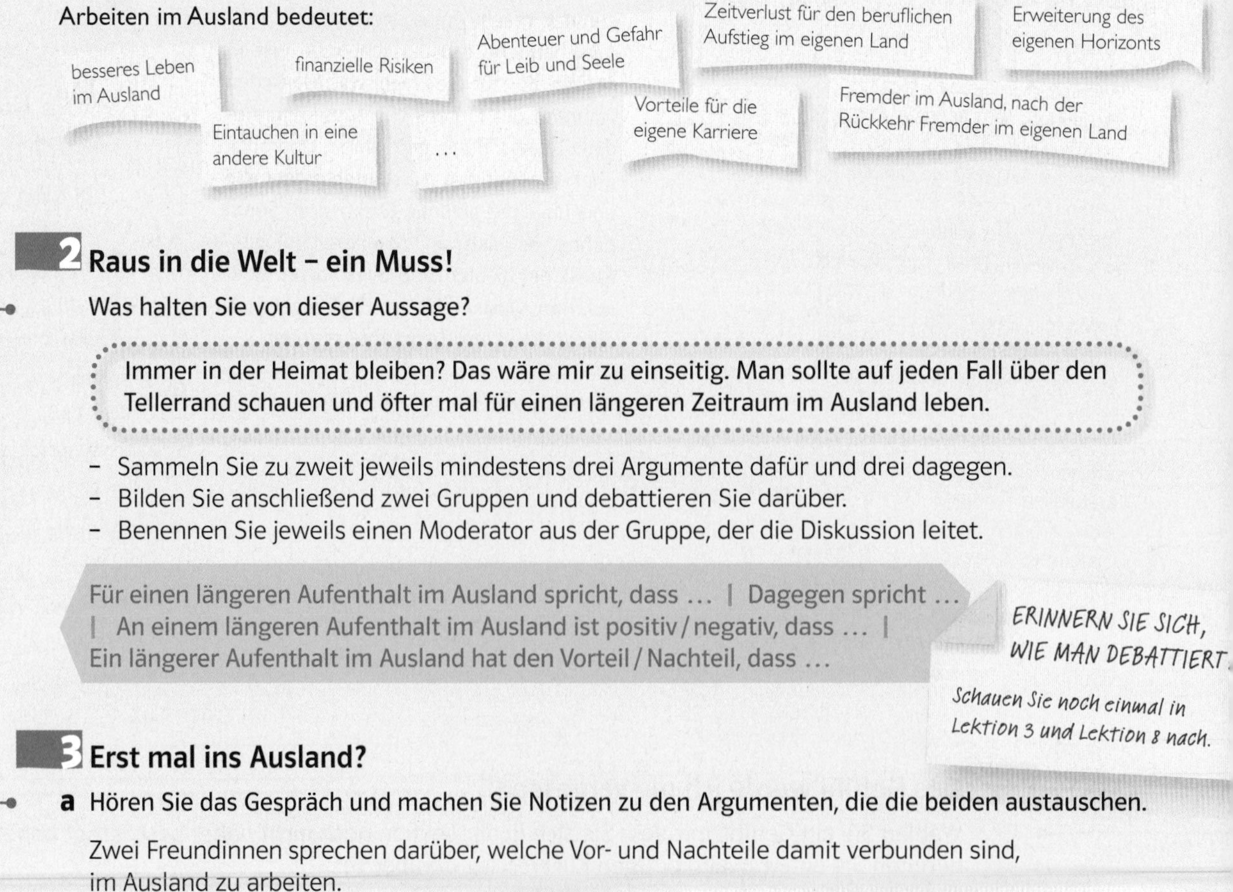

Arbeiten im Ausland bedeutet:

- besseres Leben im Ausland
- finanzielle Risiken
- Abenteuer und Gefahr für Leib und Seele
- Zeitverlust für den beruflichen Aufstieg im eigenen Land
- Erweiterung des eigenen Horizonts
- Eintauchen in eine andere Kultur
- ...
- Vorteile für die eigene Karriere
- Fremder im Ausland, nach der Rückkehr Fremder im eigenen Land

2 Raus in die Welt – ein Muss!

Lesen
Sprechen

Was halten Sie von dieser Aussage?

> Immer in der Heimat bleiben? Das wäre mir zu einseitig. Man sollte auf jeden Fall über den Tellerrand schauen und öfter mal für einen längeren Zeitraum im Ausland leben.

- Sammeln Sie zu zweit jeweils mindestens drei Argumente dafür und drei dagegen.
- Bilden Sie anschließend zwei Gruppen und debattieren Sie darüber.
- Benennen Sie jeweils einen Moderator aus der Gruppe, der die Diskussion leitet.

Für einen längeren Aufenthalt im Ausland spricht, dass ... | Dagegen spricht ... | An einem längeren Aufenthalt im Ausland ist positiv / negativ, dass ... | Ein längerer Aufenthalt im Ausland hat den Vorteil / Nachteil, dass ...

ERINNERN SIE SICH, WIE MAN DEBATTIERT.

Schauen Sie noch einmal in Lektion 3 und Lektion 8 nach.

3 Erst mal ins Ausland?

Hören 3, 16–17
Schreiben

a Hören Sie das Gespräch und machen Sie Notizen zu den Argumenten, die die beiden austauschen.

Zwei Freundinnen sprechen darüber, welche Vor- und Nachteile damit verbunden sind, im Ausland zu arbeiten.

Sprechen

b Vergleichen Sie nun die Argumente der Freundinnen mit denen, die Sie in Aufgabe 2 besprochen haben.

pro	contra
Praktikum ist gut für Lebenslauf	

4 Persönliche Erfahrungen im Ausland

Lesen
Sprechen

a Lesen Sie die drei Beispieltexte und notieren Sie, welche der Aussagen 1 bis 7 welcher Person / welchen Personen zuzuordnen ist.

1. Am Anfang haben wir jede Arbeit angenommen, die sich bot. *Jutta Schultinger*
2. Man muss seine Kenntnisse und Fertigkeiten einsetzen. ______
3. Wir haben schnell viele Freunde aus unterschiedlichen Kulturkreisen kennen gelernt. ______
4. Man muss zu Beginn genügend eigenes Geld mitbringen. ______
5. Das Leben hier ist nicht so kompliziert. Inzwischen verdienen wir ca. dreimal so viel. ______
6. Die Menschen auf den Behörden waren sehr verständnisvoll. ______
7. Wir wollen immer in Australien bleiben. ______

A Karin Schneider (33) und ihr Mann Dirk (35) aus Berlin verließen Deutschland vor vier Jahren. Unflexibilität und festgefahrene Karriereaussichten hatten bei ihnen immer stärkere Unzufriedenheit ausgelöst, bis sie sich letztendlich dazu entschlossen, nach Australien auszuwandern.
„Wir sind stolz darauf, sagen zu können, dass wir in Australien wieder ganz von vorne angefangen haben und uns innerhalb der vier Jahre, die wir nun hier leben, so weit hochgearbeitet haben, dass wir jetzt etwa das Dreifache verdienen. – Auf gar keinen Fall würden wir wieder nach Deutschland zurückgehen!"

B Oskar Wiesner (56) wollte in Kolumbien noch einmal neu anfangen und eine Schreinerei aufmachen. „Wer im Ausland sein Know-how und sein Fachwissen einbringt und wer über genügend Kapital verfügt, um die Aufbauphase unbeschadet zu überstehen, der wird auch sein Glück finden", war sein Motto. Nur leider kam er überhaupt nicht mit der Mentalität seiner Kunden zurecht. Er ist immer noch dabei, seine Schulden abzuzahlen.

C Jutta Schultinger aus dem niederbayrischen Pfarrkirchen über ihr neues Leben in Kanada: „Wir haben anfangs Arbeiten angenommen, die weit unter unserer Ausbildung lagen, um uns über Wasser zu halten ... Wir fanden zum Glück schnell einen sehr großen, multikulturellen Freundeskreis, und bei sämtlichen Behördengängen wurden uns Verständnis und Entgegenkommen gezeigt. Und obwohl es in den Großstädten Kanadas genauso turbulent zugeht wie in europäischen Großstädten, lebt man doch sehr viel freier und unkomplizierter hier."

b Waren Sie schon einmal für längere Zeit im Ausland bzw. leben Sie bereits im Ausland? Wenn ja, welche Erfahrungen haben Sie gemacht? Wenn nein, könnten Sie sich vorstellen, für längere Zeit im Ausland zu leben? Warum (nicht)? Sprechen Sie im Kurs darüber.

Was Sie in dieser Lektion lernen können:

- sich während eines Gesprächs oder einer Präsentation Notizen machen
- in Texten neue Sachverhalte und detaillierte Informationen verstehen
- sich an Einrichtungen oder Organisationen wenden und um Rat oder Hilfe bitten
- komplexere Situationen telefonisch bewältigen und dabei Bezug auf den Gesprächspartner nehmen
- komplexe Formulare oder Fragebögen ausfüllen und dabei freie Angaben formulieren
- einen anspruchsvollen formellen Brief schreiben
- Schriftwechsel mit Behörden und Dienstleistern selbstständig abwickeln
- in Verträgen die Hauptpunkte verstehen, Rechtliches jedoch nur mithilfe des Wörterbuchs
- lange komplexe Anleitungen verstehen, wenn schwierige Passagen mehrmals gelesen werden können
- mit Behörden und Dienstleistern umgehen
- gezielt Fragen stellen und ergänzende Informationen einholen

10 Wege ins Ausland

1 Wie bekomme ich Informationen?

Lesen
Sprechen

Lesen Sie den Text und kreuzen Sie an, welche Definition von Eurodesk richtig ist.

a. Eurodesk ist ein europaweit etabliertes Netzwerk von Agenturen, das Jugendliche bei der Organisation von Auslandsaufenthalten aller Art unterstützt.
b. Eurodesk ist ein europäisches Informationsnetzwerk, das mit 29 Nationalagenturen und 600 regionalen Servicestellen Auslandsaufenthalte für Jugendliche organisiert.

NÜTZLICHE LINKS ZUM THEMA WEGE INS AUSLAND:

http://www.wege-ins-ausland.de
http://www.inwent.org
http://www.rausvonzuhaus.de
http://www.eurodesk.de
http://www.wwoof.de
http://www.stepstone.de
http://europa.eu/

EURODESK

ist ein europäisches Informationsnetzwerk mit Nationalagenturen in 29 Staaten und über 600 weiteren regionalen Servicestellen. Ziel des Netzwerkes ist es, Jugendlichen und Multiplikatoren der Jugendarbeit den Zugang zu Europa zu erleichtern.

Wir beraten

alle Jugendlichen, die gerne für längere Zeit ins Ausland gehen wollen. Egal, ob Au-Pair, Zivildienst, Sprachaufenthalte, Workcamps, Freiwilligendienste, Schulaufenthalte etc. ... Wir selbst vermitteln bzw. entsenden nicht, sondern geben nur Adressen von Organisationen weiter, die wiederum Programme anbieten.

Telefonberatung (Hotline): 0228/9506-250 | eurodeskde@eurodesk.org | Messen und Beratungstage | persönlicher Kontakt: Godesberger Allee 142-148, 53175 Bonn (bitte zuvor anmelden!)

2 Ein Gespräch zwischen der Studentin Martina Jung und einem Mitarbeiter von Eurodesk

Hören 3, 18–19
Schreiben

a Lesen Sie die Aussagen unten, hören Sie dann das Gespräch und korrigieren Sie anschließend die Aussagen, wo nötig.

1. Die Studentin Martina Jung steht kurz vor dem Diplomabschluss.
2. Der Berater sagt, dass Martina zuerst die Nutzungshinweise im Internet lesen muss.
3. Eurodesk überprüft die Qualität der Organisationen in seinem Netzwerk.
4. Am wichtigsten ist Martina, dass sie ihre Sprachkenntnisse verbessern kann.
5. Der Berater rät von einem Praktikum ab, weil Martina nicht genügend Zeit hat.
6. Die meisten Freiwilligenprogramme dauern ein Jahr.
7. Wenn man bei „wwoof" arbeiten will, muss man sich lange vorher bewerben.
8. Bei „wwoof" muss man für die Unterkunft zahlen.

1. Nein, Martina Jung ist erst im 3. Semester.

b Hören Sie noch einmal: Martina Jung bemüht sich, freundlich und höflich zu sein. Notieren Sie die entsprechenden Ausdrücke. Machen Sie im Kurs eine gemeinsame Liste. Finden Sie, dass es Martina immer gelingt, höflich genug zu sein?

1. Hätten Sie jetzt Zeit oder ...

3 Ein Anruf bei der Gesellschaft für internationale Weiterbildung und Entwicklung

Lesen
Schreiben

a Lesen Sie, was Frau Seemann über Arbeitsmöglichkeiten im Ausland sagt. Was hat Jens Bremer wohl jeweils gefragt? Notieren Sie auf einem Blatt Papier mögliche Fragen.

1. GIW, Seemann, guten Tag. *Guten Tag, hier Jens Bremer. Bin ich hier richtig ...*
2. Ja, genau. Was kann ich für Sie tun? ______
3. Darf ich fragen, wie alt Sie sind? ______
4. ... Ausbildung beendet. Das ist gut. Haben Sie schon Berufspraxis? ______
5. Das macht nicht unbedingt etwas. – Wie steht es mit Fremdsprachen? ______
6. Und wohin zieht es Sie am meisten? ______
7. Tja, da wollen alle hin. Wenn ich Ihnen einen Tipp geben darf: In asiatischen Ländern finden Sie leichter ein Praktikum. Wie lange wollen Sie denn raus? ______
8. Dann wäre Japan genau das Richtige für Sie. Da gibt es das Heinz Nixdorf Programm zur Förderung der Asien-Pazifik-Erfahrung deutscher Nachwuchsführungskräfte. ______
9. Das Programm möchte im Geiste seines Gründers, des Unternehmers Heinz Nixdorf, die Kreativität und unternehmerischen Anlagen der Nachwuchskräfte stärken und sie Marktkenntnisse dort sammeln lassen, wo die Wirtschaft große Dynamik entfaltet – nämlich in Asien. ______
10. Genauere Informationen können Sie über uns erhalten. Haben Sie was zu schreiben? ______
11. Also: InWEnt, Friedrich-Ebert-Allee 40, 53113 Bonn, Tel: 0228/4460-1293. Fax ... ______
12. www.inwent.org, dort finden Sie sicher auch noch andere interessante Informationen. ______
13. Ich wünsche Ihnen viel Erfolg. ______
14. Wiederhören.

Hören 3, 20–21
Sprechen

b Hören Sie nun den Dialog und notieren Sie die Fragen von Jens. Vergleichen Sie sie mit Ihren Fragen, die Sie in Aufgabenteil a notiert haben.

4 Ein Anruf bei der ZAV

Lesen
Schreiben

a Lesen Sie noch mal konzentriert alle fürs Telefonieren nützlichen Redewendungen und Ausdrücke auf dieser Seite sowie die von Ihnen in Aufgabe 2b gesammelten Redewendungen.

b Arbeiten Sie jetzt zu zweit: Sie suchen eine Praktikumsstelle im Ausland. Rufen Sie bei der ZAV an und erkundigen Sie sich nach den Möglichkeiten.

Zentralstelle für Arbeitsvermittlung (ZAV)
Ihre InterNationale Personalagentur

Die Zentralstelle für Arbeitsvermittlung (ZAV) der Bundesagentur für Arbeit (BA) informiert und berät im Bereich ihrer Nachwuchsförderung junge Menschen und vermittelt sie in Jobs und Praktika im Ausland.

Partner A: Fragen

- Praktikum im Ausland
- Altersbegrenzung?
- Dauer?
- Kosten?
- Zeugnis?
- Wer betreut?
- Adresse?

Partner B: Antworten

- in verschiedenen Ländern
- 18–35 Jahre
- 1 bis 12 Monate
- unterschiedlich: manchmal werden Unterkunft, Verpflegung erstattet, manchmal muss man dafür zahlen
- Ja, ausführliches Zeugnis
- ZAV, Team Nachwuchsförderung; dort Ansprechpartner, Anträge etc.
- 53123 Bonn, Villemombler Str. 76

10 Vorbereitungen

1 Im Glaskasten? Ein Bewerbungsfragebogen

Schreiben
Sprechen

a Sie haben sich entschlossen: Sie wollen für ein Jahr ins Ausland gehen. Füllen Sie zunächst den Fragebogen aus und überlegen Sie dabei, ob es Fragen gibt, die Ihnen indiskret oder sogar unzulässig vorkommen.

FRAGEBOGEN ZUR BEWERBUNG

Liebe Bewerberin, lieber Bewerber,

beantworten Sie bitte den folgenden Fragebogen sorgfältig. Sie wissen, dass besondere Anforderungen auf Sie zukommen, wenn Sie im Ausland leben und arbeiten möchten. Deshalb sprechen wir neben den üblichen Fragen auch persönliche Themenbereiche an; so können wir Sie schon im Vorfeld ein bisschen besser kennen lernen.

1. Name
2. Adresse
3. Beruf
4. Alter
5. Wie alt möchten Sie werden?
6. Sind Sie ledig, verheiratet? Warum?
7. Haben Sie Kinder? Warum/warum nicht?
8. Was für ein/e Landsmann/männin sind Sie?
9. Hätten Sie lieber einer anderen Nation (oder Kultur) angehört? Wenn ja, welcher?
10. Welcher politischen Richtung fühlen Sie sich zugehörig?
11. Wie viel möchten Sie im Monat verdienen?
12. Was für Lebensgewohnheiten haben Sie?
13. Wie würden Sie Ihren Gesundheitszustand beschreiben?
14. Welche Eigenschaft schätzen Sie bei einem Vorgesetzten am meisten?
15. Was schätzen Sie an einer Frau/an einem Mann am meisten?
16. Was wäre für Sie das größte Unglück?
17. Wen, der tot ist, würden Sie gern kennen lernen bzw. wiedersehen?
18. An Gott glauben ist der Gipfel des Pessimismus. Stimmen Sie dieser Auffassung zu?
19. Lieben Sie jemanden? Und woraus schließen Sie das?
20. Was fehlt Ihnen zum Glück?

b Tauschen Sie sich jetzt im Kurs aus: Welche Fragen finden Sie besonders (un)interessant, indiskret etc.? Je nach Situation (privat, beruflich, ...) oder kulturellem Kontext bewerten Sie die Fragen sicher unterschiedlich – warum? Begründen Sie Ihre Meinung.

2 Die Checkliste – noch zu erledigen

Schreiben

Nun ist es so weit: Der Umzug steht bevor. Schreiben Sie Briefe zu einem oder mehreren der unerledigten Punkte auf der Checkliste. Passende Redemittel finden Sie unten.

LETZTE ERLEDIGUNGEN:
1. Impfungen ✓
2. Gesundheitscheck ✓
3. Jugendzentrum informieren
4. Zeitungsabonnement – neue Adresse
5. Telefonanschluss kündigen

zu 3. Jugendzentrum informieren:
Sie haben bisher ehrenamtlich in einem Jugendzentrum geholfen. Das können Sie natürlich jetzt nicht mehr tun. Informieren Sie die Leitung des Zentrums.

zu 4. Zeitungsabonnement – neue Adresse:
Lassen Sie sich die Zeitung an die neue Adresse schicken.

zu 5. Telefonanschluss kündigen:
Kündigen Sie Ihren Telefonanschluss.

Ich wende mich an Sie, um Ihnen mitzuteilen, dass ... | Ich bitte Sie, ... | Ich wäre Ihnen sehr dankbar, wenn Sie ab dem (Datum) ... | Ich möchte Sie bitten ... | Hiermit möchte ich Ihnen mitteilen, dass ... | Hiermit kündige ich ... zum (Datum). | Da ich eine Tätigkeit im Ausland aufnehmen werde, ... | ..., weil ich ins Ausland gehen werde. | Bedauerlicherweise ... | Für eine kurze Bestätigung wäre ich dankbar. | Ich bedaure sehr/zutiefst, dass ...

3 So viele Schreiben ...

Lesen

a Lesen Sie den Brief und unterstreichen Sie die wichtigsten Informationen.

Wohnheim Möncke | Hansastraße 176 | 20148 Hamburg
Tel.: +49/040/395217 | Fax: +49/040/395218

23. Januar 20...

Frau
Elisa Vieira de Melo
Rua Duarte 56 r/c dto.
4050 Porto
Portugal

Ihre Anfrage vom 20.01. ..

Sehr geehrte Frau Vieira de Melo,

vielen Dank für Ihre Anfrage. Es freut uns, dass Sie im Rahmen des Europäischen Freiwilligendienstes nach Deutschland kommen.

Leider müssen wir Ihnen mitteilen, dass wir im Moment kein Einzelzimmer frei haben. Wir haben aber noch einige wenige Plätze in unseren frisch renovierten Doppelzimmern. Wunschgemäß legen wir eine Informationsbroschüre bei, aus der Sie Größe und Ausstattung der noch zur Verfügung stehenden Zimmer sowie die Höhe der Miete ersehen können.

Falls Sie an einem Platz in einem der Doppelzimmer interessiert sind, bitten wir Sie, den ausgefüllten und unterschriebenen Mietvertrag (ebenfalls in der Anlage) möglichst bald an uns zurückzusenden. Dies ist Voraussetzung für die Reservierung. Für zusätzliche Informationen stehen wir Ihnen jederzeit gern zur Verfügung.

Mit freundlichen Grüßen

Alfons Gruber

i. A. Alfons Gruber
Hausverwalter

Anlagen

Schreiben

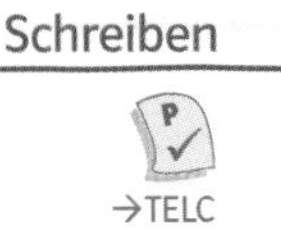

→TELC

b Beantworten Sie nun den Brief.

Ihre Antwort soll Folgendes enthalten:
Dank für den Erhalt des Schreibens und der Informationsbroschüre. Da die darin enthaltenen Informationen nicht ganz klar sind, fragen Sie:

- Jedes Doppelzimmer eigene Dusche und WC?
- Telefon?
- Internetanschluss, Fernseher?
- Wann freies Einzelzimmer?

Geben Sie eine gute Begründung, warum Sie so bald wie möglich ein Einzelzimmer bekommen sollten.
Bitten Sie um eine möglichst schnelle Beantwortung.
Achten Sie auch auf die formale Gestaltung des Briefes.

REDEWENDUNGEN IM BRIEF:

Erinnern Sie sich an typische Redewendungen im Brief? Sonst schauen Sie im Arbeitsbuch, Lektion 6, nach.

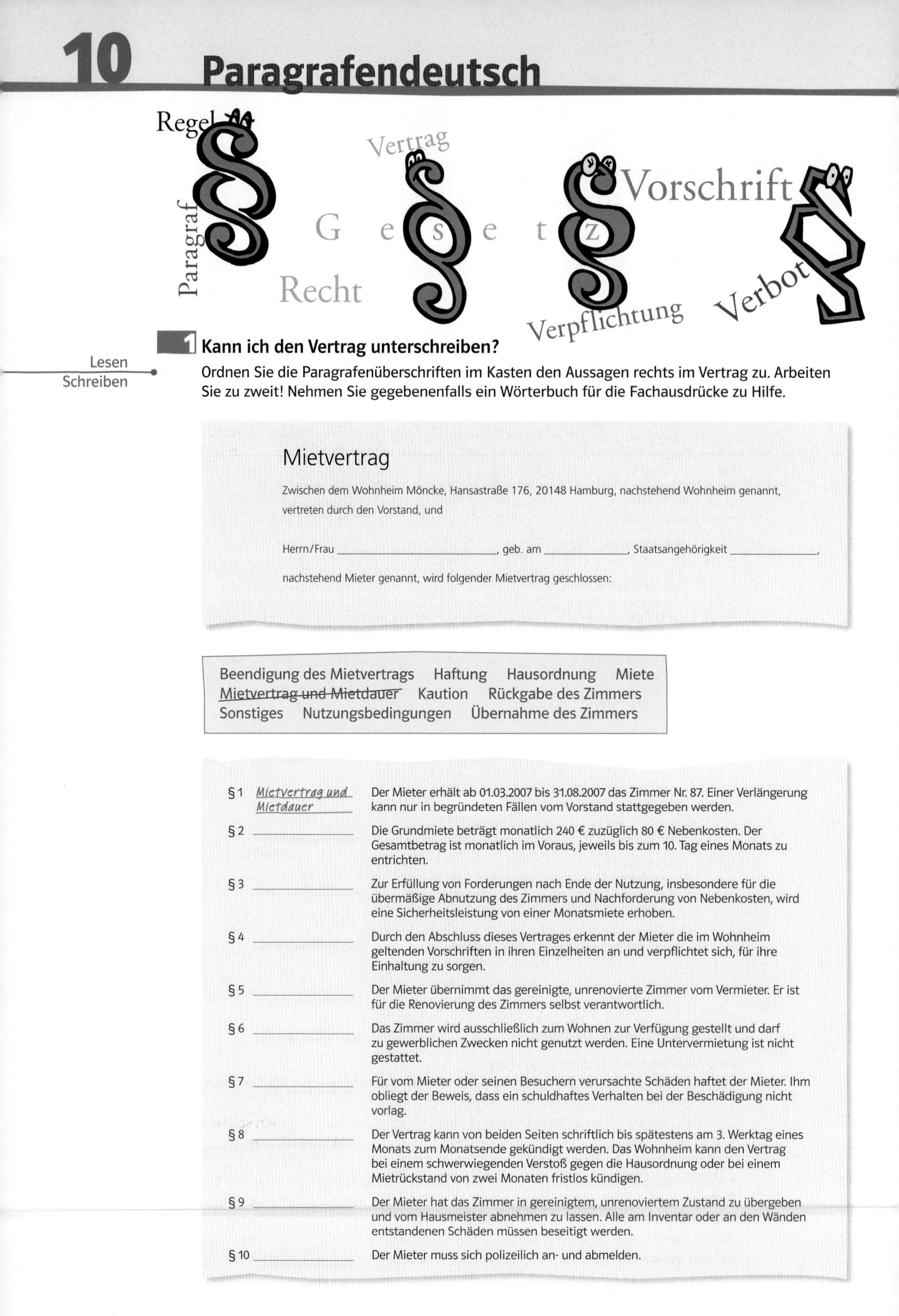

10 Paragrafendeutsch

Lesen
Schreiben

1 Kann ich den Vertrag unterschreiben?

Ordnen Sie die Paragrafenüberschriften im Kasten den Aussagen rechts im Vertrag zu. Arbeiten Sie zu zweit! Nehmen Sie gegebenenfalls ein Wörterbuch für die Fachausdrücke zu Hilfe.

Mietvertrag

Zwischen dem Wohnheim Möncke, Hansastraße 176, 20148 Hamburg, nachstehend Wohnheim genannt, vertreten durch den Vorstand, und

Herrn/Frau ____________________, geb. am ____________, Staatsangehörigkeit ____________,

nachstehend Mieter genannt, wird folgender Mietvertrag geschlossen:

Beendigung des Mietvertrags   Haftung   Hausordnung   Miete
~~Mietvertrag und Mietdauer~~   Kaution   Rückgabe des Zimmers
Sonstiges   Nutzungsbedingungen   Übernahme des Zimmers

§ 1 *Mietvertrag und Mietdauer* — Der Mieter erhält ab 01.03.2007 bis 31.08.2007 das Zimmer Nr. 87. Einer Verlängerung kann nur in begründeten Fällen vom Vorstand stattgegeben werden.

§ 2 ____________ Die Grundmiete beträgt monatlich 240 € zuzüglich 80 € Nebenkosten. Der Gesamtbetrag ist monatlich im Voraus, jeweils bis zum 10. Tag eines Monats zu entrichten.

§ 3 ____________ Zur Erfüllung von Forderungen nach Ende der Nutzung, insbesondere für die übermäßige Abnutzung des Zimmers und Nachforderung von Nebenkosten, wird eine Sicherheitsleistung von einer Monatsmiete erhoben.

§ 4 ____________ Durch den Abschluss dieses Vertrages erkennt der Mieter die im Wohnheim geltenden Vorschriften in ihren Einzelheiten an und verpflichtet sich, für ihre Einhaltung zu sorgen.

§ 5 ____________ Der Mieter übernimmt das gereinigte, unrenovierte Zimmer vom Vermieter. Er ist für die Renovierung des Zimmers selbst verantwortlich.

§ 6 ____________ Das Zimmer wird ausschließlich zum Wohnen zur Verfügung gestellt und darf zu gewerblichen Zwecken nicht genutzt werden. Eine Untervermietung ist nicht gestattet.

§ 7 ____________ Für vom Mieter oder seinen Besuchern verursachte Schäden haftet der Mieter. Ihm obliegt der Beweis, dass ein schuldhaftes Verhalten bei der Beschädigung nicht vorlag.

§ 8 ____________ Der Vertrag kann von beiden Seiten schriftlich bis spätestens am 3. Werktag eines Monats zum Monatsende gekündigt werden. Das Wohnheim kann den Vertrag bei einem schwerwiegenden Verstoß gegen die Hausordnung oder bei einem Mietrückstand von zwei Monaten fristlos kündigen.

§ 9 ____________ Der Mieter hat das Zimmer in gereinigtem, unrenoviertem Zustand zu übergeben und vom Hausmeister abnehmen zu lassen. Alle am Inventar oder an den Wänden entstandenen Schäden müssen beseitigt werden.

§ 10 ____________ Der Mieter muss sich polizeilich an- und abmelden.

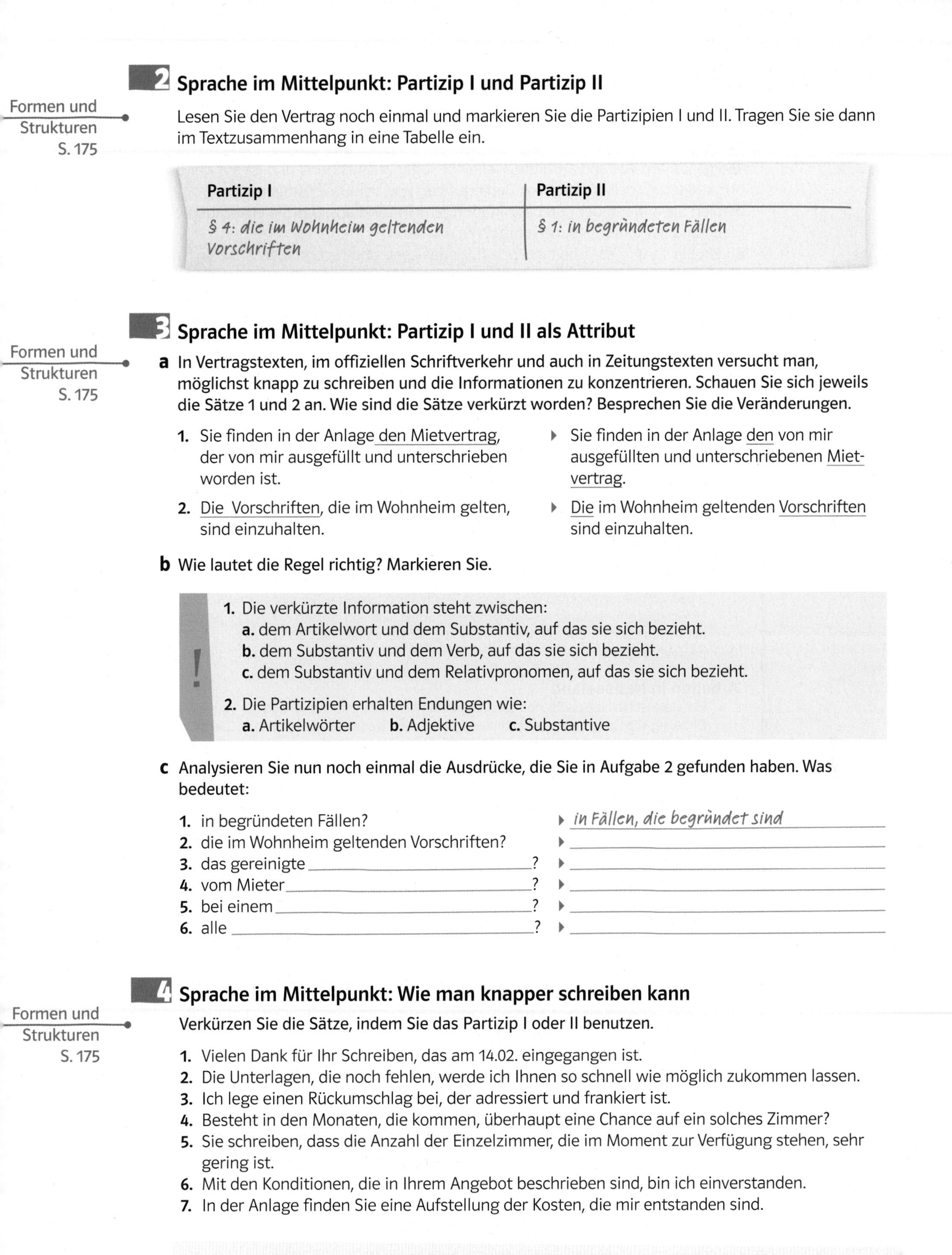

2 Sprache im Mittelpunkt: Partizip I und Partizip II

Formen und Strukturen S. 175

Lesen Sie den Vertrag noch einmal und markieren Sie die Partizipien I und II. Tragen Sie sie dann im Textzusammenhang in eine Tabelle ein.

Partizip I	Partizip II
§ 4: die im Wohnheim geltenden Vorschriften	§ 1: in begründeten Fällen

3 Sprache im Mittelpunkt: Partizip I und II als Attribut

Formen und Strukturen S. 175

a In Vertragstexten, im offiziellen Schriftverkehr und auch in Zeitungstexten versucht man, möglichst knapp zu schreiben und die Informationen zu konzentrieren. Schauen Sie sich jeweils die Sätze 1 und 2 an. Wie sind die Sätze verkürzt worden? Besprechen Sie die Veränderungen.

1. Sie finden in der Anlage den Mietvertrag, der von mir ausgefüllt und unterschrieben worden ist. ▸ Sie finden in der Anlage den von mir ausgefüllten und unterschriebenen Mietvertrag.
2. Die Vorschriften, die im Wohnheim gelten, sind einzuhalten. ▸ Die im Wohnheim geltenden Vorschriften sind einzuhalten.

b Wie lautet die Regel richtig? Markieren Sie.

!

1. Die verkürzte Information steht zwischen:
   a. dem Artikelwort und dem Substantiv, auf das sie sich bezieht.
   b. dem Substantiv und dem Verb, auf das sie sich bezieht.
   c. dem Substantiv und dem Relativpronomen, auf das sie sich bezieht.
2. Die Partizipien erhalten Endungen wie:
   a. Artikelwörter **b.** Adjektive **c.** Substantive

c Analysieren Sie nun noch einmal die Ausdrücke, die Sie in Aufgabe 2 gefunden haben. Was bedeutet:

1. in begründeten Fällen? ▸ in Fällen, die begründet sind
2. die im Wohnheim geltenden Vorschriften? ▸ ______
3. das gereinigte ______? ▸ ______
4. vom Mieter ______? ▸ ______
5. bei einem ______? ▸ ______
6. alle ______? ▸ ______

4 Sprache im Mittelpunkt: Wie man knapper schreiben kann

Formen und Strukturen S. 175

Verkürzen Sie die Sätze, indem Sie das Partizip I oder II benutzen.

1. Vielen Dank für Ihr Schreiben, das am 14.02. eingegangen ist.
2. Die Unterlagen, die noch fehlen, werde ich Ihnen so schnell wie möglich zukommen lassen.
3. Ich lege einen Rückumschlag bei, der adressiert und frankiert ist.
4. Besteht in den Monaten, die kommen, überhaupt eine Chance auf ein solches Zimmer?
5. Sie schreiben, dass die Anzahl der Einzelzimmer, die im Moment zur Verfügung stehen, sehr gering ist.
6. Mit den Konditionen, die in Ihrem Angebot beschrieben sind, bin ich einverstanden.
7. In der Anlage finden Sie eine Aufstellung der Kosten, die mir entstanden sind.

1. Vielen Dank für Ihr am 14.02. eingegangenes Schreiben.

10 Weg – aber wohin?

Lesen
Sprechen

1 Was sind die Voraussetzungen?

a Helfen Sie Ihrer Freundin / Ihrem Freund bei der Auswanderungsentscheidung!

Stellen Sie sich vor, eine gute Freundin oder ein guter Freund aus Deutschland möchte gern für einige Zeit im Ausland arbeiten, vielleicht sogar auswandern, und ist auf der Suche nach Informationen zu den wichtigsten Bedingungen und Voraussetzungen.

- Wählen Sie anhand der Kurzbeschreibungen ein Land aus, das Sie einer ausreisewilligen Freundin oder einem Freund empfehlen würden.
- Bilden Sie dann eine Arbeitsgruppe für jedes Land und recherchieren Sie (im Internet, bei Organisationen wie z. B. der Handelskammer) oder bitten Sie Ihre Lehrerin / Ihren Lehrer um Informationsmaterial.
- Die Webseite www.stepstone.de beantwortet unter dem Stichwort „Bewerbung und Karriere" Fragen zum Thema „Arbeiten im Ausland".
  Welches sind die wichtigsten Voraussetzungen, um im jeweiligen Land zu arbeiten (z. B. Visum, Aufenthaltsgenehmigung, Arbeitserlaubnis, Steuern etc.)?
  Was ist noch besonders wichtig (z. B. Verhaltensregeln, Sprachliches, etc.)?

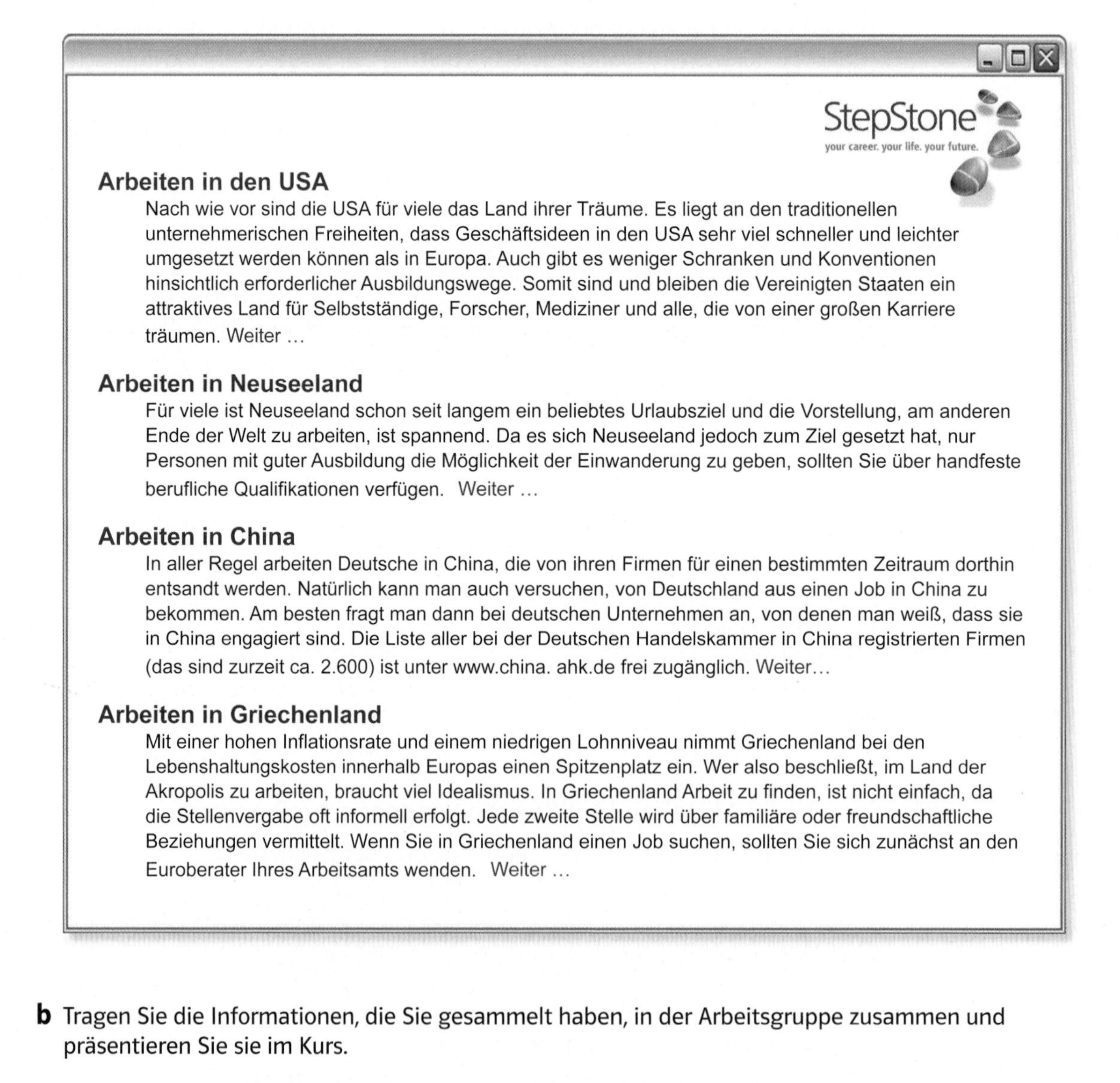

StepStone
your career. your life. your future.

Arbeiten in den USA

Nach wie vor sind die USA für viele das Land ihrer Träume. Es liegt an den traditionellen unternehmerischen Freiheiten, dass Geschäftsideen in den USA sehr viel schneller und leichter umgesetzt werden können als in Europa. Auch gibt es weniger Schranken und Konventionen hinsichtlich erforderlicher Ausbildungswege. Somit sind und bleiben die Vereinigten Staaten ein attraktives Land für Selbstständige, Forscher, Mediziner und alle, die von einer großen Karriere träumen. Weiter …

Arbeiten in Neuseeland

Für viele ist Neuseeland schon seit langem ein beliebtes Urlaubsziel und die Vorstellung, am anderen Ende der Welt zu arbeiten, ist spannend. Da es sich Neuseeland jedoch zum Ziel gesetzt hat, nur Personen mit guter Ausbildung die Möglichkeit der Einwanderung zu geben, sollten Sie über handfeste berufliche Qualifikationen verfügen. Weiter …

Arbeiten in China

In aller Regel arbeiten Deutsche in China, die von ihren Firmen für einen bestimmten Zeitraum dorthin entsandt werden. Natürlich kann man auch versuchen, von Deutschland aus einen Job in China zu bekommen. Am besten fragt man dann bei deutschen Unternehmen an, von denen man weiß, dass sie in China engagiert sind. Die Liste aller bei der Deutschen Handelskammer in China registrierten Firmen (das sind zurzeit ca. 2.600) ist unter www.china. ahk.de frei zugänglich. Weiter…

Arbeiten in Griechenland

Mit einer hohen Inflationsrate und einem niedrigen Lohnniveau nimmt Griechenland bei den Lebenshaltungskosten innerhalb Europas einen Spitzenplatz ein. Wer also beschließt, im Land der Akropolis zu arbeiten, braucht viel Idealismus. In Griechenland Arbeit zu finden, ist nicht einfach, da die Stellenvergabe oft informell erfolgt. Jede zweite Stelle wird über familiäre oder freundschaftliche Beziehungen vermittelt. Wenn Sie in Griechenland einen Job suchen, sollten Sie sich zunächst an den Euroberater Ihres Arbeitsamts wenden. Weiter …

b Tragen Sie die Informationen, die Sie gesammelt haben, in der Arbeitsgruppe zusammen und präsentieren Sie sie im Kurs.

Sprechen

2 Arbeiten in den deutschsprachigen Ländern (D, A, CH)

Bilden Sie drei Arbeitsgruppen. Finden Sie heraus, welches die wichtigsten Bedingungen sind, um als Ausländer / in in diesen Ländern zu arbeiten. Stellen Sie Ihre Ergebnisse im Kurs vor.

Sprechen

3 Ich möchte in Deutschland arbeiten – das Ausländeramt kann helfen

a Was wissen Sie über die Voraussetzungen dafür, dass man als Ausländer eine Aufenthaltserlaubnis und eine Arbeitsgenehmigung erhält? Sammeln Sie Informationen im Kurs.

b Telefonieren Sie nun mit einem Mitarbeiter des Ausländeramts und erkundigen Sie sich genauer. Bilden Sie Vierergruppen und bereiten Sie den Dialog gemeinsam vor. Dann spielen zwei das Gespräch, zwei sind Zuhörer.

Anrufer/in	Ausländeramt
Fragen Sie, wer zuständig ist.	Sie selbst; fragen Sie nach den Wünschen.
Fragen Sie nach den Bedingungen für Aufenthalts- und Arbeitserlaubnis für einen ausländischen Freund.	Verweisen Sie höflich auf die Homepage des Amtes.
Kein Computer; in der Arbeitszeit nicht erlaubt, im Internet zu recherchieren.	Akzeptieren Sie die Erklärung; fragen Sie nach, worum es genau geht.
Ein ägyptischer Freund soll an der Kölner Universität als Gastwissenschaftler arbeiten. Visum? Welche Unterlagen?	Antrag bei der deutschen Auslandsvertretung in Ägypten. Arbeitsvertrag, Mietvertrag.
Drücken Sie Ihre Verwunderung aus.	Ohne „aussagekräftige Unterlagen" kein Visum. Hilfe durch Universität?
Voraussetzungen für Aufenthalts- und Arbeitserlaubnis? Zuständigkeit?	Ausländeramt erteilt Arbeitsgenehmigung und Arbeitserlaubnis, wenn Bundesagentur für Arbeit geprüft hat, ob Deutsche oder „bevorrechtigte Ausländer" die Arbeit machen könnten.
Bitten Sie um Erläuterung.	Bevorrechtigte Ausländer – solche aus Staaten der EU; keine Arbeitsgenehmigung nötig.
Drücken Sie Ihr Erstaunen aus. Ihr Freund ist Wissenschaftler (Biotechnologe). Fragen Sie, ob es kein anderes Verfahren gibt.	Ausnahmen für Hochqualifizierte. Befristete Aufenthaltsgenehmigung zur Ausübung einer Erwerbstätigkeit.
Bedanken und verabschieden Sie sich.	Reagieren Sie darauf.

c Besprechen Sie zu viert den Gesprächsverlauf und überlegen Sie Verbesserungsmöglichkeiten. Tauschen Sie dann die Rollen und spielen Sie den Dialog noch einmal.

Formen und Strukturen S. 162

4 Sprache im Mittelpunkt: ... ohne sich Gedanken zu machen

Lesen Sie die Sätze und versuchen Sie herauszufinden, wann man „ohne zu" und wann „ohne dass" benutzt.

1. John ist ins Ausland gegangen, ohne sich allzu viele Gedanken gemacht zu haben.
2. Er begann zu arbeiten, ohne die Sprache gelernt zu haben.
3. Ohne sich den Kopf zu zerbrechen, meinte er, es ginge auch mit Englisch.
4. Er traf Entscheidungen, ohne „sein Team" zu fragen.
5. Ohne dass er es gemerkt hätte, begannen die Kollegen, ihn zu meiden.
6. Die Stimmung wurde immer schlechter, ohne dass es ihm aufgefallen wäre.
7. Er gab den anderen die Schuld, ohne einen Moment an sich selbst zu zweifeln.
8. Sein Projekt scheiterte, ohne dass er sich gefragt hätte, warum.

Wann benutzt man „ohne zu" und wann „ohne dass"?

1. Wenn das Subjekt in Haupt- und Nebensatz gleich ist: ______________.
2. Wenn Haupt- und Nebensatz zwei verschiedene Subjekte haben: ______________.

1 Mein größter Kulturschock

Sprechen
Lesen

a Was fällt Ihnen zu den folgenden Stichworten ein? Worum könnte es in einem Text mit diesen Zwischenüberschriften gehen? Sammeln Sie Ideen und tauschen Sie sich im Kurs aus.

A Angst vor den toten Seelen
B Der Reiz des Unschönen
C Liebe erzieht zu Toleranz und Respekt
D Die Wiedergeburt des Menschen
E Kulturelles Missverständnis durch Unwissenheit

b Lesen Sie den folgenden Text und ordnen Sie die Zwischenüberschriften aus Aufgabenteil a den einzelnen Abschnitten zu.

Geister in der Stadt

1 B

Meinen größten Kulturschock erlebte ich vor sieben Jahren, kurz nach meiner Ankunft in Berlin. Ich war noch nie in Europa gewesen. Mein lieber Freund, ein großer Stadtwanderer, zeigte mir sein ganz persönliches Berlin: Hinterhöfe im Prenzlauer Berg, ramponierte Fassaden mit uralter Gewerbe-Beschriftung. Seltsam, das Hässliche schien ihm schön.

2 ______

Dann standen wir vor einem schmiedeeisernen Tor. Dahinter ein breiter Kiesweg, beschattet von mächtigen Bäumen. Ein Park, dachte ich. Das stimmte nur fast. Mein Freund zog mich durch den Eingang und erklärte, dies sei sein Lieblingsfriedhof. Er komme oft hierher. Der Friedhof liege ja auch nur zwei Ecken entfernt von unserer künftigen gemeinsamen Wohnung. Um Buddhas willen! Jetzt sah ich's: ringsum nichts als Gräber. Mir brach der Schweiß aus. Ich musste sofort weg – fürs Erste raus, vor das Eisentor, zweitens möglichst schnell zurück nach Taiwan. Entweder war mein Freund pervers, oder, auch nicht beruhigender, die deutsche Normalität entsprach der von Edgar Allan Poe.

3 ______

Am Märchenbrunnen im Volkspark Friedrichshain habe ich mich dann etwas beruhigt und meinem Freund das Problem erklärt. Er hatte zwar Theologie studiert, aber vom Verhältnis der Asiaten zu ihren Toten wusste er nichts. Buddhisten glauben an Reinkarnation. Wer keines natürlichen Todes gestorben ist, kann auch nicht wiedergeboren werden. Die rastlosen Seelen bevölkern die Lüfte auf der Suche nach Vergeltung und Gerechtigkeit. Sie versuchen, sich anderer Seelen zu bemächtigen, die dann an ihrer Stelle durch die Welten geistern müssen. In Asien gehören den Toten die abgelegensten Hügel.

4 ______

Mein Freund sprach mit mir sehr vernünftig, doch er merkte bald, dass seine Kategorien von Glaube und Erfahrung hier nicht halfen. Er war Vikar und hatte viele Beerdigungen durchgeführt. Aus Liebe nimmt man manches in Kauf. Unsere Wohnung lag nun einmal, wo sie lag, und eine andere hätte einen anderen Friedhof in der Nachbarschaft gehabt. Ich redete mir schließlich ein, dass mich deutsche Geister nie besuchen würden.

5 ______

Inzwischen sind wir sechs Jahre verheiratet und sind viel gereist. Friedhofsbesichtigungen blieben für meinen Mann ein unentbehrlicher Teil seiner Urlaubsexkursionen. Ich gebe ihm dann frei, und er unterlässt es, mich in diesem Punkt zur Gemeinsamkeit zu bekehren. Immerhin macht mir die Nähe eines Friedhofs keine Angst mehr, sofern ich ihn nicht betreten muss.

c Kennen Sie Erlebnisse im Ausland oder mit Ausländern, die man als Kulturschock bezeichnen könnte? Berichten Sie darüber im Kurs und versuchen Sie, gemeinsam herauszufinden, wie es jeweils dazu kam.

2 Anpassung an eine neue Kultur

Lesen
Sprechen

a Besprechen Sie in Kleingruppen die Grafik rechts.

b In den Textabschnitten A bis D werden die Phasen der Anpassung an eine neue Kultur beschrieben. Ordnen Sie die Phasen in der zeitlichen Reihenfolge (erste, zweite, dritte, vierte Phase).

A In der ____________ Phase, der Phase der Akkulturation, erfolgt Anpassung an die neue Kultur.

B In der ____________ Phase ändert sich die Stimmung: Die lokale Küche, das lokale Klima, das Verhalten der Menschen werden oft als unangenehm empfunden.

C In der ____________ Phase, der Stabilisierungsphase, zeigt sich, wie weit man sich individuell anpassen kann.

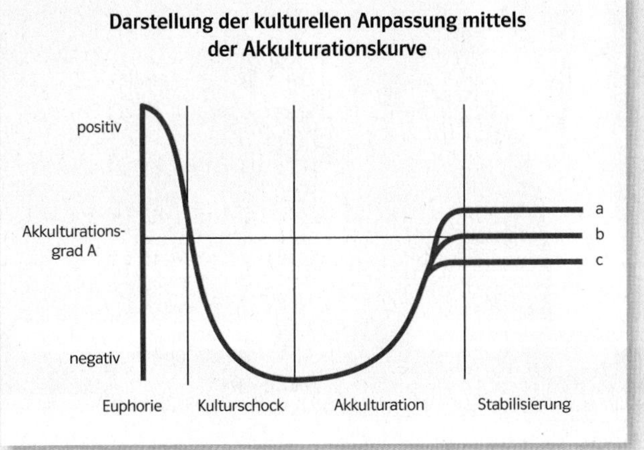

D Die ____________ Phase der kulturellen Anpassung ist geprägt von Euphorie. Der erste Kontakt mit der neuen Kultur löst Interesse und Optimismus aus. Die neue Umgebung wird als sehr bereichernd erlebt.

c Lesen Sie den nachfolgenden Auszug aus einem Brief einer Brasilianerin an ihre Deutschlehrerin zu Hause. Welche Phasen können Sie darin entdecken? Haben Sie schon einmal ähnliche Erfahrungen gemacht? Berichten Sie im Kurs.

Im Herbst, als ich hier ankam, war ich total begeistert. Alles so sauber, ordentlich, die Straßen mit schönen Steinen gepflastert. Dann die Natur, bunte Blätter, blauer Himmel, ein Traum! Die Menschen in den Cafés, fast wie bei uns. Aber jetzt: Einen Monat lang hat es nur geregnet. Um 16.00 Uhr wird es schon dunkel. Stellen Sie sich vor, jetzt sind es -16 Grad. Minus! In unserer Kühltruhe sind es -18! Da können Sie sich vorstellen, wie ich mich fühle. Und genau so kalt finde ich die Menschen. Im Bus schaut jeder vor sich hin, keiner spricht mit dem anderen – am liebsten möchte ich den ganzen Tag im Bett bleiben!

3 Ferne Nähe

Lesen
Sprechen

a In der Tabelle ist die Zahl der Körperberührungen von Personen angegeben, die nachmittags in einem Café zusammensitzen. Sprechen Sie in Kleingruppen darüber.

Land	Häufigkeit der Körperberührungen
San Juan (Puerto Rico)	180
Paris (Frankreich)	110
Gainesville (USA)	2
London (England)	0

b Wie spiegelt sich dies zum Beispiel bei der Begrüßung, Verabschiedung oder beim Gespräch in unterschiedlichen Kulturen wider? Sammeln Sie Beispiele und berichten Sie dann im Kurs darüber. Vielleicht können Sie diese Beispiele auch in einer kurzen Szene darstellen.

11 Leistungen

1 Was steckt dahinter?

Hören 3, 22
Sprechen

a Diese Menschen haben Schlagzeilen gemacht. Welche Geschichten könnten sich hinter diesen Bildern verbergen?

b Hören Sie nun einen kurzen Radiobeitrag. Auf welches Bild bezieht sich der Radiobeitrag? Was hat diese Person geleistet?

2 Leistungsstarke Wörter

Sprechen
Schreiben

a Welche dieser Begriffe sind positiv (+), welche negativ (-)?

hartnäckig beharrlich talentiert risikofreudig verbissen entschlossen
stur erfindungsreich zielstrebig besessen vorbildlich selbstbewusst
eigensinnig ausdauernd eitel humorvoll masochistisch fleißig

b Notieren Sie zu den Adjektiven aus Aufgabenteil a die passenden Nomen.

c Kennen Sie die Sprichwörter? Ersetzen Sie die falschen Wörter mithilfe der Wörter im Schüttelkasten.

Meister Schmied Übung wagt Preis Dorf Faulheit süchtig ~~vom Himmel~~

1. Es ist noch kein Meister von der Leiter gefallen. vom Himmel
2. Jeder ist seines Glückes Ingenieur. ______
3. Dummheit ist die Triebfeder des Fortschritts. ______
4. Lieber der Erste im Hof als der Zweite in der Stadt. ______
5. Ohne Fleiß kein Eis. ______
6. Wer nicht fragt, der nicht gewinnt. ______
7. Früh übt sich, wer ein Popstar werden will. ______
8. Erfolg macht lustig. ______
9. Führung macht den Meister. ______

3 Ungewöhnliche Geschichten

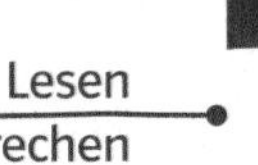
Lesen
Sprechen

a Das sind die Leistungen der Personen aus Aufgabe 1. Welche finden Sie am beeindruckendsten bzw. am wenigsten beeindruckend?

Christiane Nüsslein-Volhard: Die Leiterin des Max-Planck-Instituts für Entwicklungsbiologie erhielt 1995 den Nobelpreis für Medizin und Physiologie für ihre Forschungen über die genetische Steuerung der frühen Embryonalentwicklung. Seit 2001 ist sie Mitglied im Nationalen Ethikrat der deutschen Bundesregierung.

Clemens Mayer: Der Gedächtnisweltmeister von 2005 kann sich in fünf Minuten 280 Ziffern, die auf einem Blatt notiert sind, oder die Abfolge von 52 Spielkarten merken. Sein Geheimnis: Eselsbrücken. Dabei verknüpft er jede Zahl oder Spielkarte mit einem bestimmten Bild: So verbindet er eine Karo drei z. B. mit einem Grizzlybär, eine Pik fünf mit Steinen. Als Abfolge der Karten ergibt sich so z. B. ein Grizzlybär, der Steine wirft.

Clara Schumann (1819–1896): Schon als 5-Jährige erhielt sie Klavierunterricht. 1828 gab die neunjährige Clara Schumann in ihrer Geburtsstadt Leipzig ihr Debüt, im Alter von 13 Jahren unternahm sie ihre erste Konzertreise und gilt schon bald als eine der bedeutendsten Pianistinnen ihrer Zeit.

Wolfgang Fasching: Der Extremsportler gewinnt die 20. Auflage des „Race across America". Für das über 4843 Kilometer lange Rennen benötigte der Radfahrer nicht mehr als 8 Tage, 10 Stunden und 49 Minuten. Während des Rennens verbrauchte Fasching knapp 160.000 Kalorien und kam dabei mit 6 Stunden 10 Minuten Schlafzeit aus.

b Welche Eigenschaften und Fähigkeiten sind Ihrer Meinung nach notwendig, um diese Leistungen vollbringen zu können?

4 Eine wahre Meisterleistung

Lesen
Sprechen

a Was verstehen Sie unter Leistung? (0 = keine Leistung, 1 = unklar, 2 = Leistung)

1. Ein Fußballer erzielt im WM-Finale für seine Nationalmannschaft den Siegtreffer. ☐
2. Im Zirkus zaubert ein Magier eine Taube hinter dem Ohr eines Zuschauers hervor. ☐
3. Trotz schlechten Gewissens geht Herr Stark am Montag nicht zur Arbeit. ☐
4. Ein 10-Jähriger fährt zum ersten Mal alleine mit dem Bus. ☐
5. Ein Gepard erreicht auf der Jagd nach seiner Beute bis zu 110 Kilometer pro Stunde. ☐
6. Ein Wunderheiler schafft es, einen Patienten zu heilen. ☐
7. Ein Spitzen-Langläufer gewinnt bei den Olympischen Spielen die Goldmedaille. Niemand weiß allerdings, dass er Dopingmittel genommen hat. ☐

b Vergleichen Sie zu zweit Ihre Ergebnisse. Diskutieren Sie anschließend im Kurs: Was macht diese Tätigkeiten zu Leistungen?

5 Ihr ganz persönlicher Favorit

Schreiben

Überlegen Sie sich, wer in Ihren Augen eine besondere Leistung vollbracht hat und den Nobelpreis verdient, oder recherchieren Sie über einen beliebigen Nobelpreisträger. Schreiben Sie einen detaillierten Bericht darüber, worin dessen hervorragende Leistung bestand bzw. besteht.

Was Sie in dieser Lektion lernen können:

- über aktuelle und abstrakte Themen sprechen und Gedanken und Meinungen dazu äußern
- über interessante Themen klare und detaillierte Berichte schreiben
- eigene Gedanken und Gefühle mündlich beschreiben
- in Texten neue Sachverhalte und detaillierte Informationen verstehen
- in Artikeln und Berichten über aktuelle Themen Haltungen und Standpunkte verstehen
- Informationen und Sachverhalte schriftlich weitergeben und erklären
- Anzeigen zu Themen eines Fach- oder Interessengebiets verstehen
- Informationen und Argumente schriftlich zusammenführen und abwägen
- ein Thema schriftlich darlegen, Punkte hervorheben sowie Beispiele anführen
- Erfahrungen, Ereignisse, Einstellungen darlegen und die eigene Meinung mit Argumenten stützen
- den eigenen Standpunkt begründen und Stellung zu Aussagen anderer nehmen
- einen kurzen Text relativ spontan und frei vortragen

11 Schneller, höher, weiter

1 Erfolgsrezepte

Lesen
Sprechen

a Lesen Sie folgende Redensarten und erklären Sie deren Bedeutung.

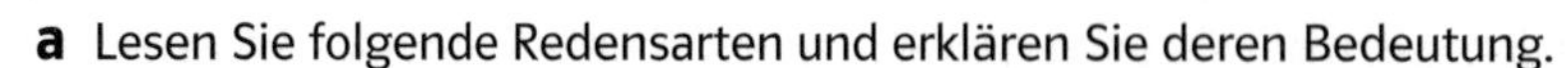

Erfolg passiert im Kopf.

Wo ein Wille ist, ist auch ein Weg.

Vom Tellerwäscher zum Millionär.

Als Zweiter ist man erster Verlierer.

b Tauschen Sie Ihre Meinungen und Erfahrungen in Kleingruppen aus und berichten Sie dann im Kurs:

- Welche Geschichten kennen Sie, die zu den Aussagen in Aufgabenteil a passen?
- Wie ist das Gefühl, wenn Sie Ihr Ziel erreicht haben? Versuchen Sie, das Gefühl so genau wie möglich zu beschreiben.
- Wie ist das Gefühl, wenn Sie gescheitert sind? Versuchen Sie, das Gefühl so genau wie möglich zu beschreiben.
- Notieren Sie die Gründe für ein Erfolgserlebnis bzw. Misserfolgserlebnis. Warum hat es einmal besser geklappt, ein anderes Mal weniger?

2 Mehr Erfolg im Job durch Coaching

Lesen

a Lesen Sie den Artikel aus einer deutschen Fachzeitschrift für Wirtschaft.

Sie arbeiten an Ihrer Karriere und wollen mehr Erfolg? Sie haben Probleme am Arbeitsplatz und fürchten um Ihre Stelle? Oder frisst Ihr Job Sie auf und Sie haben kaum noch Zeit für Ihr Privatleben? Dann ist es Zeit für ein Coaching.
5 Egal ob Sie Sachbearbeiter(in), Teamleiter(in), Existenzgründer(in) oder Spitzenmanager(in) sind, Coaching ist immer dann sinnvoll, wenn Sie sich in Ihrem Beruf verändern möchten oder neue Prioritäten setzen müssen, wenn die Unzufriedenheit mit Ihrer Arbeit wächst oder Ihre 10 Work-Life-Balance aus dem Gleichgewicht geraten ist. Ob Sie dann ein Karriere-, Bewerbungs-, Konflikt- oder Existenzgründungs-, Einzel- oder Gruppencoaching haben, entscheiden Sie gemeinsam mit dem Coach.
Aber was ist eigentlich ein Coach? Hinter dem Begriff 15 Coach verbirgt sich nicht etwa ein wild gestikulierender Trainer, der sein Team vom Spielfeldrand aus zum Sieg antreibt, sondern ein Coach versteht sich als professioneller Berater für Personen mit organisatorischen Aufgaben. In einer persönlichen Beratungssituation unterstützt 20 er seinen Klienten (Coachee) bei der Bewältigung seiner beruflichen Anforderungen. Der Klient soll lernen, seine Probleme selbst zu analysieren, und eigene Lösungsvorschläge entwickeln. Dabei wird er von seinem Coach unterstützt. „Beratung auf Prozessebene" nennt sich dieses 25 Verfahren.
Und wie findet man einen guten Coach? Am besten natürlich über persönliche Empfehlungen. Da das Berufsbild des Coaches jedoch nicht geschützt ist, gibt es eine Reihe von Scharlatanen. Daher sollte man darauf achten, dass der Coach einen entsprechend qualifizierten be- 30 ruflichen Erfahrungshorizont vorweist. Seine fachlichen Qualifikationen sollten sich nicht nur auf eine psychologische Ausbildung (Organisations- bzw. Arbeitspsychologie) beschränken, sondern auch betriebswissenschaftliche Kenntnisse aufweisen. 35
Der Begriff „coach" stammt aus dem Englischen und bedeutet ursprünglich „Kutsche". Und tatsächlich ist die Bestimmung des Ziels beim Coaching zunächst die wichtigste Aufgabe. So steht am Anfang eines jeden Coachings die Frage: „Wo wollen Sie hin?" Dass diese Frage oftmals 40 gar nicht so leicht zu beantworten ist, davon weiß auch Christine B. zu berichten. Die gelernte Physiotherapeutin war unzufrieden mit der „Massenabfertigung" ihrer Patienten in der Praxis, in der sie beschäftigt war. Zunehmende Konflikte mit ihren Kollegen bewogen sie schließlich 45 dazu, bei einem Coach Rat zu suchen. Doch erst nach sieben Sitzungen gewann Frau B. Klarheit über ihre berufliche Zukunft, kündigte und eröffnete eine eigene Praxis, die auf motorische Probleme von Kleinkindern spezialisiert ist und auch Seminare für Eltern anbietet. Der 50 Coach hat sie von der Konzeption über die Gespräche mit Banken bis hin zu einem ausgefeilten Marketingkonzept erfolgreich unterstützt. „Ohne ein gutes Coaching hätte ich diese Herausforderung nie gepackt", meint Frau B., die heute selbst Chefin von fünf Angestellten ist. 55

Sprechen

→GI

b Arbeiten Sie zu zweit. Lesen Sie den Artikel noch einmal und berichten Sie sich gegenseitig darüber. Gehen Sie dabei auf folgende Punkte ein:

- Wovon handelt der Artikel?
- Erklären Sie die Begriffe „Coach" bzw. „Coaching".
- Welches Beispiel von Coaching gibt es im Text? Überlegen Sie sich weitere Beispiele.
- Was ist Ihre Meinung zum Thema?

3 Gründerjahre

Lesen – Sprechen

a Welches Wort passt nicht? Bitte markieren Sie.

1.	**a.** ansteigen	**b.** sich erhöhen	X den Tiefpunkt erreichen
2.	**a.** fortsetzen	**b.** abstürzen	**c.** fallen
3.	**a.** erwerbslos	**b.** erwerbstätig	**c.** arbeitslos
4.	**a.** Existenzgründer	**b.** Angestellte	**c.** Selbstständiger
5.	**a.** Liniendiagramm	**b.** Schema	**c.** Kreisdiagramm
6.	**a.** mehr als die Hälfte	**b.** mehr als zwei Drittel	**c.** 80 %
7.	**a.** leichter Anstieg	**b.** kurzer Aufschwung	**c.** kontinuierliche Entwicklung
8.	**a.** dramatischer Rückgang	**b.** keine Bewegung	**c.** massiver Einbruch

b Schauen Sie sich die Grafik an. Was ist das Thema der Grafik?

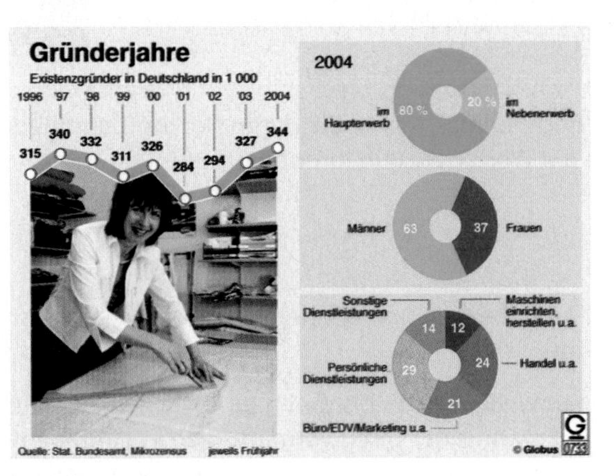

EIN SCHAUBILD BESCHREIBEN:

Weitere Redemittel, um ein Schaubild zu beschreiben, finden Sie in Lektion 8.

4 Beschreibung einer Grafik

Lesen – Schreiben

a Bitte ergänzen Sie den Text. Nehmen Sie die Grafik und den Wortschatz aus Aufgabe 3 zu Hilfe.

Die Grafik mit dem Titel Gründerjahre besteht aus einem Liniendiagramm und drei [1] ______________. Die Daten stammen aus dem Jahre 2006. Das Liniendiagramm zeigt die Anzahl der [2] ______________ in 1.000 von 1996–2004. Von 1996 bis 1997 ist ein [3] ______________ der Existenzgründungen zu verzeichnen. Aber im folgenden Jahr gehen die Zahlen wieder zurück. 2001 ist die Zahl der jungen Unternehmer auf dem [4] ______________ angelangt. Sie liegt bei nur [5] ______________ Neugründungen. Ab dann ist eine [6] ______________ nach oben zu verzeichnen. So sind 2004 rund [7] ______________ Firmengründungen mehr als in 2001 registriert.
Die drei Kreisdiagramme beziehen sich auf die 344.000 Existenzgründungen im Jahre 2004. Im ersten Diagramm wird deutlich, dass [8] ______________ der Existenzgründer ihre Tätigkeit hauptberuflich ausüben und nur 20 % im Nebenerwerb. Unter den Jungunternehmern sind ca. [9] ______________ Männer und etwa ein Drittel Frauen. Das letzte [10] ______________ gibt Aufschluss darüber, in welchen Bereichen die Selbstständigen tätig sind. Arbeit im Dienstleistungssektor liegt dabei voll im Trend, gefolgt von Handel und dem Büro- / EDV- und Marketing-Bereich. Erst an letzter Stelle sind Firmen im technischen Bereich aufgeführt.

Lesen – Sprechen

b Lesen Sie nun den Text, der zur Grafik gehört. Welche Informationen sind neu?

Gründerjahre / 23.06.2006
Sein eigener Herr zu sein, wird zunehmend beliebter. Seit dem Jahr 2001 wagen immer mehr Arbeitnehmer den Weg in die Selbstständigkeit. Die meisten Gründer beginnen ihre Tätigkeit ohne Beschäftigte. Vollzeitgründungen ohne Angestellte waren im Jahr 2004 überwiegend Männersache. Dagegen entfielen 62 Prozent der Teilzeitgründungen ohne Beschäftigte auf Frauen. Für diese Form der Selbstständigkeit entscheiden sich Frauen vor allem wegen persönlicher oder familiärer Verpflichtungen: Sie möchten Familie und Beruf besser vereinbaren. Insgesamt jedoch ist die „Kultur der Selbstständigkeit" in Deutschland nach Expertenangaben nur schwach ausgeprägt. Vor allem bei der Wertschätzung des Unternehmertums und der Bereitschaft zur Übernahme von Risiken bestehe Nachholbedarf, heißt es beim Institut für Arbeitsmarkt- und Berufsforschung (IAB).

11 Wir müssen nur wollen

1 Wir sind Helden

Lesen
Sprechen

a Lesen Sie diese kurze Information über die Band „Wir sind Helden" aus einem Musikmagazin.

Die Produktion „Die Reklamation" von der deutschen Band „Wir sind Helden" gehörte in den Jahren 2003/2004 zu den meistverkauften Alben und brachte der Gruppe, die zuvor nur im Raum Berlin bekannt war, Popularität auch über Deutschlands Grenzen hinaus. Der Kopf der Band ist die Sängerin Judith Holofernes, die bereits Erfahrungen als Solokünstlerin gesammelt hat. Sie gilt im Augenblick als Deutschlands witzigste und zugleich intelligenteste Songwriterin, die mit der deutschen Sprache clever und spielerisch zugleich umgehen kann. Musikalisch unterstützt wird sie von dem Schlagzeuger Pola Roy, dem Bassisten Mark Tavassol und dem Gitarristen und Keyboarder Jean Michel Tourette. „Müssen nur wollen" gehört zu den bekanntesten Songs des Debüt-Albums.

b Lesen Sie die markierten Wörter noch einmal. Klären Sie deren Herkunft und Bedeutung mithilfe eines Wörterbuchs. Benutzen Sie die Wörter auch in Ihrer Sprache?

2 Müssen nur wollen

Hören 3, 23
Sprechen

a Decken Sie den Liedausschnitt in Aufgabe 3 ab und überlegen Sie zu zweit, wovon das Lied „Müssen nur wollen" handeln könnte.

b Hören Sie nun das Lied „Müssen nur wollen" zwei- bis dreimal. Versuchen Sie, Teile des Textes zu rekonstruieren. Vergleichen Sie Ihr Ergebnis mit Ihren Vermutungen in Aufgabenteil a.

3 Lyrik

Lesen
Sprechen

a Lesen Sie nun den unten stehenden Ausschnitt aus dem Liedtext. An welcher Stelle benutzt die Sängerin folgende sprachlichen Mittel? Bitte suchen Sie die passende(n) Textstelle(n).

1. Übertreibung ____________ **3.** Widerspruch ____________
2. Vergleich ____________ **4.** sprachliche Bilder ____________

b Welche Wirkung haben die sprachlichen Mittel. Sprechen Sie im Kurs.

„Müssen nur wollen" von „Wir sind Helden"

...
Ich kann mit allen zehn Füßen in zwanzig Türen
und mit dem elften in der Nase
noch Ballette aufführen
Aber wenn ich könnte wie ich wollte würd ich gar nichts wollen
Ich weiß aber dass alle etwas wollen sollen

Wir können alles schaffen genau wie die tollen
dressierten Affen wir müssen nur wollen
wir müssen nur wollen wir müssen nur wollen
Wir müssen nur
...

Das ist das Land der begrenzten Unmöglichkeiten
Wir können Pferde ohne Beine rückwärts reiten
Wir können alles was zu eng ist mit dem Schlagbohrer weiten
Können glücklich sein und trotzdem Konzerne leiten

Wir können alles schaffen genau wie die tollen
dressierten Affen wir müssen nur wollen
...

4 Im Internetforum des Fanclubs von „Wir sind Helden" gibt es eine Diskussion

Sprechen

Soll das Lied zu mehr Leistung motivieren oder will es die Leistungsgesellschaft kritisieren?

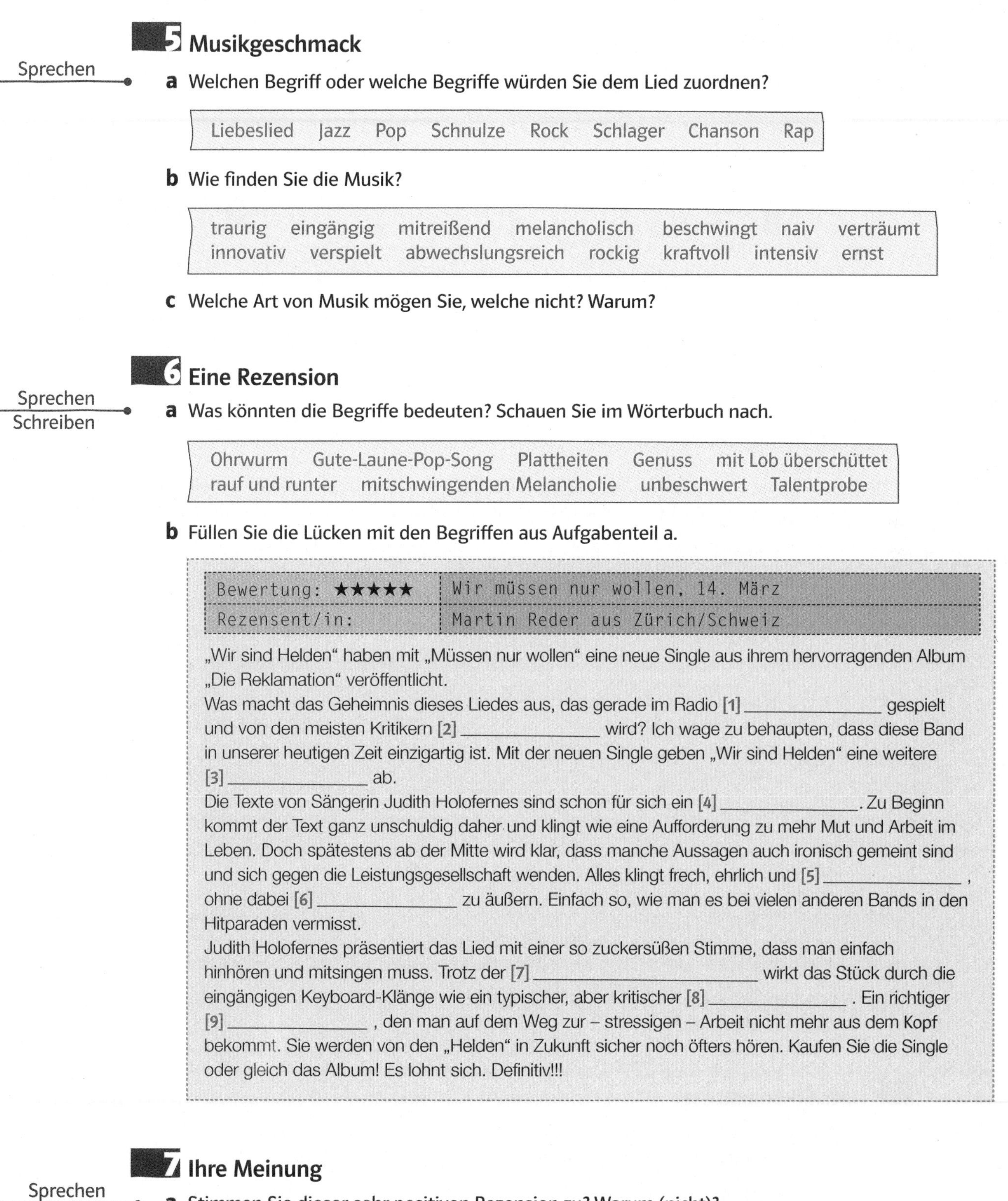

5 Musikgeschmack

Sprechen

a Welchen Begriff oder welche Begriffe würden Sie dem Lied zuordnen?

Liebeslied Jazz Pop Schnulze Rock Schlager Chanson Rap

b Wie finden Sie die Musik?

traurig eingängig mitreißend melancholisch beschwingt naiv verträumt innovativ verspielt abwechslungsreich rockig kraftvoll intensiv ernst

c Welche Art von Musik mögen Sie, welche nicht? Warum?

6 Eine Rezension

Sprechen
Schreiben

a Was könnten die Begriffe bedeuten? Schauen Sie im Wörterbuch nach.

Ohrwurm Gute-Laune-Pop-Song Plattheiten Genuss mit Lob überschüttet rauf und runter mitschwingenden Melancholie unbeschwert Talentprobe

b Füllen Sie die Lücken mit den Begriffen aus Aufgabenteil a.

Bewertung: ★★★★★	Wir müssen nur wollen, 14. März
Rezensent/in:	Martin Reder aus Zürich/Schweiz

„Wir sind Helden“ haben mit „Müssen nur wollen“ eine neue Single aus ihrem hervorragenden Album „Die Reklamation“ veröffentlicht.
Was macht das Geheimnis dieses Liedes aus, das gerade im Radio [1] ______________ gespielt und von den meisten Kritikern [2] ______________ wird? Ich wage zu behaupten, dass diese Band in unserer heutigen Zeit einzigartig ist. Mit der neuen Single geben „Wir sind Helden“ eine weitere [3] ______________ ab.
Die Texte von Sängerin Judith Holofernes sind schon für sich ein [4] ______________. Zu Beginn kommt der Text ganz unschuldig daher und klingt wie eine Aufforderung zu mehr Mut und Arbeit im Leben. Doch spätestens ab der Mitte wird klar, dass manche Aussagen auch ironisch gemeint sind und sich gegen die Leistungsgesellschaft wenden. Alles klingt frech, ehrlich und [5] ______________, ohne dabei [6] ______________ zu äußern. Einfach so, wie man es bei vielen anderen Bands in den Hitparaden vermisst.
Judith Holofernes präsentiert das Lied mit einer so zuckersüßen Stimme, dass man einfach hinhören und mitsingen muss. Trotz der [7] ______________ wirkt das Stück durch die eingängigen Keyboard-Klänge wie ein typischer, aber kritischer [8] ______________. Ein richtiger [9] ______________, den man auf dem Weg zur – stressigen – Arbeit nicht mehr aus dem Kopf bekommt. Sie werden von den „Helden“ in Zukunft sicher noch öfters hören. Kaufen Sie die Single oder gleich das Album! Es lohnt sich. Definitiv!!!

7 Ihre Meinung

Sprechen
Schreiben

a Stimmen Sie dieser sehr positiven Rezension zu? Warum (nicht)?

b Wählen Sie eines Ihrer Lieblingslieder und stellen Sie es im Kurs vor.

c Schreiben Sie dann eine Rezension zu Ihrem Lied. Denken Sie bitte an folgende Punkte:

- Information zum Album/zur CD
- Eindrücke vom Text
- Eindrücke von der Sängerin/dem Sänger, Melodie, Klang
- Was ich besonders gut/schlecht finde.
- Gesamteinschätzung (von 5 Sternen)

11 Ein kluger Kopf

1 Intelligenz

Lesen / Sprechen

a Welche Definitionen A bis G treffen für diese „intelligenten“ Begriffe zu? Ordnen Sie zu.

- Klugheit
- Weisheit
- Intelligenzquotient
- Intelligenztest (IQ-Test)
- Schlauheit
- Intelligenz
- Künstliche Intelligenz

Lesen / Schreiben

b Lesen Sie die Anzeigen. Machen Sie sich Gedanken zum Begriff „emotionale Intelligenz“ und markieren Sie anschließend die Textstellen, in denen es um emotionale Intelligenz geht.

Wer erfolgreich sein will, muss seine Gefühle kennen und mit ihnen umgehen können, also das „emotionale Einmaleins“ beherrschen. „EQ statt IQ“ heißt das neue Schlagwort, mit dem Daniel Goleman den Nerv unserer Zeit trifft. Sein Bestseller zeigt aktuelle Forschungsergebnisse zu einem Thema, das uns alle angeht: das Zusammenspiel von Herz und Verstand. Denn: Was nützt ein hoher IQ, wenn man ein emotionaler Idiot ist?

Als Marktführer im Bereich Digitalfernsehen suchen wir eine/n

Juniorverkäufer/in im Außendienst

Aufgabe:
Sie sollten in 3 bis 6 Monaten selbstständig und professionell unsere wichtigsten Kunden betreuen.

Erfahrungen:
Alle wichtigen Kenntnisse werden Ihnen intensiv vermittelt.
Unverzichtbar sind jedoch Ihre Fähigkeiten, auf Menschen zuzugehen, Ideen zu vermitteln, andere zu begeistern und selbstständig zu handeln.

DIGICOM Digital Fernsehen · 60789 Frankfurt a. M.

Wochenendseminar: Einsatz der emotionalen Intelligenz im Berufs- und Privatleben

Was Sie erwarten können:
Samstag (Beginn: 9:00 Uhr)

- Erkennen der eigenen Stärken und Schwächen im Team
- Erkennen der eigenen Emotionen
- Wie motiviere ich mich?
- Einfühlungsvermögen in die Sichtweisen und Gefühle unserer Mitmenschen
- Wie vermittle ich mein Anliegen eindeutig meinem Geschäftspartner?

c Was haben Sie über emotionale Intelligenz gelernt? Welche Fähigkeiten umfasst emotionale Intelligenz? Notieren Sie.

2 Der EQ-Selbsttest

Lesen

Ermitteln Sie den Quotienten Ihrer emotionalen Intelligenz. Sind Sie empathisch: Verstehen Sie die Gefühle anderer? Können Sie sich in andere hineinversetzen?

1	Meine Kollegen sprechen mit mir über ihre Sorgen.	☐ ja	☐ nein	☐ ich weiß nicht
2	Ich verstehe die Gefühle anderer.	☐ ja	☐ nein	☐ ich weiß nicht
3	Ich arbeite gern im Team.	☐ ja	☐ nein	☐ ich weiß nicht
4	Ich helfe meinen Freunden bei Problemen.	☐ ja	☐ nein	☐ ich weiß nicht
5	Für Freunde verschiebe ich auch berufliche Termine.	☐ ja	☐ nein	☐ ich weiß nicht
6	Die Sprache des Körpers ist oft stärker als Worte.	☐ ja	☐ nein	☐ ich weiß nicht
7	Ich kann gut zuhören.	☐ ja	☐ nein	☐ ich weiß nicht
8	Es ist schwer, das Vertrauen anderer zu gewinnen.	☐ ja	☐ nein	☐ ich weiß nicht
9	Es ist nicht leicht für mich, gute Freunde zu finden.	☐ ja	☐ nein	☐ ich weiß nicht
10	Anderer Leute Angelegenheiten gehen mich nichts an.	☐ ja	☐ nein	☐ ich weiß nicht

Lesen

3 Und so fördern Sie Ihre emotionale Intelligenz

a Lesen Sie den Text.

Menschen mit hoher emotionaler Intelligenz zeigen soziale Kompetenz, Mitgefühl, Menschlichkeit, Kommunikationsfähigkeit, Höflichkeit, Taktgefühl usw., sodass es ihnen auch im Alltag gelingt, Konflikte konstruktiv zu lösen und mit ihren Mitmenschen in familiärem und gesellschaftlichem Umfeld gut auszukommen. Infolgedessen sind sie meist sehr beliebt und haben einen großen Freundes- und Bekanntenkreis. Sie kümmern sich zwar sehr um andere, aber sie sorgen auch gut für sich selbst. Sie sind demnach meist sehr zufrieden und ausgeglichen. Infolge ihrer hohen emotionalen und sozialen Kompetenz besetzen sie auch im Beruf immer mehr Führungspositionen. Emotionale Intelligenz ist somit für den Erfolg in Alltag und Beruf sehr wichtig.

Und so fördern Sie Ihre emotionale Intelligenz:

1. Entwickeln Sie ein gesundes Selbstbewusstsein

Darunter versteht man den Prozess des Sich-selbst-bewusst-Seins über die eigenen Rollen, Wünsche, Ziele und Ängste. Nur wer sich selbst, seine Bedürfnisse und Gefühle kennt, kann mit den Bedürfnissen und Gefühlen anderer umgehen. Wer seine eigenen Gefühle nicht bewältigen kann, fürchtet sich vor den Gefühlen anderer.

2. Begreifen Sie die Andersartigkeit Ihrer Mitmenschen als Chance

Obwohl sie oft mit anderen Ansichten oder Auffassungen konfrontiert werden, empfinden emotional intelligente Menschen diese nicht als bedrohlich, sondern sie begreifen sie als Chance, etwas zu lernen.

3. Arbeiten Sie an Ihren Kommunikationsformen

Sie verfügen über einen guten Wortschatz? Lernen Sie trotzdem immer wieder neue Wörter, bei denen es um Gefühle und Zwischenmenschliches geht. So können Sie eigene Stimmungen und Gefühle besser begreifen und benennen sowie die Gefühle anderer besser verstehen.

4. Überprüfen Sie Ihr Konfliktverhalten

Betrachten Sie Konflikte und Misserfolge ungeachtet der damit verbundenen negativen Gefühle als Chance, dann können Sie diese besser bewältigen. Konfliktmanagement und Kritikfähigkeit sind ganz wesentlich für emotionale Intelligenz. Lernen Sie, konstruktiv Kritik zu üben, aber auch selbst offen mit Kritik umzugehen.

Und der wichtigste Tipp zum Schluss: Selbst wenn Sie wenig Zeit haben, beschäftigen Sie sich mit Ihren Mitmenschen und ihren Lebensgeschichten. Dies stärkt die Beziehungen zu anderen und sich selbst.

Schreiben / Sprechen

b Erstellen Sie zum Thema emotionale Intelligenz eine Mind-Map und präsentieren Sie sie im Kurs.

Formen und Strukturen S. 161, 162

4 Sprache im Mittelpunkt: Konsekutive und konzessive Konnektoren

a Schauen Sie sich die konsekutiven (Folge) und die konzessiven (Einwand/Gegengrund) Konnektoren in der Tabelle an und suchen Sie diese im Text von Aufgabe 3.

Mittel zur Textkohärenz	Subjunktoren / Konjunktoren	Verbindungsadverbien	Präpositionen
Konsekutive Konnektoren (Folge)	so … dass, derartig … dass	infolgedessen, somit, also, demzufolge, demnach, somit	infolge + Gen., infolge von + Dat.
Konzessive Konnektoren (Einwand / Gegengrund)	obwohl, obschon, selbst wenn, wenn … auch, zwar … aber	trotzdem, gleichwohl, indessen	ungeachtet + Gen.

KONNEKTOREN:
Erinnern Sie sich? Kausale Konnektoren finden Sie in Lektion 1, modale und adversative in Lektion 3, konditionale und zweiteilige in Lektion 5 und finale in Lektion 9.

b Orden Sie die nachfolgenden Konnektoren in die Tabelle ein. Vier Konnektoren passen nicht. Warum?

mithin nichtsdestoweniger als obgleich wenngleich deshalb
dennoch indem folglich im Gegensatz zu + Dat. trotz+ Gen.

Lesen / Schreiben

5 IQ oder EQ?

Fassen Sie alle Informationen und Argumente, die Sie auf dieser Doppelseite zum Thema „IQ oder EQ" finden (Definitionen, Anzeigen, Zeitungsartikel, Mind-Map, Grafik), zusammen und wägen Sie diese schriftlich in einem Kommentar gegeneinander ab. Gehen Sie auch auf folgende Aspekte ein:

- Definieren Sie emotionale Intelligenz.
- Nennen Sie Beispiele für emotionale Intelligenz.
- Was denken Sie, was ist wichtiger im Leben: IQ oder EQ?
- Begründen Sie Ihre Meinung.
- Achten Sie auf den Textaufbau, benutzen Sie Konnektoren.

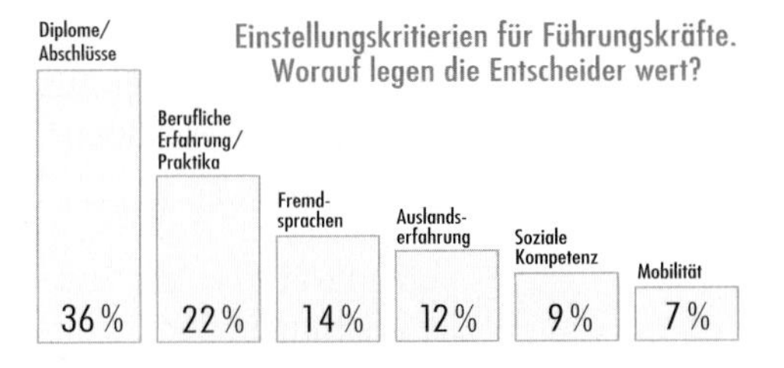

1 Eine etwas andere Schule

Lesen
Sprechen

a Lesen Sie den Artikel. Was ist an dieser Schule anders?

- Im Vergleich zu Ihren Schulerfahrungen?
- Im Vergleich zu vielen anderen Schulen in Deutschland, Österreich und der Schweiz?

http://www.wdr.de/

Zu Besuch in Deutschlands bekanntester Versuchsschule

Es ist 8.30 Uhr, Tom und Katja liegen auf dem Boden und lesen Comics. Gleich nebenan versorgen zwei kleine Jungs die Kaninchen. Nach und nach treffen die Kinder ein, denn die Ankunftszeit in der Bielefelder Laborschule ist gleitend von 8.00–8.45 Uhr. „In dieser Dreiviertelstunde", erklärt die didaktische Leiterin Dr. Annemarie von der Groeben, „sollen die Kinder zur Ruhe kommen." Dann ist Schulbeginn. Doch weder jetzt noch zur Pause schrillt eine laute Schulglocke. Die Kinder selbst wissen, wann es losgeht. Sie setzen sich in einen Kreis und nach der Begrüßung fangen sie mit der Arbeit an. Die rund 600 Schüler gehen dazu nicht in den Klassenraum, sondern sie befinden sich einer riesigen Halle, die nur durch Stellwände abgetrennte, aber offene „Lerninseln" mit vielen Lerngelegenheiten bereithält, gemäß dem Motto der Schule „Lernen durch eigene Erfahrung, nicht durch Belehrung". Der Unterrichtsstoff wird über Projektarbeit vermittelt und autoritäre Strukturen gibt es hier auch nicht. Die Ganztagsschule möchte ein Ort sein, wo Kinder (schon ab 5 Jahren) und Jugendliche gern leben und lernen. „An dieser Schule sollen Kinder und Jugendliche von klein auf lernen, wie man gemeinsame Angelegenheiten vernünftig miteinander regeln kann. Die Schule soll ein Lebens- und Erfahrungsraum sein, eine Gesellschaft im Kleinen, eine Polis, wo Verhaltensweisen, die wir von mündigen Bürgerinnen und Bürgern erwarten, tagtäglich gelebt und gelernt werden." So lautet eines der Ziele, die der Reformpädagoge Hartmut von Hentig, der Gründer der Laborschule, 1974 ins Schulprogramm festschrieb. Aber was unterscheidet die Bielefelder Laborschule noch von traditionellen Schulen?

Wie im Schulnamen schon anklingt, ist sie eine Labor- bzw. eine Versuchsschule, d. h. sie ist direkt an die Bielefelder Universität angebunden. Angehende Lehrer und Schulpädagogen können wie Ärzte in einem Universitätsklinikum lernen, forschen und neue Methoden ausprobieren. Dadurch erhält die Schule immer wieder neue pädagogische Impulse.

Ein wesentlicher Unterschied liegt aber in ihrem Selbstverständnis: „Wir müssen die Schule den Kindern anpassen und auf jeden Fall weg vom Selektionsdenken", führt die didaktische Leiterin weiter aus. Individualisierung des Unterrichts lautet das Stichwort. So werden Unterschiede im Lerntempo, individuelle Bedürfnisse und Fähigkeiten jedes einzelnen Kindes mitberücksichtigt. Statt Noten zu verteilen, beurteilen die rund 70 Lehrer jeden einzelnen Schüler mit ausführlichen Leistungsberichten. In der Schule glaubt man nicht, dass eine einzige Ziffer ausdrücken kann, was ein Schüler in einem ganzen Jahr gearbeitet hat oder nicht. Die Schüler seien zu individuell, als dass sie in fünf bzw. sechs Kategorien eingeteilt werden könnten. Außerdem sollen die Schüler sich nicht an der Leistung anderer, sondern an sich selbst messen, heißt es von Lehrerseite. Eine Einschränkung gibt es allerdings: Schüler, die eine Ausbildung machen oder in eine weiterführende Schule wechseln wollen, bekommen ein Zeugnis mit Noten.

Neben dem Verzicht auf Noten bis zur 9. Klasse wird dort ein „radikales" Gesamtschulkonzept ohne Fach- und Leistungsdifferenzierung verfolgt. Die Kinder müssen auch keine Klasse wiederholen, und auch lernbehinderte Kinder werden nicht in Förderschulen „abgeschoben", im Gegenteil: Ihre Andersartigkeit wird akzeptiert.

Seit ihrer Gründung steht die Schule dauernd unter Kritik. Leistungsfeindlichkeit lautet der Hauptvorwurf. Dabei haben die Schüler der Laborschule in einem freiwilligen PISA-Nachtest Traumnoten erzielt. Beste Noten gab es auch für das Politikverständnis und das Sozialverhalten der Schüler, die in einer Begleituntersuchung getestet wurden. Kein Wunder also, dass Tom und Katja ihre Schule „einfach super" finden.

Und was halten Sie von der Schule? Schreiben Sie uns Ihre Meinung.

b Was glauben Sie? Ist der Autor eher für oder eher gegen diesen Schulversuch? Woran kann man seine Einstellung erkennen? Unterstreichen Sie die entsprechenden Passagen im Text.

c Finden Sie, dass der Autor Recht hat? Diskutieren Sie im Kurs.

- Sollten Noten in der Ausbildung vergeben werden?
- Ist Leistung in der Schule / an der Universität / am Arbeitsplatz überhaupt messbar?
- Wie könnte man gerecht(er) benoten?

ARGUMENTIEREN:

Fehlen noch Redemittel zum Argumentieren? – In Lektion 3 finden Sie welche.

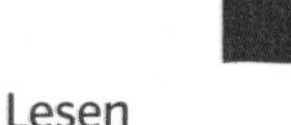

Lesen

2 Einen Leserbrief schreiben

Schauen Sie sich die Tabelle an und lesen Sie bitte die Angaben in der Spalte „Information".

Text	Information
Betreff:	Genaue Angabe, auf welchen Artikel Sie sich beziehen.
Anrede:	
Einleitung:	Warum schreiben Sie? Warum finden Sie das Thema wichtig / interessant? Stellen Sie einen Bezug zum Artikel her.
Hauptteil:	Begründen Sie Ihre Meinung zum Thema: - Welche Argumente gibt es dafür? - Welche Argumente gibt es dagegen?
	Stellen Sie den Sachverhalt in einen anderen / größeren Zusammenhang.
Schlussteil:	Was ist Ihre persönliche Meinung? Fassen Sie Ihre Ausführungen zusammen. Formulieren Sie Ihre Forderungen / Appelle.
Grußformel und Unterschrift:	

Schreiben

→GI

3 Ein Leserbrief an die Redaktion

a Entwerfen Sie als Reaktion auf den Artikel von Aufgabe 1 einen Leserbrief. Notieren Sie zunächst Stichworte zu den Punkten in der linken Spalte der Tabelle in Aufgabe 2.

Bitte erwähnen Sie:
- Warum Sie schreiben.
- Wie Sie das Unterrichtskonzept der Laborschule finden.
- Wie Sie Ihre eigene Schule erlebt haben.
- Was Sie von einer guten Schule erwarten.

b Formulieren Sie nun Ihren Brief (ca. 200–250 Wörter) anhand Ihrer Notizen in der Tabelle. Benutzen Sie dabei Konnektoren und folgende Textbausteine.

Anrede: Sehr geehrte Redaktion, … | Sehr geehrter Herr / geehrte Frau …

dafür sein: Dafür spricht, dass … | Es gibt zwei / drei wichtige Argumente für … | Eine weitere Erklärung könnte sein, dass …

Beispiele anführen: Dieser Punkt zeigt sich zum Beispiel … | Lassen Sie mich folgendes Beispiel anführen …

eigener Standpunkt: Angesichts dieser Informationen vertrete ich den Standpunkt, dass … | Aus meiner persönlichen Erfahrung kann ich (nur) bestätigen, dass …

Appell / Forderung: Daher fordere ich … auf, … zu … | Daher appelliere ich an Sie …

Interesse an Artikel zeigen: Ohne Zweifel stellt … dar. | Es stimmt sicherlich, dass … | Es zeigt sich immer wieder, dass … | … ist wichtig / aktuell, weil …

dagegen sein: Auf der anderen Seite … | Demgegenüber / Allerdings … | Was dagegen spricht, ist … | Ein (weiteres) Problem liegt jedoch in …

zusammenfassen: Zusammenfassend / Abschließend möchte ich sagen, dass … | Insgesamt zeigt sich …

Grußformel: Mit freundlichem Gruß | Mit freundlichen Grüßen

11 Der Preis geht an …

1 Die Preisverleihung

Lesen
Sprechen

a Die Kandidaten: Jeden Monat vergibt die „Berndorfer Zeitung" einen Preis (3.000 Euro) für das „Vorbild des Monats". Diesmal müssen Sie entscheiden. Lesen Sie mehr über die Kandidaten.

Schülerin Günel Yilmaz steht jeden Tag eine Stunde früher auf, um im Altersheim mitzuhelfen. Dabei scheut sie auch die unangenehmen Arbeiten nicht.

Unternehmer Franz Handl spendete anonym eine Million Euro für eine Wohlfahrtsorganisation. Und das, obwohl seine Firma rote Zahlen schreibt.

Die Hausfrau und vierfache Mutter Silvana Rocher lässt sich eine Niere entfernen, damit diese ihrer schwerkranken Schwester eingepflanzt werden kann.

b Die Jury: Bilden Sie eine Jury und arbeiten Sie zu dritt. Wählen Sie je einen Kandidaten aus und notieren Sie: Was spricht für „Ihren" Kandidaten? Warum verdienen die anderen Kandidaten den Preis weniger als „Ihr" Kandidat?

c Bereiten Sie nun eine kurze Rede/ein kurzes Plädoyer (2 bis 3 Minuten) vor. Dabei sollten Sie die anderen beiden Jury-Mitglieder davon überzeugen, dass „Ihr" Kandidat den Preis am meisten verdient. Diese Redemittel können Ihnen dabei helfen.

Warum Ihr Kandidat: Sie/Er hat eindrucksvoll gezeigt, dass … | Es ist beeindruckend, wenn … | Besonders gut gefällt mir … | Man kann nur bewundern, wie … | Sie/Er handelt wie ein echtes Vorbild, weil … | Ein Beispiel für seine/ihre herausragende Leistung ist …

Warum nicht die anderen Kandidaten: Zwar haben die anderen Kandidaten auch … gezeigt, aber … | Keine Frage! Die anderen Leistungen waren ebenfalls … Trotzdem … | Auch wenn die anderen Kandidaten … sind, so ist Kandidat X …

Abschluss: Deshalb hat sie / er den Preis verdient. | Somit gibt es nur einen Gewinner: Kandidat X!

d Präsentieren Sie „Ihren Sieger" im Kurs und begründen Sie Ihre Wahl.

2 Ein besonderer Anlass

Lesen
Sprechen

a Arbeiten Sie zu zweit. Eine Person liest folgenden Text vor, die andere hört zu. Wie „klingt" der Text?

1

Liebe Tante Anna, liebe Familienmitglieder!
Wir kommen heute aus einem ganz besonderen Anlass zusammen: Unsere geliebte Tante Anna feiert heute ihren 70. Geburtstag! Zu diesem Ereignis begrüße ich euch ganz herzlich und freue mich, dass ihr hier seid.
Leider konnten nicht alle kommen. So habe ich hier einen Brief von Astrid, die nicht bei uns sein kann, weil sie, wie ihr wisst, auf Hochzeitsreise ist. Aber sie hat mir hoch und heilig versprochen, heute unter Palmen auf dein Wohl zu trinken, liebe Anna. Auch Nicole, deine Lieblingsnichte, lässt sich entschuldigen, hält aber ein ganz besonderes Geschenk für dich bereit: Sie erwartet in den nächsten Stunden ihr erstes Baby. Darüber werden wir dich während der Feier natürlich auf dem Laufenden halten, liebe Tante.

2

Heute also wirst du 70 Jahre, und du hast so viel erlebt, dass du darüber ein Buch schreiben könntest – und noch dazu ein dickes. Und dann wirst du auch noch mit jedem Jahr schöner, reifer und vor allem gescheiter. Wusstet ihr eigentlich, dass Tante Anna jetzt ins Fitnessstudio geht? Deshalb bist du so fit wie Opa Kurt, als er noch Marathons lief, und wirst es hoffentlich noch viele Jahre bleiben.
Dir, liebe Tante Anna, die du immer und überall für jeden Einzelnen von uns da bist, wollen wir heute als Dankeschön einen ganz besonders schönen Tag bereiten. An dem Programm haben wir seit Wochen gearbeitet und hoffen, dass es dir gefallen wird.
Lasst uns nun das Glas auf unsere Jubilarin erheben! Mögest du so fit und aktiv bleiben wie heute! Zum Wohl!

b Lesen Sie den Text noch einmal und lassen Sie Ihre Fantasie spielen.

Stellen Sie sich die Situation vor, in der dieser Text gesprochen oder gelesen wird:
- Welche Personen sind anwesend? Wie sieht die Umgebung aus? Wie ist die Stimmung?
- Was passierte vorher, wie wird es weitergehen?

Hören 3, 24 / Sprechen

c Hören Sie den Text nun von CD. Gibt es Unterschiede, wie Sie den Text vorgetragen haben und wie der Sprecher ihn auf der CD spricht? Welche? Lesen Sie sich nun den Text noch einmal gegenseitig vor.

3 Eine Feier

Sprechen

→GI

a Ihre Cousine hat das Abitur bestanden und beginnt nun eine Ausbildung. Zu diesem Anlass planen Sie mit Verwandten und Freunden eine Feier. Überlegen Sie zu zweit, in welchem Lokal Sie feiern wollen.

- Wählen Sie ein Lokal anhand der drei Fotos aus und begründen Sie Ihre Entscheidung.
- Widersprechen Sie Ihrer Gesprächspartnerin / Ihrem Gesprächspartner.
- Finden Sie am Ende des Gesprächs eine gemeinsame Lösung.

Schreiben / Sprechen

b Schreiben Sie nun zu diesem Anlass eine Rede. Orientieren Sie sich an folgendem Redekonzept.

Konzept für eine private Rede

Begrüßung: Gratulant/in, Familie, Freunde

Anlass: eine wichtige Prüfung ist erfolgreich bestanden

Thema: Schritt ins Berufsleben

Ziel: Lob, Einstimmung auf berufliche Zukunft

Aspekte: schwere Prüfungszeit ist vorbei; alle sind erleichtert, weil sie mitgelitten haben; Lob des Prüflings für seine gute Leistung; weitere Prüfungen werden folgen; Ausblick auf die Zukunft; Glückwünsche

Publikum: Familie, Verwandte, Freunde

Haltung: ernst, humorvoll

c Üben Sie Ihre Rede zu Hause vor dem Spiegel und achten Sie auf folgende Punkte:

- Halten Sie Blickkontakt mit dem Publikum.
- Schreiben Sie die einzelnen Abschnitte Ihres Konzepts in großer Schrift auf mehrere Zettel, damit Sie sie geschickt ablesen können.
- Sprechen Sie langsam und deutlich.
- Machen Sie Pausen. So wird Ihre Rede spannender.
- Variieren Sie die Lautstärke.
- Untermauern Sie Ihre Rede mit sparsamen Gesten.

d Halten Sie die Rede im Kurs. Sprechen Sie anschließend im Kurs über die Wirkung der Rede.

e Schreiben Sie weitere Redekonzepte bzw. eine weitere Rede zu folgenden Anlässen:

- Ihre Schwester / Ihr Bruder feiert die bestandene Führerscheinprüfung.
- Ihre Kollegin / Ihr Kollege wird befördert.
- Ihre beste Freundin / Ihr bester Freund heiratet.

12 Sprachlos

Herbert: „Ich bin immer dann sprachlos, wenn etwas völlig Unvorhersehbares passiert. Das kann aber auch positiv sein, z. B. als ich einmal etwas im Lotto gewonnen habe."

Irene: „Es macht mich rasend, wenn ich mit jemandem rede und das Gefühl habe, er oder sie tut nu ob – besonders bei der Arbeit kann das ein Problem werden. Am Ende redet man über Belangloses

Nadja: „Ich bringe es einfach nicht übers Herz, jemand anderen offen zu kritisieren. Da sage ich lieber gar nichts, anstatt mich auf eine Konfrontation einzulassen."

Alex: „Wenn jemand unfair behandelt wird, kann ich mir einfach nicht helfen. Ich muss dan einfach etwas sagen. In der Schule macht das die Situation oft nur schlimmer."

1 Mir fehlen die Worte

Lesen / Sprechen

Welche der oben beschriebenen Situationen haben Sie so ähnlich schon einmal erlebt?

2 Das ist ja unglaublich!

Hören 3, 25 / Sprechen

a Hören Sie einen Dialog. Zu welcher Aussage in Aufgabe 1 passt der Dialog?

b Wie wirkt die Reaktion von Paul auf Sie? Welches Gefühl drückt Paul aus? Markieren Sie.

Verärgerung Stolz Angst Zorn Neugier Erstaunen Bewunderung Dankbarkeit Verzweiflung Erleichterung Enttäuschung Unterstützung Freude Verständnis

c Welche der folgenden Sätze könnten Ihrer Meinung nach ebenfalls im Dialog auftauchen?

Mir fehlen die Worte. | So eine Frechheit! | Mir bleibt die Spucke weg. | Was soll man da noch sagen? | Ich bin sprachlos. | Wie? | Bist du wahnsinnig? | Ist nicht wahr! | Echt? | Und? | Zum Glück! | Ich kann dir gar nicht sagen, wie dankbar ich dafür bin. | Du machst einen Scherz! | Mir hat es echt die Sprache verschlagen! | Na endlich! | Nie und nimmer! | Du hast vielleicht ein Glück! | Wahnsinn! | Sag's mir einfach. | Gott sei Dank, das wurde auch Zeit. | Keine Ursache, das mache ich doch gern.

3 Da bleibt einem ja die Spucke weg

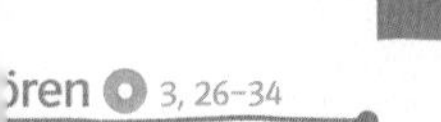
ören 3, 26–34
Sprechen

a Arbeiten Sie zu zweit.

- Ordnen Sie die Dialogteile zu. (Manchmal gibt es mehrere mögliche Antworten.)
- Welche der Antworten sind eher formell, welche eher informell? Welche Gefühle werden jeweils zum Ausdruck gebracht?
- Am Ende der Reaktion sind Auslassungszeichen (…) angeführt. Was würden Sie weiter sagen?
- Hören Sie die Dialoge und überprüfen Sie Ihre Antworten.
- Merken Sie sich zu zweit einen der Dialoge und versuchen Sie, die Intonation möglichst genau nachzuahmen.

1. Jörg hat mir gestern einen Heiratsantrag gemacht.
2. Meine Tante ist letzte Woche gestorben.
3. Angela bekommt ein Kind.
4. Darf ich Ihnen hiermit den Preis für die Mitarbeiterin des Jahres überreichen?
5. Carsten ist von seiner Freundin verlassen worden.
6. Ich kann heute nicht mehr lernen, lass uns was trinken gehen.
7. Und dann hat er mich auch noch das Taxi bezahlen lassen.
8. Salzburg hat das Entscheidungsspiel am Wochenende verloren.
9. Markus hat mich zu seiner Geburtstagsfeier eingeladen. Hast du Lust, mitzukommen?

A Oje, das muss furchtbar für ihn sein. …
B So eine Frechheit! …
C Oh, danke für die Auszeichnung. …
D Na endlich. …
E Mein Beileid. …
F Nie und nimmer! …
G Ist nicht wahr! …
H Na, das ist ein Wort! …
I Kein Wunder bei der Gurken-Truppe! …

1. D 2. ___ 3. ___ 4. ___ 5. ___ 6. ___ 7. ___ 8. ___ 9. ___

b Tauschen Sie sich im Kurs aus. In welchen Situationen sind Sie sprachlos? Was machen Sie in einer solchen Situation?

Was Sie in dieser Lektion lernen können:

- eigene Gedanken und Gefühle mündlich beschreiben
- Informationen und Argumente zusammenfassen und kommentiert wiedergeben
- im Radio Informationen aus Nachrichten- und Feature-Sendungen verstehen
- sich während eines Gesprächs oder einer Präsentation Notizen machen
- einen kurzen Text relativ spontan und frei vortragen
- in Texten neue Sachverhalte und detaillierte Informationen verstehen
- in längeren und komplexeren Texten rasch wichtige Einzelinformationen finden
- zu einem gemeinsamen Vorhaben beitragen und dabei andere einbeziehen
- sich schriftlich über ein Problem beschweren und Zugeständnisse fordern
- in einem offiziellen Gespräch oder Interview Gedanken ausführen
- sich an Gesprächen und Diskussionen beteiligen sowie eigene Ansichten begründen und verteidigen

12 Nichts sagen(d)

Sprechen

1 Smalltalk im Kurs

a Mit wie vielen Leuten haben Sie heute schon gesprochen? Worüber? Welche dieser Gespräche würden Sie als „Smalltalk" bezeichnen? Tauschen Sie sich zu zweit aus.

b Über welche der folgenden Themen sprechen Sie am liebsten? Über welche würden Sie mit einer unbekannten Person sprechen? Worüber sprechen Sie auf keinen Fall, wenn Sie Smalltalk betreiben?

Wetter   Familienstand und Kinder   Partnerschaftsprobleme   Kritik am Essen
Krankheit   Haustiere   Beruf   Politik   Einkommen   Urlaub   Religion   Kultur
Kunst   Ort des Gesprächs (Stadt, Gebäude)   Sport   Freizeit   Witze über Abwesende

c Wie leitet man in Ihrem Heimatland ein Gespräch ein? Ist Smalltalk wichtig? Warum? Tauschen Sie sich im Kurs aus.

Lesen
Schreiben

2 Reden – nur worüber?

a Arbeiten Sie zu zweit. Ein Partner liest die Texte 1 und 2, der / die andere die Texte 3 und 4. Notieren Sie die wesentlichen Informationen, die Sie in Ihren Texte finden.

1. Woher stammen Ihre beiden Texte? Aus:
a. einem Ratgeber für einsame Herzen
b. einem Taschenführer zum Thema Smalltalk
c. einem Magazin für Flugreisende
d. einem Karriereratgeber

2. Was raten die Texte: Worauf sollte man beim Smalltalk grundsätzlich achten?

3. Würden Sie den Texten aufgrund Ihrer Erfahrungen zustimmen oder widersprechen? Was ist Ihre Meinung zu diesem Thema?

1 Kennen Sie das? Krampfhaftes Klammern am Weinglas, verzweifeltes Suchen nach einem Gesprächsthema, dazwischen ein verlegenes „Ähem" nach dem andern. Und ein neidischer Blick auf Ihren Freund Dieter, der mühelos innerhalb einer halben Minute eine Schönheit nach der anderen in ein lockeres Gespräch verwickelt. Ob auf einer Geburtstagsparty, einer Betriebsfeier oder einer Vernissage zwischen lauter aufgedonnerten Unbekannten – Sprechhemmungen sind die Folge falscher und zu hoher Anforderungen an sich selbst. Niemand erwartet von Ihnen nämlich tief schürfende Bemerkungen über Wissenschaft, Politik oder Malerei.
Die Könner auf dem Gebiet der leichten Konversation meiden heikle und schwierige Themen. Gesprächsthemen des Smalltalks sind so beschaffen, dass eine Unterhaltung auch ohne eine Vertrauensbasis, die längere Bekanntschaft voraussetzt, gelingt. Worauf kommt es an?
Zuerst müssen Sie mit dem oder der Unbekannten in Kontakt kommen. Angst, Fremde anzusprechen? Auf Partys oder ähnlichen Veranstaltungen völlig unnötig. Setzen Sie ein Lächeln auf und fragen Sie, woher Ihr Gegenüber den/die Gastgeber/in kennt. Oder ob er/sie das erste Mal hier ist. Nicht sehr intelligent, aber Sie werden auf jeden Fall eine Antwort bekommen. Jetzt müssen Sie nur noch sagen, wie es bei Ihnen aussieht – also aus welchem Grund Sie da sind. Dann stellen Sie sich vor: „Übrigens, ich bin ...".
Wie nun weiter? Worüber redet man mit einer Person, von der man nichts weiß, als ihren Namen – nachdem sie sich vorgestellt hat?
Man mag es kaum glauben, aber der Spitzenreiter für einen guten Gesprächseinstieg ist und bleibt das Wetter: Das bedeutet nicht, dass eine halbe Stunde über Wolkenpakete und Sonnenstunden referiert werden sollte! Eine Bemerkung wie „Schrecklich heiß heute, nicht wahr?" ermöglicht einen sanften Übergang zu einem neuen Thema, nachdem das Eis gebrochen ist.

2 Sitzt man im Flugzeug, hat die Unterhaltung per se eine besondere Ausgangssituation: Zum einen, weil Sie Ihrem Gesprächspartner körperlich näher sind, als in einem Café oder an der Supermarktkasse. Zum anderen, weil sie nun für Stunden nebeneinander sitzen werden, ohne die Möglichkeit „zur Flucht“. Warum also nicht über das Reisen reden? Ob im geschäftlichen oder privaten Kontext – man kann schnell ins Gespräch kommen und nach einem guten Hotel oder Ausgehtipps fragen. Das bestellte Getränk reichen oder um einen Kugelschreiber bitten, ist ebenfalls ein Schritt zu einer freundlichen Annäherung. Und Courage zahlt sich aus: Das zeigt sich besonders bei sanften Provokationen, die weitaus wirksamer als Komplimente sind. Bemerkungen wie „Tragen Sie immer so interessante Krawatten?“ oder „Finden Sie's hier auch so langweilig?“ lassen der Schüchternheit wenig Chancen. Wenn Ihnen Ihr Gegenüber dann immer noch die kalte Schulter zeigt, dann lag das sicher nicht an Ihnen.

3 Im Aufzug treffen Sie Ihren Chef – jetzt bloß nicht verbissen schweigen. Auf der Betriebsfeier müssen Sie die Gattin des Chefs unterhalten – was sagen Sie ihr nur? Während der Tagungspause mit dem Referenten nett plaudern – aber worüber? Solche und ähnliche Situationen verunsichern viele Menschen. …

Heißt es heutzutage nicht immer, dass nahezu alles erlaubt ist, was gefällt? Warum sich also beim Smalltalk beschränken? Ganz einfach: Beim Smalltalk sind auch Taktgefühl und Höflichkeit gefragt. Gehen Sie mit Ihrem Gegenüber respektvoll und höflich um und verschonen Sie ihn mit Negativem und Heiklem. Sofern Sie bei der Themenwahl auf Ihren gesunden Menschenverstand hören, treten Sie aller Wahrscheinlichkeit nach in kein Fettnäpfchen. Trotzdem seien hier die absoluten Tabus von Smalltalk erwähnt.

Es geht darum, eine Beziehung aufzubauen – deswegen: Muten Sie Ihrem Gegenüber am Anfang nicht zuviel zu. Das heißt auch: keine Intimität! Für den Smalltalk gibt es noch weitere Tabuthemen. So gilt nach wie vor die Regel, die bereits zur Zeit des Freiherrn von Knigge galt: Über Geld spricht man nicht! Hüten Sie sich zudem vor politischen Diskussionen. Die ufern gerne in Streit aus, sobald unterschiedliche Meinungen aufeinandertreffen. Und in aller Regel ist eher der Abend verdorben als das politische Problem behoben. Sparen Sie sich die Politik für den Stammtisch auf. Oder überlassen Sie diese Debatten dem Bundestag, Parteiversammlungen oder Talkshows. Tabuthemen sind übrigens auch Partnerschafts- und Familienprobleme, Religion, persönliche Schwächen und Krankheiten. Zugegeben, selbst bei den Tabuthemen gibt es Teilbereiche, über die Sie ausnahmsweise beim Smalltalk sprechen könnten.

4 In ihrem Führer zeigt die Kommunikationstrainerin Cornelia Topf, wie man mit wenigen Worten persönliche Kontakte knüpft und wichtige Gesprächspartner für sich gewinnt. Standardeinstiege wie Bemerkungen über das Wetter, das Essen oder die gelungene Inneneinrichtung sind demnach durchaus akzeptabel und in jedem Fall besser als verlegenes Schweigen.

Idealerweise sollte man aber versuchen, einen individuellen Zugang zu seinem Gegenüber zu finden: „Schenken Sie Ihrem Gesprächspartner echtes Interesse“, betont Topf.

Und sie meint: „Finden Sie heraus, um was für eine Persönlichkeit es sich handelt und versuchen Sie, sich vorzustellen, was sie oder ihn interessieren könnte.“

Die nette Begrüßung auf dem Gang, der kurze Plausch auf dem Weg in den Konferenzraum – was Außenstehenden wie unverbindliches Wortgeplänkel erscheint, hilft in Wahrheit, gegenseitiges Vertrauen herzustellen.

Um nicht sprachlos zu sein, wenn es darauf ankommt, empfiehlt Topf, anhand unverfänglicher Situationen zu trainieren: „Grüßen Sie regelmäßig Ihre Nachbarn, sprechen Sie mit dem Schaffner im Zug oder beginnen Sie eine Unterhaltung in der Warteschlange des Supermarktes, um Hemmungen zu überwinden.“

Doch wie reagieren, wenn das Gegenüber ungnädig antwortet oder die eigene Kompetenz infrage stellt? Wie „dockt“ man geschickt an bestehende Gruppen an? Im Zweifelsfall hilft Mut zur Wissenslücke. Viele Gesprächspartner sind nämlich geradezu entzückt, über ein Thema erzählen zu können, in dem sie sich auskennen.

Sprechen

b Geben Sie Ihrem Partner nun eine Zusammenfassung Ihrer Texte. Was ist Ihre persönliche Meinung dazu? Wie sind Ihre Erfahrungen mit diesem Thema?

12 Die Kunst der leichten Konversation

1 Smalltalk: Die Kunst der leichten Konversation – ein Radio-Feature

Hören 3, 35–38
Sprechen

a Welcher der folgenden Aussagen über Smalltalk würden Sie am ehesten zustimmen, welcher überhaupt nicht? Begründen Sie und nennen Sie Beispiele.

Smalltalk ist die Kunst der leichten Konversation.

Smalltalk hilft Beziehungen aufzubauen.

Smalltalk ist langweilig.

Ein Psychologe hat gesagt: Smalltalk ist „soziales Lausen".

Smalltalk kann man lernen.

Smalltalk ist nur oberflächliches Gerede.

Smalltalk ist besonders wichtig im Geschäftsleben.

Smalltalk spielt in Deutschland keine große Rolle.

Warum Smalltalk? Könnte man auf Deutsch nicht „plaudern" sagen?

b Hören Sie nun das Radio-Feature einmal ganz und notieren Sie, aus welchen unterschiedlichen Teilen es besteht.

1. **Teil:** *Einführung ins Thema und Vorstellung der Gäste*
2. **Teil:** ______
3. **Teil:** ______
4. **Teil:** ______

c Hören Sie nun das Feature noch einmal und machen Sie sich Notizen zu den folgenden Fragen. Tauschen Sie sich dann im Kurs aus.

1. Welche Frage soll in dem Radio-Feature geklärt werden?
2. Welche ist jeweils die wichtigste Aussage zum Smalltalk der vier befragten Passanten:
   - junge Frau
   - Junge
   - älterer Mann
   - Frau
3. Welche positiven Wirkungen kann Smalltalk haben?
4. Wie kann man Smalltalk trainieren?
5. Welche Themen eignen sich für Smalltalk? Welche Themen eignen sich nicht?
6. Was wird zur Rolle des Smalltalks in Lateinamerika gesagt?
7. Welche Tipps werden gegeben, wie man ein Gespräch beginnen kann?

2 Smalltalk in diesen Situationen – aber wie?

Sprechen
Schreiben

a Teilen Sie sich in Vierergruppen auf, um folgende Aufgabe zu bearbeiten:

Sie befinden sich allein neben einer unbekannten Person in den folgenden Situationen:
- im Aufzug auf der Fahrt in den obersten Stock
- im Wartezimmer beim Arzt
- in der Warteschlange eines Selbstbedienungsrestaurants
- im Flugzeug oder im Zug

Würden Sie ein Gespräch beginnen? Wenn ja, worüber? Wenn nein, warum nicht? Schreiben Sie jeweils mindestens zwei Sätze auf Karten, mit denen Sie die fremde Person ansprechen könnten.

Gestalten Sie dann im Kurs ein Lernplakat, auf dem Sie die Karten dem jeweiligen Thema zuordnen.

Hoffentlich kommen wir pünktlich in Leipzig an.

Hm, das Essen sieht aber gut aus.

Heute dauert es wieder ewig.

b Wie kann man ein Gespräch in Gang halten? Wie Interesse am Gespräch zeigen? Ergänzen Sie im Kurs.

Gespräch starten / in Gang halten: Ist es das erste Mal, dass Sie …? | Wie ist das bei Ihnen / dir? | Wie lange wollen Sie bleiben? | Waren Sie schon mal hier? | Wie war …?

Interesse zeigen: Echt? | Das ist ja großartig. | Das finde ich sehr interessant. | Das klingt ja spannend, erzählen Sie mal!

c Wählen Sie zu zweit eine der Situationen aus dem Aufgabenteil a aus und überlegen Sie, welche Personen zu dieser Situation passen könnten. Überlegen Sie, wie das Gespräch ablaufen könnte, und üben Sie es.

d Stellen Sie dann Ihren Dialog im Kurs vor. Die anderen Teilnehmer raten, welche Situation und welche Personen dargestellt wurden.

3 Sprache im Mittelpunkt: Das Nachfeld

Formen und Strukturen S. 156

a Suchen Sie im nachfolgenden Text Sätze, die dem Satzmodell in der Tabelle entsprechen. Unterstreichen Sie in diesen Sätzen jeweils das Nachfeld.

Position 1	Position 2	Mittelfeld	Satzende	Nachfeld
Das	ist	leichter	gesagt	als getan.

Leichte Konversation – das ist leichter gesagt als getan: Worüber soll man mit Unbekannten bloß sprechen? Hier ein paar Hinweise darauf, mit welchen Themen man ins Gespräch kommen kann und was man lieber lassen sollte.

Banal, aber trotzdem fast immer passend: das Wetter. „Schrecklich heiß heute, nicht wahr?" kann tatsächlich eher ein Eisbrecher werden als verlegenes Schweigen. Auch über Essen und Trinken, die Zimmereinrichtung oder die Verkehrssituation zu reden, kommt meist besser an als die Frage nach der Gehaltshöhe. Denn manche Themen eignen sich weniger für Smalltalk als andere. Beginnen Sie also auf keinen Fall ein Gespräch mit Bemerkungen über Politik, Religion oder Krankheiten. Sie finden Themen wie Hobbys, Urlaub, Reisen langweiliger als Eheprobleme? Kann schon sein, trotzdem sollten Sie davon die Finger lassen.

Dagegen können sanfte Provokationen oft wirksamer sein als Komplimente: „Finden Sie es auch so langweilig hier?" Und auch klare Vorlieben bei Sport und Kultur zu äußern („Fanden Sie den neuen Film von Tom Tykwer auch so toll?"), regt oft wirkungsvoller zu einer lebhaften Unterhaltung an als eine neutrale Frage („Gehen Sie eigentlich gern ins Kino?").

Probieren Sie's aus und Sie werden sehen: Beim nächsten Stehempfang wird Ihnen die Zeit nicht lang werden. Apropos: „Wie schnell die Zeit vergeht! Jetzt ist der Sommer schon wieder fast vorbei." Auch kein schlechter Einstieg in eine leichtfüßige Konversation.

b Welche der beiden Regeln ist richtig?

!
1. In Vergleichssätzen kann ein Teil des Vergleichs noch hinter dem Satzende stehen.
2. In Vergleichssätzen muss der Vergleich im Mittelfeld stehen.

c Setzen Sie im folgenden Satz den Vergleich ins Mittelfeld. Was ist der Unterschied? Was gefällt Ihnen stilistisch besser?

Auch über Essen und Trinken, die Zimmereinrichtung oder die Verkehrssituation zu reden, kommt meist besser an als die Frage nach der Gehaltshöhe.

12 Mit Händen und Füßen

1 Erfahrungsaustausch im Kurs: wortlose Kommunikation

Sprechen

a Wie reagieren Sie, wenn eine unbekannte Person mit Ihnen häufig (aber lächelnd) Blickkontakt aufnimmt?

b Bereiten Sie in Arbeitsgruppen die folgenden Fragen vor. Tauschen Sie sich dann im Kurs darüber aus.

- Sammeln Sie Gesten. In welchen Situationen werden sie verwendet?
- Welche Gesten sind für Ihre eigene Kultur charakteristisch? Welche werden weltweit verstanden? Betrachten Sie auch die Illustrationen rechts.
- In welchen Berufen sind Gestik und Mimik besonders wichtig? Warum?

2 Macht ohne Worte

Lesen
Sprechen

a Lesen Sie zunächst nur die zwei Überschriften im Text auf Seite 147. Stellen Sie dann Vermutungen über den Inhalt an. Tauschen Sie sich im Plenum aus.

b Bringen Sie die folgende kurze Einleitung zum Text auf Seite 147 in die richtige Reihenfolge.

A Diese „stille" Sprache und ihre Signale benutzen wir permanent, ob wir wollen oder nicht. ____

B Wie wahr! Wir „hören" instinktiv mehr auf die Sprache des Körpers als wir meinen. ____

C Ein Lächeln sagt mehr als tausend Worte, weiß der Volksmund. __1__

D Auf der ganzen Welt reden die Menschen mit Händen und Füßen, zwinkern sich zu, tragen Blumen im Knopfloch, hüpfen vor Freude und trauern mit hängenden Schultern. ____

Lesen

→GI / TELC

c Lesen Sie den Text auf Seite 147 und kreuzen Sie jeweils die richtige Lösung an.

1. Die Funktion von nonverbaler Kommunikation ist es,
   a. sich aufeinander einstellen zu können.
   b. sich sympathischer zu werden.
   c. sich bewusst ausdrücken zu können.
2. Die Körpersprache ist höher angesehen, weil
   a. wir beim Sprechen häufig lügen.
   b. Körpersprache als beherrschbar gilt.
   c. der physische Ausdruck weniger gesteuert ist.
3. Welche Ausdrucksformen des Gesichts werden global als positiv/negativ verstanden?
   a. das Stirnrunzeln und Lächeln
   b. das Übereinanderschlagen der Beine und das Lächeln
   c. das Stirnrunzeln und der emporgereckte Daumen
4. Mit dem Ausdruck „Man lernt, den Körpersprache-Code zu lesen" ist die Fähigkeit gemeint,
   a. Körpersprache zu erlernen.
   b. Bücher über Körpersprache lesen zu können.
   c. die Körpersprache richtig interpretieren zu können.
5. Welcher Ratschlag wird im Text gegeben? Es ist nützlich,
   a. seine Fußsohlen bedeckt zu halten.
   b. Körpersprache richtig anzuwenden.
   c. ein eigenes System von nonverbalen Botschaften zu entwickeln.

Die Macht der wortlosen Sprache

Der Körper ist niemals stumm. Wenn Menschen zusammenkommen, reden sie miteinander – sogar wenn sie nicht sprechen. Die vorgereckte Brust ist eine Botschaft ebenso wie die kleine Veränderung der Sitzhaltung, die geöffnete Handfläche, aber auch die Farbe der Krawatte oder das dezente Parfüm. Mimik, Gestik, Haltung und Bewegung, die räumliche Beziehung, Berührungen und die Kleidung sind wichtige Mittel der nonverbalen Kommunikation. Es ist die älteste Form der zwischenmenschlichen Verständigung. Auf diese Weise klären wir untereinander, ob wir uns sympathisch sind und ob wir uns vertrauen können. Der Körper verrät unsere wirklichen Gefühle, wer wir sind und was wir eigentlich wollen. Die nonverbalen Botschaften sind oft unbewusst und gerade deshalb so machtvoll. Ohne Körpersprache sind die täglichen sozialen Beziehungen gar nicht denkbar. Wissenschaftler haben herausgefunden, dass 95 Prozent des ersten Eindrucks von einem Menschen von Aussehen, Kleidung, Haltung, Gestik und Mimik, Sprechgeschwindigkeit, Stimmlage, Betonung und Dialekt bestimmt werden und nur drei Prozent von dem, was jemand sagt. Und die Einschätzung der Person geschieht in weniger als einer Sekunde. Weil wir das körperliche Verhalten schwerer kontrollieren und beherrschen können als die verbalen Aussagen, gilt die Körpersprache als wahrer und echter.

Weltsprache oder Geheimcode?

Aber lauern da nicht viele Missverständnisse? Stimmt unser Eindruck? Sind unsere Botschaften eindeutig und werden wir verstanden? Die Wissenschaft geht davon aus, dass bestimmte Basis-Gefühle wie Angst, Furcht, Glück, Trauer, Überraschung und Abscheu bei allen Menschen bestimmte nonverbale Ausdrucksformen hervorrufen. So gilt beispielsweise das Stirnrunzeln in so gut wie allen menschlichen Kulturen als Zeichen von Ärger. Das Lächeln wird ebenfalls weltweit als positives Signal und Sympathiezeichen eingesetzt. Auch die Deutung solcher Signale ist universell, sie werden überall verstanden. Es gibt aber auch viele Körpersignale, die sich kulturell entwickelt haben und so missverständlich sind wie die verschiedenen Wortsprachen. So kann sogar eine Geste – wie etwa der emporgereckte Daumen – in unterschiedlichen Kulturkreisen genau das Gegenteil bedeuten. Oder eine für uns normale Haltung in anderen Teilen der Welt Empörung hervorrufen. Zum Beispiel ist das Übereinanderschlagen der Beine für einen Araber eine Beleidigung, denn die Fußsohle gilt im arabischen Kulturkreis als unrein. Gruppen von Menschen, Gesellschaften und Kulturen entwickeln ein eigenes System von nonverbalen Botschaften, einen eigenen Code. Nur wenn man mit diesem Code aufgewachsen ist, kann man ihn richtig benutzen. Man lernt, den Körpersprache-Code zu lesen. Es gibt also Körpersignale, die wir alle verstehen und anwenden und solche, die kultur- oder regionalspezifisch sind. Hilfreich ist es in jedem Fall, die Möglichkeiten der Körpersprache gut zu kennen und zu lernen, sie richtig einzusetzen.

Sprechen

3 Pantomime

Wählen Sie eine der beiden Aufgaben.

1. Pantomimen im Hotel
- Bilden Sie Arbeitsgruppen à vier Personen.
- Sie sind im Hotel in einem Land, dessen Sprache Sie nicht sprechen. Entwerfen Sie mehrere knifflige Situationen an der Hotelrezeption oder wählen Sie aus der Liste im Arbeitsbuch etwas aus.
- Wählen Sie eine oder mehrere Situationen aus und stellen Sie diese pantomimisch – also nur mithilfe von Gestik und Mimik – vor. Die anderen Arbeitsgruppen versuchen zu erraten, um welche Situationen es sich handelt.

2. Ein Stummfilm
- Arbeiten Sie zu viert. Denken Sie sich eine Geschichte aus, die Sie körpersprachlich darstellen wollen.
- Die Geschichte soll mindestens fünf verschiedene Szenen haben.
- Schreiben Sie Texttafeln für Zwischeneinblendungen (um den Fortgang der Handlung zu skizzieren, das macht die Geschichte besser verständlich).
- Spielen Sie den anderen Arbeitsgruppen Ihren „Film" vor.

12 Der Ton macht die Musik

1 Sich beschweren

Sprechen

a Wie würden Sie in den folgenden Situationen reagieren? Improvisieren Sie zu zweit kleine Dialoge.

1. Sie haben ein wichtiges Treffen am nächsten Morgen in Berlin und wollen deshalb den Nachtzug von Wien nehmen. Aufgrund starken Schneefalls wird der Zug gestrichen und Sie versäumen das Treffen am nächsten Tag.
2. Sie wohnen in einer sehr ruhigen Gegend, in der es kaum Verkehr gibt. Für die Zukunft ist jedoch geplant, eine neue Buslinie einzurichten. Die Haltestelle soll genau vor Ihrem Haus eingerichtet werden.
3. Die Preise für das öffentliche Verkehrssystem wurden generell um 20% erhöht. Das finden Sie ungerecht.

b Welche Unterschiede gibt es zwischen mündlichen und schriftlichen Beschwerden? Wann beschweren Sie sich lieber schriftlich, wann lieber mündlich? Was ist leichter? Warum? Tauschen Sie sich im Kurs aus.

2 Ein Brief an die Beschwerdestelle für den Öffentlichen Verkehr

Lesen
Sprechen

a Lesen Sie den Brief. Wie ist er aufgebaut? Nummerieren Sie in der richtigen Reihenfolge.

A erwartete Kompensation, Forderung: ____

B Problem / Ereignis: ____

C Begründung für die Beschwerde: ____

Beschwerde über Busfahrer 14.07.20...

Sehr geehrte Damen und Herren,

vor ein paar Tagen hatte ich ein äußerst ärgerliches Erlebnis in einem Bus, das ich Ihnen im Folgenden kurz schildern möchte.

Am 12. Juli dieses Jahres habe ich wie immer mit dem Kinderwagen und meiner Tochter an der Haltestelle Steinstraße auf den Bus Nr. 36 zum Opernplatz gewartet. Da es an dem Tag stark regnete, war der Bus ziemlich voll. Als ich in den überfüllten Bus einsteigen wollte, verweigerte mir der Busfahrer den Zutritt. Seine Begründung war, dass er den Vorschriften nach keine Personen mehr mitnehmen dürfe. Dabei hätte der Kinderwagen ohne Zweifel noch leicht Platz gehabt! Nach langer Diskussion mit dem Fahrer, in der dieser ausgesprochen unfreundlich reagierte, wurde ich gezwungen auszusteigen. Mir blieb nichts anderes übrig, als mit dem Taxi zum Kindergarten zu fahren (Kosten: 26 Euro).

Ich finde das Verhalten des Busfahrers ☐ **ungeheuerlich** ☐ **unangemessen**.
☐ **Es kann nicht angehen** ☐ **Es kann nicht im Sinne der Verkehrsbetriebe sein**, dass Personen mit Kinderwagen gegenüber anderen Passagieren benachteiligt werden. Ich möchte dabei betonen, dass sich nicht alle Busfahrer an diese starren Vorschriften halten. Allerdings wird der Kunde in den meisten Fällen nicht wie ein König, sondern eher wie ein notwendiges Übel behandelt. Wenn ich darüber hinaus noch an die überzogenen Buspreise (Tageskarte: 7,20 Euro) denke, empfinde ich das Verhalten des Busfahrers umso mehr als Zumutung.

Ich verlange aus diesen Gründen ausdrücklich die Rückerstattung der Ausgaben für das Taxi. Darüber hinaus ☐ **würde ich mir wünschen** ☐ **erwarte ich**, dass die Verkehrsbetriebe ihre Kundenpolitik grundsätzlich überdenken.

Mit freundlichen Grüßen

Christiane Ehrenmann

b Welche der oben im Brief fett geschriebenen Ausdrücke besitzen jeweils die stärkere Bedeutung? Kreuzen Sie an.

c Wohin passen die für eine Beschwerde typischen Redemittel? Schreiben Sie die passende Rubrik über jeden Kasten. Kennen Sie noch mehr Ausdrücke?

Ausdruck von Ärger | etwas hervorheben | persönliche Einschätzung | etwas verlangen

______________________:
Es kann (doch) nicht angehen, dass ... |
Es kann (doch) nicht wahr sein, dass ... |
Es kann (doch) nicht im Sinne von ... sein, dass ...

______________________:
Ich finde es ungeheuerlich, ... |
Ich finde es unangemessen, ... |
Ich halte es für eine Frechheit, ...

______________________:
Ich würde mir wünschen, dass ... |
Ich erwarte, dass ... |
Meine Forderung lautet deshalb, dass ...

______________________:
Der Punkt ist für mich, dass ... |
Entscheidend ist für mich, dass ... |
Ich möchte betonen / unterstreichen, dass ...

Schreiben

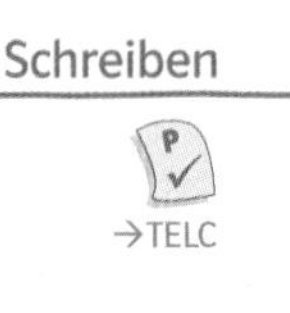

→TELC

3 Ein Beschwerdebrief

Schreiben Sie einen Brief an die zuständige Beschwerdestelle.

- Wählen Sie eine der in Aufgabe 1a angeführten Situationen oder ein Erlebnis aus Ihrer eigenen Erfahrung.
- Vergessen Sie nicht die formalen Aspekte eines offiziellen Briefes: Empfänger, Absender, Datum, Betreff, Anrede und Gruß.

Formen und Strukturen S. 164

4 Sprache im Mittelpunkt: Relativsätze

a Die Beschwerde von Frau Ehrenmann. Lesen Sie und unterstreichen Sie die Relativsätze.

1. Sie durfte mit ihrem Kinderwagen nicht im Bus mitfahren, worüber sie sich in ihrem Brief beschwert.
2. Personen mit Kinderwagen werden durch diese Regelung benachteiligt, was in ihren Augen ein Skandal ist.
3. Sie findet, der Kunde sollte König sein, was bei ihrer Diskussion mit dem Busfahrer wirklich nicht der Fall war.
4. Manches, was er ihr sagte, war sogar äußerst unhöflich.
5. Dabei war doch alles, was sie wollte, bei Regen nicht auf der Straße stehen zu müssen.
6. Das, worüber sie sich besonders beschwert, ist das Verhalten des Busfahrers.
7. Sie musste mit dem Taxi fahren, wofür sie jetzt die Rückerstattung der Kosten verlangt.

b Welche Regel passt zu welchen Sätzen: 1 oder 2?

!

1. Der Relativsatz bezieht sich nicht auf ein einzelnes Bezugswort, sondern auf die gesamte Aussage des Satzes. → Sätze *1,* ______________________
2. Nach „das", „alles", „etwas", „manches", „nichts", „vieles", „das Beste", ... steht als Relativpronomen „was" oder „wo-"/„wor-" + Präposition. → Sätze ______________________

12 Wer wagt, gewinnt

1 Gedanken über Gott und die Welt

Sprechen

a Klären Sie im Kurs die Bedeutung der folgenden Sprichwörter. Gibt es in Ihrer Muttersprache etwas Ähnliches?

1. Was du heute kannst besorgen, das verschiebe nicht auf morgen.
2. Wer zu spät kommt, den bestraft das Leben.
3. Was Hänschen nicht lernt, lernt Hans nimmermehr.
4. Wer im Glashaus sitzt, soll nicht mit Steinen werfen.
5. Wer andern eine Grube gräbt, fällt selbst hinein.
6. Was du besitzest, kannst du verlieren, doch was du lernst, wird stets dich zieren.

b Für eine Sprachprüfung sollen Sie zeigen, dass Sie Gedanken zu einem Thema zusammenhängend auf Deutsch darlegen können.

- Arbeiten Sie zu viert. Wählen Sie ein Sprichwort aus. Sammeln Sie Erläuterungen, Beispiele, Anekdoten etc. dazu. Machen Sie sich Notizen, wenn Sie wollen.
- Spielen Sie eine Prüfungssituation. Eine/r von Ihnen ist der/die Prüfer/in, eine/r der Prüfling: Der Prüfer führt das Interview, der Prüfling legt seine Gedanken dar. Zwei Personen sind Protokollanten.
- Sammeln Sie dann gemeinsam: Welche sprachlichen Mittel haben Sie für Darlegung und Erläuterung verwendet? Wie haben Sie nachgefragt? Machen Sie sich einen Spickzettel.
- Wechseln Sie dann die Rollen und führen Sie das Gespräch noch einmal.

MÜNDLICHE LEISTUNGEN BEWERTEN
AUF DIESE KRITERIEN KÖNNEN SIE ACHTEN:

1. Bewältigung der gestellten Aufgabe → Verwirklichung der Sprechabsicht? Gesprächsbeteiligung? Flüssigkeit? Verwendung von Diskurs- und Kompensationsstrategien?
2. Ausdrucksfähigkeit → Inhalts- und rollenbezogene Ausdrucksweise? Sprachliche Vielfalt?
3. formale Richtigkeit → Fehlerhäufigkeit bei Satzbau und Wortbildung?
4. Aussprache und Intonation → Wie stark ist die Abweichung von der Standardaussprache?

Folgende Bewertungen können Sie anwenden:
A die Leistung ist völlig angemessen
B die Leistung ist im Großen und Ganzen angemessen
C die Leistung ist an vielen Stellen nicht mehr akzeptabel / ausreichend
D die Leistung ist durchgehend nicht ausreichend

2 Sprache im Mittelpunkt: Generalisierende Relativsätze

Formen und Strukturen S. 164

a Analysieren Sie die Sätze in Aufgabe 1a.

1. Wo ist der Hauptsatz, wo ist der Nebensatz? Markieren Sie.
2. Mit welchen Wörtern beginnt der Nebensatz?

b Ergänzen Sie die Regeln mit den Wörtern aus dem Schüttelkasten.

Hauptsatz	~~Relativpronomen~~	verallgemeinernde	Demonstrativpronomen

!

1. Die *Relativpronomen* „wer" und „was" haben ________________ Bedeutung und finden sich deshalb besonders häufig in Sprichwörtern und Redensarten.
2. Der Relativsatz mit „wer" oder „was" steht oft vor dem ________________, der mit dem Demonstrativpronomen „der" oder „das" beginnt.
3. Das ________________ im Hauptsatz kann entfallen, wenn es denselben Kasus wie das Relativpronomen hat. Beispiel: „Wer andern eine Grube gräbt, (der) fällt selbst hinein."

3 Sprachlos in der Fremdsprache?

Sprechen

Diskutieren Sie im Kurs über folgende Behauptung.

Was man in einer Sprache sagt, kann man in einer anderen Sprache nie gleichwertig sagen.

- Was geht in einer fremden Sprache für Sie verloren? Wo sind die Grenzen der Fremdsprache? Was bleibt für Sie „offen"?
- Was können Sie selbst nur schwer auf Deutsch formulieren? Und was lässt sich Ihrer Meinung nach nur schwer auf Deutsch ausdrücken?
- Was sind Ihre persönlichen Erfahrungen dazu?

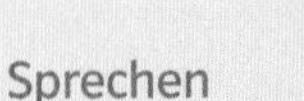

4 Mein Sprachlernweg: Stationen und Ausblicke

Schreiben
Sprechen

a Reflektieren Sie über Ihren bisherigen und den weiteren Lernprozess. Vielleicht schauen Sie sich auch noch einmal Ihre Eintragungen in den Minichecks im Arbeitsbuch an.

1. Mit welchen Bereichen Ihrer deutschen Sprachkompetenz sind Sie zufrieden? Versuchen Sie zu bestimmen, was genau Sie in jedem Bereich schon gut können; z. B.: Ich verstehe gut, wenn ich einen Vortrag höre. Ich verstehe oft nicht so gut, wenn mehrere Leute sich unterhalten.
   a. Hören: ____________
   b. Lesen: ____________
   c. an Gesprächen teilnehmen: ____________
   d. zusammenhängend sprechen: ____________
   e. Schreiben: ____________

2. Wie zufrieden sind Sie insgesamt mit Ihren Lernfortschritten? ____________

3. In welchen Bereichen möchten Sie sich noch verbessern? ____________
____

4. a. Persönliche Leistungen, mit denen Sie (sehr) zufrieden sind: ____________
   b. Welche Lernerfahrungen waren für Sie besonders wichtig oder anregend? ____________
   c. Interessante interkulturelle Erfahrungen: ____________
   d. Anregungen aus Bereichen wie Kunst, Musik, Literatur etc.: ____________

5. Was sind Ihre nächsten Ziele? Wozu und wie wollen Sie weiterlernen?
   a. Ich lerne
      ☐ für das Studium ☐ für Beruf und Arbeit ☐ zum Vergnügen ☐ ____________
   b. Weiterlernen würde ich gern
      ☐ in einem Sprachkurs ☐ durch einen Auslandsaufenthalt
      ☐ im Tandemverfahren ☐ ____________

b Am besten schreiben Sie Ihre Antworten auf ein großes Blatt Papier oder ein Plakat. Hängen Sie dann alle Papiere oder Plakate im Kurs auf, gehen Sie herum und beantworten Sie sich gegenseitig Fragen zu Ihren Lernwegen.

Referenzgrammatik

Hinweis

Diese Referenz-Grammatik stellt zusammenfassend diejenigen Phänomene dar, die in den Lektionen behandelt werden. Dabei wird weniger Wert auf linguistische Vollständigkeit als auf Lernerorientierung gelegt.

Die Grammatik beginnt mit den Elementen im Satz und stellt ihre Funktionen dar (Abschnitt 1). Dann wendet sie sich den Positionen dieser Elemente in Hauptsatz und Nebensatz zu (Abschnitt 2). Abschnitt 3 stellt eine Übersicht über die verschiedenen Möglichkeiten dar, Textteile durch Konnektoren miteinander zu verbinden, und zeigt in den Abschnitten 3.4 bis 3.12 die Bedeutung verschiedener Nebensätze sowie alternative Ausdrucksmöglichkeiten.

Die Abschnitte 4 bis 9 beschreiben einzelne Wortarten und ihre semantischen und syntaktischen Besonderheiten. Abschnitt 10 schließt mit der Darstellung einiger Wortbildungsverfahren ab.

Inhalt

Abkürzungen

A/Akk. = Akkusativ
N/Nom. = Nominativ
D/Dat. = Dativ
G/Gen. = Genitiv
m = maskulin
n = neutrum
f = feminin
Pl = Plural
HS = Hauptsatz
NS = Nebensatz

1 Der Satz und seine Elemente

1.1 Verben und Ergänzungen

Die Elemente des Satzes sind **Subjekt**, **Verb**, **Ergänzungen** (traditionell: Objekte), und **Angaben** (traditionell: adverbiale Bestimmung). Das Verb bestimmt den Kasus der Ergänzungen im Satz. Diese Fähigkeit des Verbes nennt man seine Valenz, vergleichbar mit der Valenz von Atomen in der Chemie.

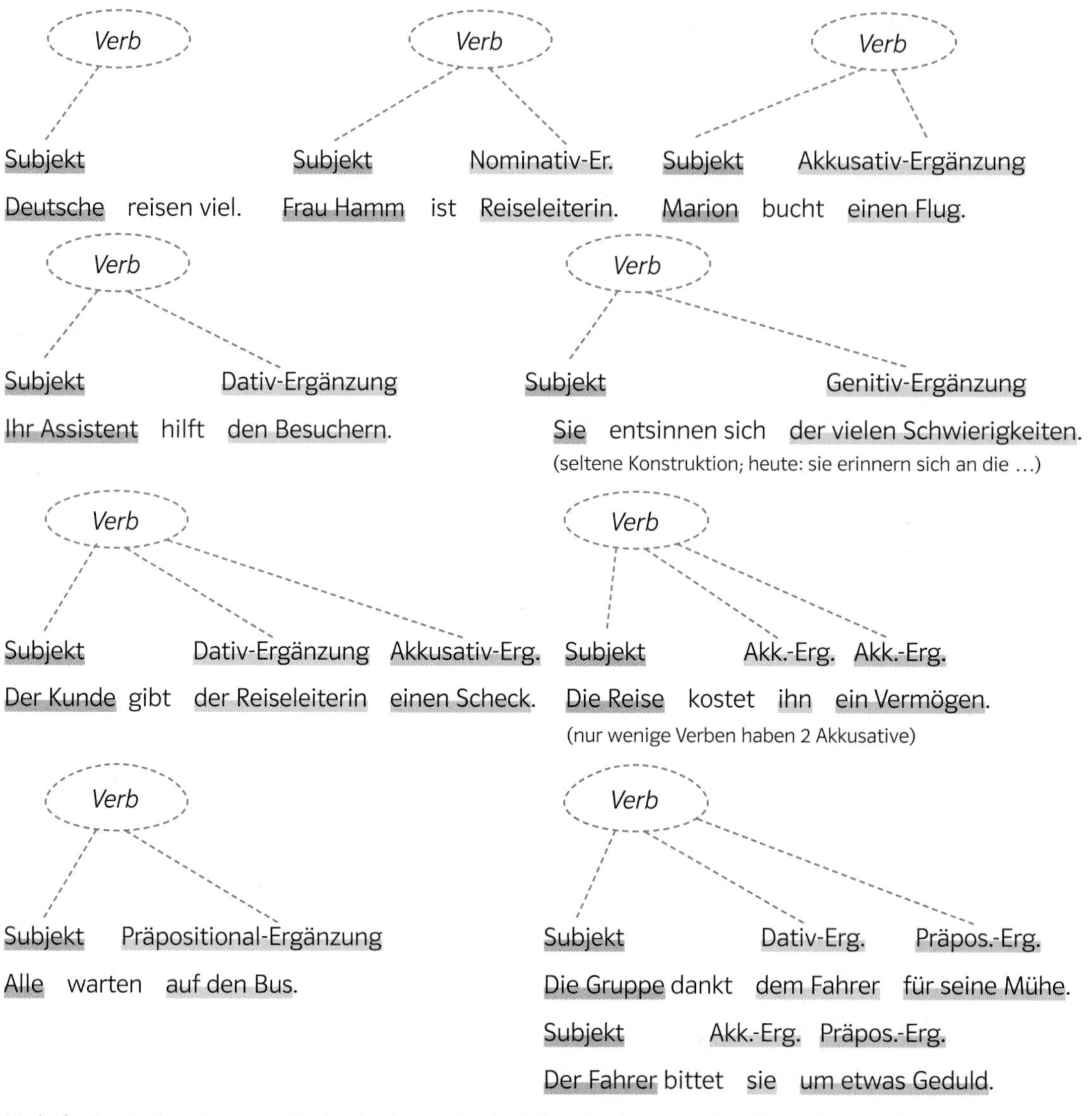

Mehrfache Präpositionen: Sie bedankten sich **bei** den Gastgebern **für** den schönen Abend.
Die Präposition beim Verb hat oft ihre ursprüngliche Bedeutung verloren: warten **auf**, bitten **um**, …

1.2 Nomen-Verb-Verbindungen

Einige Verben (so genannte Funktionsverben) bilden zusammen mit Nomen eine **feste Verbindung**. Die Bedeutung des Verbs ist schwach, die Hauptbedeutung liegt auf dem Nomen. Diese Ausdrücke kommen oft in wissenschaftlichen oder journalistischen Texten vor (Nominalstil).
• Ich möchte diese These hier zur Diskussion stellen. (= Ich möchte diese These hier diskutieren).

bringen: in Erinnerung bringen (= erinnern), zu Ende bringen (= beenden)
kommen: zur Sprache kommen (= besprochen werden), ums Leben kommen (= sterben)
nehmen: einen (guten / schlechten) Verlauf nehmen (= gut / schlecht verlaufen)
stellen: eine Frage stellen (= fragen), in Frage stellen (= bezweifeln)
treffen: Vorbereitungen treffen (= vorbereiten), eine Wahl treffen (= wählen)

1.3 Angaben

Abschnitt 2.6 → Besondere Wortstellungen im Satz

Während Ergänzungen vom Verb abhängig sind, können Angaben frei in den Satz eingefügt werden. Sie haben die Funktion, die Umstände des Geschehens im Satz anzugeben, z. B.
- Sie mietet jedes Jahr mit ihren Freunden in der Schweiz eine Ferienwohnung.

Abschnitt 3.4 – 3.12 → Zur Bedeutung von Angaben

Auch ohne die Angaben ist der Satz grammatisch vollständig.

2 Positionen im Satz

2.1 Die Satzklammer im Hauptsatz

Die Satzklammer

Position 1 *(Subjekt/Angabe/ Ergänzung)*	**Position 2** *(finites Verb)*	**Mittelfeld** *((Subjekt +) Ergänzungen + Angaben)*	**Satzende** *(infiniter Verbteil)*
Nach einer Stunde	haben	**wir** das Hotel mitten in einem Wäldchen	gesehen.
Wir	sind	sofort mit all unserem Gepäck	hingelaufen.
Die Fahrräder	hatten	**wir** am Bahnhof	gelassen.

Auf Position 1 steht meist entweder das Subjekt oder eine Angabe. Wenn eine Ergänzung besonders betont werden soll, kann sie auch auf Position 1 stehen. Wenn das Subjekt nicht auf Position 1 steht, steht es im Mittelfeld links, direkt nach dem Verb.

Bei Nomen-Verb-Verbindungen wird die Satzklammer durch das Verb und das Nomen gebildet:
- Er stellt das Thema zur Diskussion.
- Er stellt das Thema heute Abend zur Diskussion.
- Er stellt das Thema heute Abend auf der Versammlung zur Diskussion.
- Er stellt das Thema heute Abend auf der Versammlung sicherlich zur Diskussion.

2.2 Dativ- und Akkusativ-Ergänzungen im Mittelfeld

Position 1	**Position 2**	**Mittelfeld**	**Satzende**
Die Psychologin	hat	den Hörern Ratschläge	gegeben.
Die Psychologin	hat	ihnen Ratschläge gegen den Wahn	gegeben.
Die Psychologin	hat	sie den Hörern in der Radiosendung	gegeben.
Die Psychologin	hat	sie ihnen kostenlos	gegeben.

Bei zwei Nomen gilt meist: Dativ vor Akkusativ.
Pronomen stehen vor den Nomen: kurz vor lang.
Bei zwei Pronomen gilt: Akkusativ vor Dativ.

Die Psychologin	gibt	die Ratschläge allen Hörern.	

Die Dativ-Ergänzung kann **nach** der Akkusativ-Ergänzung stehen, wenn sie betont wird.
Achtung: Das geht nur, wenn die Akkusativ-Ergänzung den bestimmten Artikel hat!

2.3 Angaben im Mittelfeld

Angaben können entweder auf Position 1 oder im Mittelfeld stehen. Die Stellung der Angaben im Satz ist recht frei. Aber es gibt ein paar Tendenzen.

Die **temporale Angabe** ***(wann?)*** steht meist vor der **lokalen Angabe** ***(wo?)***: Zeit vor Ort.
- Frau Glaser hat sich **letztes Jahr im Krankenhaus** untersuchen lassen.

Temporale und lokale Angaben stehen auch oft auf Position 1.
- **Letztes Jahr** hat sich Frau Glaser im Krankenhaus untersuchen lassen.
- **Im Krankenhaus** gab es bessere Möglichkeiten, bestimmte Untersuchungen durchzuführen.

Die **kausalen Angaben *(warum?)*** und **modalen Angaben *(wie?)*** stehen oft zwischen den temporalen und lokalen Angaben im Mittelfeld.

- Frau Glaser hat sich **letztes Jahr wegen ihrer Schmerzen gründlich im Krankenhaus** untersuchen lassen.

Leicht zu merken: Die häufigste Reihenfolge der Angaben im Mittelfeld ist: **te ka mo lo**.

temporal: wann? (Zeit-Angaben)	**kausal: warum? (Kausal-Angaben und Konzessiv-Angaben)**	**modal: wie? mit wem? (Modal- und Instrumental-Angaben)**	**lokal: wo? wohin? (Orts-Angaben)**
heute, morgen, später, danach, jeden Morgen, ...	wegen, aufgrund, vor Kälte, aus Angst, ... trotz, ungeachtet, ...	mit Freude, unter großen Anstrengungen, mit der Hand, gern, leider, wahrscheinlich,...	in München, dort, dorthin, nach Hause, bei uns, ...

Wenn eine Angabe besonders betont werden soll, kann sie weiter hinten im Satz stehen:

- Frau Glaser hat sich letztes Jahr **im Krankenhaus gründlich** untersuchen lassen.
- Die Nachuntersuchungen wurden **im selben Krankenhaus einige Monate später** gemacht.

Wenn eine modale Angabe sehr kurz ist, steht sie oft vorn im Mittelfeld: kurz vor lang.

- Seit ihrer Operation geht Frau Glaser **regelmäßig zur Untersuchung ins Krankenhaus**.
- Ihr Mann kann sie **leider aus beruflichen Gründen nicht jedes Mal dorthin** begleiten.

2.4 Negation

Satznegation:

Position 1	Position 2	Mittelfeld	Negation	Satzende	Stellung
Schönheits-operationen	gefallen	mir	nicht.		*am Satzende*
Ich	finde	diesen Schönheits-wahn	gar nicht	gut.	*vor Adjektiv*
Die Probleme	gehen	auch nach einer Schönheitsoperation	nicht	weg.	*vor Präfix*
Die Frau	denkt	fast	nicht mehr	an die hohen Kosten.	*vor Präpositional-ergänzung*
Trotzdem	kommt	ihre Freundin	nicht	hierhin.	*vor Adverb*

„nicht" negiert meist den ganzen Satz. Tendenziell steht „nicht" am Satzende, aber einige Elemente stehen immer nach „nicht".

Negation als Korrektur (partielle Negation):

Position 1	Position 2	Mittelfeld + Satzende	Korrektur
Ich	finde	nicht die Schönheitspflege schlecht,	sondern den Schönheitswahn.
Sonja	lässt sich	nicht heute operieren,	sondern morgen.
Heute	kommt	nicht Sonja zu Besuch,	sondern mein Bruder.

„nicht" negiert hier nur ein Element des Satzes und steht vor diesem Element.

2.5 Das Nachfeld: Vergleiche

Position 1	Position 2	Mittelfeld	Satzende	Nachfeld
Das Haus	hat	nach der Renovierung viel größer	ausgesehen	als vorher.
Skifahren	scheint	nicht so gefährlich	zu sein	wie Snowboarden.

In Vergleichssätzen kann ein Teil des Vergleichs noch nach dem Satzende stehen.

2.6 Besondere Wortstellungen im Satz

Die Wortstellung im deutschen Satz ist nicht strikt syntaktisch gegliedert (z. B. Subjekt – Verb – Ergänzung), sondern semantisch, nach der Bedeutung. Dabei ist die Absicht der Sprecher entscheidend: Was soll besonders betont werden?

Neue Information: Thema – Rhema:

Im Mittelfeld steht das Bekannte (das Thema) vorn, die neue Information (das Rhema) eher weiter hinten. Oft signalisiert ein Indefinit-Artikel oder kein Artikel: Etwas ist neu in diesem Kontext. Das Neue kann eine Akkusativ- oder Dativ-Ergänzung oder auch das Subjekt sein.

Position 0	Position 1	Position 2	Mittelfeld	Satzende
	Die Psychologin	erzählt	den Hörern in ihrer Radiosendung zunächst oft eine Geschichte.	
	Dann	interpretiert	sie diese Geschichte.	
und		gibt	ihren Hörern wertvolle Ratschäge.	
	Nach der Sendung	berichte	ich das Ganze immer einem Freund.	
	In der Kneipe	erwartet	uns am Abend noch meine Freundin.	

Allgemeine Tendenz: bekannt, kurz, unbetont Thema: vorn im Satz — neue Information, lang, betont Rhema: hinten im Satz

Akkusativ oder Dativ auf Position 1:

Position 1	Position 2	Mittelfeld	Satzende
Im Radio	gibt	es jeden Samstag ein Wettspiel.	
Den Gewinner	erfährt	man aber erst am nächsten Montag.	
Das	verstehe	ich gut!	
Dem glücklichen Gewinner	wird	das Ergebnis allerdings schon am Sonntag	mitgeteilt.

Akkusativ oder Dativ auf Position 1: Überraschende Information, Kontrast, Betonung.

2.7 Die Frage

Die Frage mit Fragewort (W-Frage):

Position 0	Position 1	Position 2	Mittelfeld	Satzende
	Was	hat	der Reiseleiter	gesagt?

Das Fragewort steht auf Position 1, das finite Verb wie immer auf Position 2.

Die Ja-/Nein-Frage:

Position 0	Position 1	Position 2	Mittelfeld	Satzende
	Haben	Sie	die neue Ausstellung schon	gesehen?
Und	möchten	Sie	noch einen Tag in dem Hotel	bleiben?

Das finite Verb steht auf Position 1, direkt danach steht auf Position 2 das Subjekt.

2.8 Der Imperativ

Position 0	Position 1	Position 2	Mittelfeld	Satzende
	Zahlen	Sie	doch bitte gleich heute!	
Jetzt	bleib		doch endlich mal	stehen!
	Zeigt		mir doch mal das neue Stadion!	

Abschnitt 9 Modalpartikeln
Abschnitt 4.10 Konjunktiv II

Die Imperativ-Form des Verbs steht auf Position 1.
Der Imperativ allein klingt sehr direkt, die Partikeln „mal" und „doch" machen die Form höflicher.
Eine andere Möglichkeit, eine Aufforderung höflicher auszudrücken ist der Konjunktiv II:
- Würden Sie bitte mal stehen bleiben?

3 Satzkombinationen

3.1 Mittel der Textverbindung: Die Konnektoren

Konnektoren sind Wörter oder Ausdrücke, die Teile eines Textes logisch miteinander verbinden. Sie können aus verschiedenen Wortarten bestehen. Die häufigsten Konnektoren sind Konjunktionen, Subjunktionen und Verbindungsadverbien.

Wie Hochrechnungen der Justizbehörde zeigen, werden Hamburger immer streitsüchtiger. Danach klagen immer mehr Bürger vor dem Amtsgericht und vor den Sozialgerichten. Alle Menschen streiten – wortreich, schweigend, strategisch, impulsiv, polternd, hinterhältig. Aber wir schließen meist einen Kompromiss, um einen Disput – zumindest vorerst – auf Eis zu legen. Es gibt jedoch auch Situationen, die trotz des besten Bemühens aller Beteiligten für Zündstoff sorgen. So können besondere Ereignisse wie Geburtstage, Jubiläen, Beerdigungen uns entweder besonders friedlich oder feindlich stimmen. Ein Fest wie Weihnachten zum Beispiel ist hervorragend als Rahmen für einen heftigen Wortwechsel geeignet, denn zu Weihnachten erhofft man sich viel voneinander, es soll so richtig schön, harmonisch und rund sein. Wenn diese überzogenen Vorstellungen nicht erfüllt werden, kracht es schneller als gedacht.

Abschnitt 3.2
Hauptsatz - Hauptsatz

Konjunktionen verbinden Hauptsätze miteinander. Sie stehen auf Position 0 im zweiten der beiden Sätze. Konjunktionen können auch Satzteile miteinander verbinden.

Abschnitt 3.3–3.12
Nebensätze

Subjunktionen leiten Nebensätze ein und stellen die logische Verbindung zum Hauptsatz her. Zum Beispiel gibt „weil" im Nebensatz den Grund an für einen Sachverhalt im Hauptsatz. Das konjugierte Verb im Nebensatz steht am Satzende.

Abschnitt 3.3–3.12
Nebensätze und Alternativen

Verbindungsadverbien (oft auch Konjunktionaladverbien) können sowohl Hauptsätze als auch Satzteile logisch miteinander verbinden. Als Adverbien stehen sie auf Position 1 oder im Mittelfeld.

3.2 Hauptsatz – Hauptsatz

Konjunktionen: die „aduso"-Wörter:

Hauptsatz 1	Hauptsatz 2				
	Position 0	**Position 1**	**Position 2**	**Mittelfeld**	**Satzende**
Andrea geht gern wandern,	aber	sie	kann	das nur selten	tun.

Konjunktion	Bedeutung	Besonderheit / Beispiel
aber	*Gegensatz*	• Ihre Eltern kommen erst morgen, aber sie rufen heute noch an. *„aber" kann auch im Mittelfeld stehen:* • Ihre Eltern kommen erst morgen, sie rufen aber heute noch an.
denn	*Grund*	Andrea hat nicht viel Freizeit, denn ihr Baby braucht sie ständig.
und	*Verbindung, Aufzählung*	*„und" kann Sätze, Satzteile, Wörter oder sogar Teile von Wörtern miteinander verknüpfen:* • Früher kam Andrea oft nach Hause und ging dann gleich wieder aus. • … die Vor- und Nachteile von Gruppenreisen …
sondern	*Korrektur*	*„sondern" steht immer nach einem Satz mit Negation:* • Heute geht sie nicht oft aus, sondern (sie) bleibt meistens daheim.
oder	*Alternative*	• Am Abend sieht sie dann oft fern oder Freunde kommen zu Besuch. • Würden Sie eher Andrea oder Daniel Recht geben?

Die „aduso"-Wörter stehen immer im zweiten von zwei Hauptsätzen. Wenn Subjekt und Verb in Satz 1 und Satz 2 gleich sind, kann man das Subjekt und das Verb in Satz 2 weglassen.

Abschnitt 3.12
Adversative Nebensätze

Andere Konjunktionen:

jedoch *(Gegensatz)*	„jedoch" kann Konjunktion (auf Position 0) oder Adverb (auf Position 1 oder im Mittelfeld) sein: • Eva sucht schon seit Monaten eine Arbeit, jedoch sie hat noch keine gefunden. • Eva sucht schon seit Monaten eine Arbeit, jedoch hat sie noch keine gefunden. • Eva sucht schon seit Monaten eine Arbeit, sie hat jedoch noch keine gefunden.

3.3 Hauptsatz – Nebensatz

Der Nebensatz nach dem Hauptsatz:

Die Nebensatzklammer

Hauptsatz	Subjunktion	Mittelfeld	Satzende
Der Redner betonte,	dass	wir heute über andere Reisemöglichkeiten	verfügen.
Ein Zuhörer fragt,	ob	dadurch die Toleranz anderen Kulturen gegenüber größer	geworden sei.
Holger hat es gern,	wenn	seine Freundin auf seine Geschäftsreisen	mitkommt.
Er versteht nicht,	warum	sie dieses Mal nicht	hat mitkommen wollen.

Nebensätze sind vom Hauptsatz abhängig. Eine Subjunktion leitet einen Nebensatz ein.
Das konjugierte Verb steht ganz am Ende, Partizip oder Infinitiv stehen direkt davor.
Bei trennbaren Verben bleibt das Präfix am Verb.
Bei Modalverben im Perfekt steht das konjugierte Verb vor den anderen Verbteilen.
Die Wortstellung im Mittelfeld ist wie beim Hauptsatz.

Der Nebensatz vor dem Hauptsatz:

Nebensatz (Position 1)			Hauptsatz		
Subjunktion	Mittelfeld	Satzende	Position 2	Mittelfeld	Satzende
Wenn	seine Freundin	mitkommt,	macht	Holger das Reisen noch mehr Spaß.	

Der Nebensatz steht – wenn er vor dem Hauptsatz steht – in der Position 1 des gesamten Satzes.
Deshalb steht direkt nach dem Komma das Verb (auf Position 2 des gesamten Satzes).

3.4 Kausale Nebensätze (weil, da) und kausale Angaben (deshalb, darum, ...)

Kausale Nebensätze geben den Grund für das Geschehen an: **Warum?**

Hauptsatz	Subjunktion	Mittelfeld	Satzende
Die Wohnung ist sehr laut,	weil / da	sie direkt an einer Hauptstraße	liegt.

Besonders die Nebensätze mit „da" stehen oft vor dem Hauptsatz:
- Da ich selber Hunde hatte, störte mich das Hundegebell nicht.

In der mündlichen Umgangssprache wird heute „weil" auch mit Hauptsatz-Konstruktion gebraucht:
- Ich konnte nicht früher kommen, weil mein Fahrrad ist kaputt gegangen.

Alternative Möglichkeiten, Kausal-Angaben auszudrücken:

Nebensatz / Hauptsatz	Verbindungsadverb	Präposition + Nomen
• Wir fliegen dieses Mal in Urlaub, weil es ein gutes Angebot gibt. • Wir fliegen, denn es gibt ein gutes Angebot.	• Es gibt ein gutes Angebot, deshalb fliegen wir dieses Mal. • Wir fliegen dieses Jahr, wir haben nämlich ein gutes Angebot gefunden.	• Wegen des günstigen Angebots fliegen wir dieses Mal in Urlaub. • Aus Angst vor dem Fliegen ist Ben aber nicht mitgekommen.
weil, da, insofern als, denn = *Hauptsatzkonjunktion!*	deshalb, deswegen, darum, daher, nämlich *(nur im Mittelfeld)*	wegen + G, dank + G, aufgrund + G, (aufgrund von + D), aus + D, aus diesem Grund, vor + D

3.5 Temporale Nebensätze (wenn, als, ...) und temporale Angaben (dann, ...)

Temporale Nebensätze geben die Zeit des Geschehens an: **Wann? Seit wann? Bis wann?**

• Wenn er das Visum hat, fahren wir los.	*einmalige Handlung ▸ Gegenwart / Zukunft*
• Als er endlich das Visum bekam, fuhren wir sofort los.	*einmalige Handlung ▸ Vergangenheit*
• (Immer) wenn er nach Italien fährt, kauft er sich Schuhe. • Sooft wenn er nach Italien fuhr, kaufte er sich Schuhe.	*wiederholte Handlung ▸ Gegenwart / Zukunft / Vergangenheit*
• Während er in der Schlange am Zoll stand, las er den Roman. • Solange wir unterwegs sind, teilen wir alle Kosten.	*zwei Handlungen gleichzeitig*
• Wir spielten Karten, bis alle im Hotel angekommen waren.	*Dauer von jetzt bis zu einem Zeitpunkt*
• Seit / seitdem sie in München wohnt, meldet sie sich nicht mehr / hat sie sich nicht mehr gemeldet. • Seit / seitdem er umgezogen ist, meldet er sich nicht mehr.	*Zeitdauer bis jetzt* *Zeitpunkt bis jetzt*

A passiert zuerst:	**B passiert danach:**	
Er rief noch von zu Hause an,	bevor er kam.	*Tempus in HS und NS ist gleich.*
Sie mussten noch warten,	ehe sie einchecken konnten.	
Nachdem sie eingecheckt hatten,	konnten sie endlich auf ihre Zimmer gehen.	*nachdem-Satz: Plusquamperfekt* *HS: Präteritum*
Nachdem du eingecheckt hast,	kannst du hoch aufs Zimmer gehen.	*nachdem-Satz: Perfekt* *HS: Präsens*
Sobald der Reiseleiter kommt,	steigen wir in den Bus.	*Tempus in HS und NS ist gleich.*
Sobald wir das Museum gefunden haben,	rufe ich dich auf dem Handy an.	*sobald-Satz: Perfekt* *HS: Präsens*

Temporale Nebensätze stehen meist vor dem Hauptsatz.

Alternative Möglichkeiten, Zeit-Angaben auszudrücken:

Nebensatz	**Verbindungsadverb**	**Präposition + Nomen**
• Bevor sie wieder ins Hotel zurückgingen, wechselten sie noch etwas Geld. • Als sie im Hotel ankamen, gab ihnen der Portier einen Brief.	• Sie gingen wieder ins Hotel. Vorher wechselten sie aber noch etwas Geld. • Sie kamen wieder im Hotel an. Gleich darauf gab ihnen der Portier einen Brief.	• Vor ihrer Rückkunft ins Hotel wechselten sie noch etwas Geld. • Bei ihrer Ankunft im Hotel gab ihnen der Portier einen Brief.
als, bevor, sobald, solange, sooft, während, wenn, immer wenn, seit, seitdem, nachdem	dann, danach, anschließend, gleichzeitig, nachher, bisher, bis dahin, seither, seitdem, daraufhin, währenddessen	vor + D, nach + D, bei + D, während + G, bis zu + D

3.6 Finale Nebensätze (damit, um zu) und finale Angaben (dafür, um ... willen, ...)

Finale Nebensätze geben ein Ziel oder einen Zweck an: **Mit welcher Absicht? Wozu? Wofür?**
• Er übt jeden Tag intensiv Klavier, damit er am Konservatorium studieren kann.

Wenn Hauptsatz und Nebensatz dasselbe Subjekt haben, kann man statt „damit" auch „um ... zu" + Infinitiv benutzen.
• Er übt Klavier, um am Konservatorium studieren zu können.
• Um sein Ziel zu erreichen, übt er jetzt 6 Stunden täglich.

Mündlich kann auch der finale Nebensatz allein stehen:
• Warum gehst du in die Stadt? – Um einzukaufen.
• Warum muss ich schon ins Bett? – Damit du morgen ausgeschlafen bist.

Alternative Möglichkeiten, finale Angaben auszudrücken:

Nebensatz	Verbindungsadverb	Präposition + Nomen
• Ich lese die Zeitung, um immer gut informiert zu sein.	• Ich möchte gern immer gut informiert sein, dafür lese ich jeden Tag die Zeitung.	• Ich lese die Zeitung um der besseren Information willen. • Er setzt sein Wissen zum Lösen der Aufgabe ein.
damit, um … zu	dafür, dazu	zwecks, um … willen + G, zu diesem Zweck, für + A, zu + D

3.7 Konditionale Nebensätze (wenn, falls, …) und konditionale Angaben (sonst, …)

Abschnitt 4.10
Konjunktiv II

Konditionale Nebensätze geben die Bedingung an, unter der ein Geschehen stattfindet: **Unter welcher Bedingung?**

- Wenn die Vorstellungen von einer guten Ehe nicht übereinstimmen, kommt es leicht zu Konflikten.
- Falls / sofern einer der Partner immer Recht haben will, können keine konstruktiven Gespräche geführt werden.

Abschnitt 3.5
„wenn" als temporale Subjunktion

Wenn-Sätze werden vor allem schriftlich auch oft ohne die Subjunktion benutzt, das Verb steht in Position 1:

- Beharrt einer der Partner ständig auf seinem Recht, gibt es keine Einigung.
  (= Wenn einer der Partner ständig auf seinem Recht beharrt, gibt es keine Einigung)
- Sollte einer der Partner weiterhin auf seinem Recht beharren, müssen Sie einen Berater hinzuziehen.

Irreale Konditionalsätze stehen im Konjunktiv II:

- Wenn wir beide pünktlicher wären, hätten wir mehr Zeit füreinander. *(Gegenwart)*
- Wenn wir gestern pünktlicher gewesen wären, hätten wir mehr Zeit gehabt. *(Vergangenheit)*

Alternative Möglichkeiten, konditionale Angaben auszudrücken:

Nebensatz	Verbindungsadverb	Präposition + Nomen
• Wenn es regnet, findet das Konzert im Saal statt. • Sollte es regnen, findet das Konzert im Saal statt.	• Das Konzert findet bei gutem Wetter im Freien statt, andernfalls im Saal.	• Bei Regen findet das Konzert im Saal statt.
wenn; falls; sofern; gesetzt den Fall, dass; angenommen, dass; es sei denn, dass; im Falle, dass; für den Fall, dass; unter der Bedingung, dass	sonst, ansonsten, andernfalls	bei + D, ohne + A, im Falle von + D,
als Hauptsatz-Einleitung (Position 0)		
• Gesetzt den Fall, er kommt nicht mehr, gehen wir allein.		
gesetzt den Fall, angenommen, vorausgesetzt, es sei denn		

Abschnitt 3.17
Zweiteilige Konnektoren

Auch die zweiteilige Konjunktion „je … desto" hat konditionale Bedeutung:

- Je mehr Fortbildungen ein Mediator macht, desto besser kann er mit Konflikten umgehen.

3.8 Konzessive Nebensätze (obwohl, …) und konzessive Angaben (trotzdem, …)

Konzessive Nebensätze geben einen „Gegengrund" an: **Trotz welcher Umstände?**

- Obwohl es in den Großstädten Kanadas genauso turbulent zugeht wie in europäischen Großstädten, lebt man dort sehr viel freier und unkomplizierter.

Abschnitt 3.17 Zweiteilige Konnektoren

Alternative Möglichkeiten, konzessive Angaben auszudrücken:

Nebensatz / Hauptsatz	**Verbindungsadverb**	**Präposition + Nomen**
• Ich gehe spazieren, obwohl es regnet. • Auch wenn es regnet, gehe ich spazieren. • Zwar regnet es, aber ich gehe spazieren.	• Es regnet. Trotzdem gehe ich spazieren. (Ich gehe trotzdem spazieren.)	• Trotz des Regens gehe ich spazieren.
obwohl, obgleich, obschon *(veraltet)*, selbst wenn, wenn... auch, auch wenn, wenngleich *(veraltet)*, zwar – aber	trotzdem, dennoch, gleichwohl, indessen	trotz + G, ungeachtet + G *(gehobene Sprache)*

3.9 Konsekutive Nebensätze (so dass, ...) und konsekutive Angaben (also, ...)

Konsekutive Nebensätze geben eine Folge an: **Was ist die Folge?**

„so" + Adjektiv oder Adverb im Hauptsatz, dass im Nebensatz:
- Kerstin verdient in den USA so gut, dass sie nicht wieder nach Europa zurückgehen will.
- Sie hatte dort derartig gute Chancen / solch gute Chancen, dass sie am liebsten für immer da geblieben wäre.

„so dass" kann auch zusammen am Anfang des Nebensatzes stehen:
- Kerstin hat in den USA die Karrieremöglichkeiten genutzt, sodass sie jetzt das Fünffache verdient.

Alternative Möglichkeiten, konsekutive Angaben auszudrücken:

Nebensatz	**Verbindungsadverb**	**Präposition + Nomen**
• Er verdiente so viel, dass er sich ein Haus kaufen konnte.	• Er verdiente sehr viel. Infolgedessen konnte er sich endlich ein Haus kaufen.	• Infolge seines guten Verdienstes konnte er sich endlich ein Haus kaufen.
sodass; solch ..., dass; derartig ..., dass	folglich, infolgedessen, somit, also, demzufolge, demnach, somit	infolge + G, infolge von + D

3.10 Modale Nebensätze (indem, ohne dass, ...) und modale Angaben (so, durch, ...)

Modale Nebensätze geben die Art und Weise eines Geschehens an. Hierzu kann man auch die instrumentalen Angaben rechnen: **Wie geschieht etwas?**
- Die Einbrecher drangen ins Haus ein, indem sie das Türschloss aufbrachen.
- Sie verließen das Haus, ohne dass die Nachbarn sie sahen.
- Ohne dass ich mich besonders angestrengt hätte, begann ich plötzlich abzunehmen. *(Konjunktiv II: entgegen der Erwartung)*
- Ohne das Geld zu beachten, nahmen sie die Dokumente mit.
- Elke lernt neue Wörter dadurch, dass sie ein konkretes Bild mit dem Wort verbindet.
- Dadurch, dass Elke ein konkretes Bild mit einem Wort verbindet, lernt sie es.

Alternative Möglichkeiten, modale Angaben auszudrücken:

Nebensatz	**Verbindungsadverb**	**Präposition + Nomen**
• Der Interviewer macht sich dadurch, dass er den Bewerbern auch persönliche Fragen stellt, ein besseres Bild. • Wie sie ganz richtig bemerkt hatte, waren die Fragen sehr persönlicher Natur.	• Wir sprechen neben den üblichen Fragen auch persönliche Themenbereiche an; so können wir Sie besser kennen lernen.	• Durch persönliche Fragen möchte der Interviewer die Bewerber besser kennen lernen. • Der Vertrag kann von beiden Seiten schriftlich zum Monatsende gekündigt werden. • Sie füllt die Bewerbung mit dem Computer aus.
indem; dadurch, dass; ohne dass; ohne zu; wie; insofern als	so, solchermaßen, dadurch, damit	durch + A, mit + D, von + D, ohne + A

3.11 Alternative Nebensätze (statt dass) und alternative Angaben (stattdessen)

Alternative Nebensätze drücken andere Möglichkeiten des Handelns aus: **Wenn nicht das eine, was dann?**
- Nach dem Abitur machte Ruth eine Weltreise, statt dass sie gleich mit dem Studium anfing.

Abschnitt 3.17 → Zweiteilige Konnektoren

Andere Möglichkeiten, alternative Angaben auszudrücken:

Nebensatz	Verbindungsadverb	Präposition + Nomen
• Statt gleich mit dem Studium anzufangen, machte Ruth nach dem Abitur eine Weltreise.	• Sie wollte nach dem Abitur nicht gleich mit dem Studium anfangen. Stattdessen machte sie erst mal eine Weltreise.	• Statt einer Weltreise wollte ihr Bruder sich ein schnelles Auto kaufen.
statt dass, statt zu	stattdessen	statt + G
	Zweiteilige Konnektoren	
	• Ruth hatte vor, entweder eine Weltreise zu machen oder ein Jahr im Ausland zu arbeiten.	
	entweder – oder	

3.12 Adversative Nebensätze (während) und adversative Angaben (jedoch, …)

Adversative Nebensätze drücken einen Gegensatz aus: **Wie war es früher, wie ist es heute? Wie macht es x, wie macht es y?**
- Während Julian am Anfang immer übersetzen musste, ist das heute nicht mehr nötig.

Alternative Möglichkeiten, adversative Angaben auszudrücken:

Nebensatz	Verbindungsadverb	Präposition + Nomen
• Während Julian am Anfang …	• Julian musste am Anfang immer alles übersetzen, jedoch ist das heute nicht mehr nötig. • Julian musste am Anfang immer alles übersetzen, das ist jedoch heute nicht mehr nötig. • Eva spricht viel, ihre Freundin ist dagegen eher still. • Eva spricht viel, ihre Freundin dagegen ist eher still.	• Entgegen den Empfehlungen seiner Freunde versucht Julian weiterhin alles zu übersetzen.
während	jedoch, dagegen, hingegen, allerdings: *auf Position 1 oder im Mittelfeld* *Bei Kontrastierung auch* ***zusammen mit dem Subjekt*** *auf Position 1 (nach dem Subjekt)!*	entgegen + D, im Gegensatz zu + D
	Konjunktion (Position 0)	
	• Julian kann jetzt schon gut Deutsch, jedoch er übersetzt weiterhin alles, was er hört. • Er spricht nicht spontan, sondern er denkt über jeden Satz nach. • Er hat (zwar) erst spät Deutsch gelernt, aber er spricht schon sehr gut. • Er hat (zwar) erst spät Deutsch gelernt, er spricht aber schon sehr gut. • Zwar hat er erst spät Deutsch gelernt, aber er spricht schon sehr gut.	
	doch / jedoch, sondern: *auf Position 0* (zwar) – aber: *auf Position 0 oder im Mittelfeld*	

3.13 Vergleichssätze (so … wie, als ob, …)

Mit diesen Nebensätzen drückt man Vergleiche aus: **Ist es genauso oder anders?**

Reale Vergleiche:
- Das Fest war so schön, wie ich es mir vorgestellt hatte. *(„so" + Adjektiv im HS, „wie" im NS)*
- Es gibt keine romantischere Vorstellung, als mit einem Menschen alles zu teilen. *(Komparativ im HS, „als" im NS)*

Irreale Vergleiche:
- Sie tat, als ob sie nichts gesehen hätte. *(„als ob" + Konjunktiv II, konjugiertes Verb am Satzende)*
- Sie tat, als hätte sie nichts gesehen. *(„als" + Konjunktiv II, konjugiertes Verb auf Pos. 2)*
- Je länger du das Problem hinausschiebst, desto schwieriger wird es. *(„je" + Komparativ im NS, „desto" + Komparativ im HS)*

Abschnitt 3.17 Zweitlg. Konnektoren

Abschnitt 4.10 Konjunktiv II

Alternative Möglichkeit, Vergleiche auszudrücken:

Nebensatz	Partizip
• Wenn diese überzogenen Vorstellungen nicht erfüllt werden, kracht es schneller, als man gedacht hat.	• Wenn diese überzogenen Vorstellungen nicht erfüllt werden, kracht es schneller als gedacht.
so … wie, *Komparativ* + als, je … desto, je … umso; *irreal*: als, als ob, als wenn	

3.14 Indirekte Fragesätze (ob; wo, wohin, wie, worüber, …)

Abschnitt 7.4 Präpositionalpronomen

Nach Verben des Sagens, Fragens oder Wissens können indirekte Fragesätze stehen. Sie stehen meistens **nach** dem Hauptsatz.

• Ich weiß nicht, ob schöne Menschen im Allgemeinen beliebter bei ihren Mitmenschen sind.	**Ja- / Nein-Frage:** • Sind schöne Menschen im Allgemeinen beliebter bei ihren Mitmenschen?
• Er weiß genau, was er vom Leben erwarten kann. • Ina überlegt, wodurch sie attraktiver wirken könnte. • Ich frage mich, mit wem ich auf eine Wellness-Farm gehen könnte.	**Frage mit Fragewort:** • Was kann er vom Leben erwarten? • Wodurch könnte sie attraktiver wirken? • Mit wem könnte ich auf eine Wellness-Farm gehen?

In der Umgangssprache findet man oft verkürzte indirekte Fragen:
- Erich geht zur Party. Egal, ob er Lust hat oder nicht.

Oder so genannte Echo-Fragen:
- Mit wem gehst du zur Party? – Mit wem ich zur Party **gehe**? Ich weiß noch nicht.

3.15 Relativsätze (der, die, das, dem, …; was, wo, worauf, …)

Relativsätze charakterisieren ein Nomen, ein Pronomen, oder auch den ganzen Hauptsatz. Relativsätze beginnen mit einem Relativpronomen: „der", „das", „die" (oder seltener: „welcher", „welches", „welche"). Genus und Numerus des Relativpronomens richten sich nach dem Nomen im Hauptsatz, auf das es sich bezieht:
- Das ist **der Lehrer**, der (welcher) so gut Gedichte rezitieren kann.

Der Kasus des Relativpronomens richtet sich nach der Funktion, den es im Nebensatz hat:
- Sind das **die Leute**, denen du die Bilder gezeigt hast? (Du hast die Bilder **den Leuten** gezeigt.)
- Da vorn ist **die Schule**, an der ich Abitur gemacht habe. (Ich habe **an der Schule** Abitur gemacht.)

Das Relativpronomen im Genitiv ersetzt den Possessiv-Artikel:
- Das ist **der Mann**, dessen Tochter gestern hier war. (**Seine** Tochter war gestern hier.)

Bei Ortsangaben kann man auch allgemein „wo" benutzen:
- Da vorn ist **die Schule**, wo ich Abitur gemacht habe.

Wenn sich das Relativpronomen auf Indefinitpronomen, das Demonstrativpronomen „das“, Superlative oder ganze Sätze bezieht, steht „was“ oder ein Präpositionalpronomen mit „wo(r)“ + Präposition:
- Das ist **alles**, was ich sagen wollte. (*ebenso nach: „nichts“, „etwas“, „einiges“, „vieles“*)
- Das ist genau **das**, was ich meine.
- Ich verkaufe **manches**, worauf ich verzichten kann. (Ich kann **auf** manches verzichten.)
- Das ist **das Beste**, was mir passieren konnte.
- **Er ist sehr früh gekommen**, was mich sehr gefreut hat. (Die Tatsache, dass er früh gekommen ist, hat mich gefreut.)

Wenn sich das Relativpronomen auf eine unbestimmte Person bezieht, steht „wer“, „wen“, „wem“:
- Wer heute noch den neuen MP3-Spieler bestellt, erhält einen Rabatt von 10%.

Der Relativsatz kann auch den Hauptsatz teilen:
- Der Vortrag, den er heute gehalten hat, war sehr lang.

Die Formen des Relativpronomens:

	m	n	f	Pl
Nom.	der	das	die	die
Akk.	den	das	die	die
Dat.	dem	dem	der	denen
Gen.	dessen	dessen	deren	deren

3.16 Verbindungsadverbien der Aufzählung und Ergänzung (außerdem, ...)

Außer den Verbindungsadverbien in den Abschnitten 3.4 bis 3.12 gibt es auch noch folgende, die eine **Aufzählung** oder **Ergänzung** ausdrücken: „außerdem“, „zudem“, „überdies“, „ferner“, „darüber hinaus“, „weiterhin“, ...
- Menschen mit hohem EQ können anderen gut zuhören, außerdem können sie ihre Umgebung motivieren.

3.17 Zweiteilige Konnektoren (zwar – aber, entweder – oder, ...)

Die zweiteiligen Konnektoren können Hauptsätze, Nebensätze oder Satzteile miteinander verbinden.

Verbindung von zwei Hauptsätzen:

Konnektoren	Bedeutung	Satzstellung
zwar – aber	*A stimmt, aber B ist auch richtig*	*„zwar“ kann im Mittelfeld oder auf Position 1 stehen:* • Er ist zwar noch jung, aber (er ist) schon sehr erfolgreich. • Zwar ist er noch jung, aber er ist schon sehr erfolgreich.
entweder – oder *(kann auch Satzteile verbinden)*	*Auswahl zwischen A und B*	*„entweder“ kann im Mittelfeld oder auf Position 1 stehen:* • Entweder können uns besondere Ereignisse wie Geburtstage besonders freundlich stimmen oder sie machen uns nervös. • Besondere Ereignisse wie Geburtstage können uns entweder besonders freundlich stimmen oder sie machen uns nervös.
nicht nur – sondern auch	*A ist richtig, aber B auch (entgegen der Erwartung)*	*„nicht nur“ steht im ersten Satz im Mittelfeld:* • Streitigkeiten helfen nicht nur im Privatleben, Konflikte zu erkennen, sondern (sie helfen) auch im Berufsleben.

Verbindung von einem Nebensatz und einem Hauptsatz:

Konnektoren	Bedeutung	Satzstellung
je – desto/ umso	*Situation B hängt von Situation A ab, beides mit Komparativ.*	• Je sorgfältiger man die Entscheidungen überdenkt, desto (umso) positiver ist das Resultat.

Verbindung von Satzteilen:

Konnektoren	Bedeutung	Satzstellung
sowohl – als auch / wie	*Beides ist richtig.*	• Sowohl der Mann als auch die Frau zeigten sich in der Diskussion sehr durchsetzungsfähig.
weder – noch	*Keines von beiden ist richtig.*	• Weder Lautstärke noch Ironie sind gute Mittel, um eine gemeinsame Lösung zu finden. *„weder – noch" kann auch zwei Hauptsätze verbinden:* • Er hat weder ständig seinen Standpunkt durchgesetzt, noch ist er in der Diskussion laut geworden.

3.18 Der Infinitivsatz nach Nomen, Verben oder Adjektiven

Abschnitt 7.4 Präpositionalpronomen

Nach einigen Nomen, Verben und Adjektiven steht zur näheren Erklärung eine „zu" + Infinitiv-Konstruktion.

• Ich habe keine Lust, immer mit der neuesten Mode zu gehen. • Er versucht, stets gepflegt auszusehen. • Es ist wichtig, Accessoires anwenden zu können. • Ich habe Angst, dich verletzt zu haben. • Er fürchtet immer, kritisiert zu werden.	 *Trennbare Verben: Präfix + zu + Infinitiv* *Das Modalverb steht ganz am Ende.* *Infinitiv im Perfekt* *Infinitiv im Passiv*
• Es ist nicht immer leicht(,) seinen eigenen Stil zu finden. • Persönlich halte ich absolut nichts davon, sich unters Messer zu legen.	*Ein Komma wird gesetzt, wenn das für das Verständnis hilfreich ist.* *Nach einem Präpositionalpronomen muss ein Komma stehen.*
• In der heutigen Zeit einen eigenen Stil zu entwickeln, ist für junge Frauen oft schwer.	*Die Infinitiv-Konstruktion kann auch vor dem Hauptsatz stehen. Das Pronomen „es" fällt in diesem Fall weg.*
• Versuchspersonen wurden in einem Experiment gebeten, die Attraktivität verschiedener Frauen in einer Fernsehserie spontan zu beurteilen.	*Die Infinitiv-Konstruktion kann durch Ergänzungen und Angaben erweitert werden. Die Satzstellung ist wie im Mittelfeld.*

Abschnitt 4.3 Verben mit einfachem Infinitiv

Diese Nomen, Verben und Adjektive haben oft eine Infinitiv-Konstruktion:

Zeit haben, Angst haben, es macht Spaß, die Möglichkeit, das Problem, der Ratschlag	anfangen, beginnen, aufhören, sich freuen, hoffen, meinen, versprechen, bitten, vorschlagen, empfehlen, pflegen, raten, (darauf) achten	es ist gut, … möglich, … wichtig, … angenehm, … anstrengend, … falsch / richtig, … schwierig, es fällt (mir) leicht / schwer, es ist verboten / erlaubt

4 Das Verb

4.1 Modalverben – objektiver Gebrauch

Struktur von Sätzen mit Modalverben:

Position 1	Position 2	Mittelfeld	Satzende	
Heute	will	er für das Klavierkonzert	üben.	*Präsens*
Er	hat	immer schon Musiker	werden wollen.	*Perfekt*
(Er sagte,) er	wolle	am liebsten Musik	studieren.	*Konjunktiv I*
Ich	könnte	mir das gut	vorstellen.	*Konjunktiv II der Gegenwart*
Ich selbst	hätte	allerdings nie Musiker	werden können.	*Konjunktiv II der Vergangenheit*

Hauptsatz: Das konjugierte Modalverb steht an Position 2, der Infinitiv am Satzende.
Perfekt: „haben" + Infinitiv + Infinitiv des Modalverbs:
- Er hat Musiker werden wollen. *(nicht: „gewollt")*

Nebensatz: Das Modalverb steht am Satzende, nach dem Infinitiv:
- Frag ihn doch bitte, ob er das wirklich tun will.

Objektiver Gebrauch der Modalverben:

Modalverben modifizieren eine Aussage; das kann zum Beispiel ein Wunsch, eine Notwendigkeit oder eine Fähigkeit sein.

	Infinitiv	Bedeutung
• Studenten, die Musiklehrer werden wollen, üben täglich mehrere Stunden lang.	wollen	*Wunsch, Absicht*
• Jeder Student muss auch theoretische Kurse belegen. • Als Fachmann muss man ständig lernen, damit der Fortschritt einen nicht überrollt. • Er müsste heute noch mal zur Bibliothek, aber er hat keine Zeit.	müssen	*Autorität* *Notwendigkeit* *Konj. II: abgeschwächt*
• Anne-Sophie Mutter kann wunderbar Violine spielen. • „Können" kann vieles bedeuten. • Du kannst jetzt die Bücher wieder zurückbringen, ich bin fertig.	können	*Fähigkeit* *Möglichkeit* *Erlaubnis*
• Nur wenn Kinder auch falsche Vorstellungen äußern dürfen, lernen sie wirklich. • In der Vorlesung darf man nicht rauchen.	dürfen	*Erlaubnis* *Verbot*
• Kathrin soll / sollte mehr Klavier üben. (Das sagt der Klavierlehrer.)	sollen	*Aufforderung / Rat durch andere*
• Die Studentin möchte ihren Text im Kurs vorlesen.	möcht-	*vorsichtiger Wunsch*

Oft kann ein Modalverb allein stehen, ohne Infinitiv:
- Er kann gut Italienisch (sprechen).
- Ich möchte ein Eis (haben).

• Sie mag klassische Musik, er bevorzugt Jazz. • Sie mag ihn aber trotzdem sehr.	mögen + Nomen	*= gern haben*

Besonderheiten der Negation von Modalverben:

- Ich muss den Bericht heute noch abgeben. *(= es ist notwendig)*
- Man darf hier auf dem Balkon rauchen. *(= es ist erlaubt)*
- Wir sollen jeden Tag joggen. *(= Empfehlung von jemandem)*

- Ich muss den Bericht heute nicht abgeben.
- Ich brauche den Bericht heute nicht abzugeben. *(= es ist nicht notwendig)*
- Man darf in den Räumen nicht rauchen. *(= es ist verboten)*
- Wir sollen nicht so viel Fett essen. *(= negative Empfehlung)*

Mit Modalverben klingen **Bitten und Wünsche** freundlicher. Der Konjunktiv II ist noch höflicher:
- Darf ich / Dürfte ich Sie um einen Rat bitten?
- Können / Könnten Sie mir bitte helfen?
- Ich möchte heute gern mit dir ins Kino gehen. (*unhöflich*: Ich will heute mit dir ins Kino gehen.)

Abschnitt 4.4 Präsens und Konjugation der Modalverben

Alternative Formen, um Möglichkeiten, Wünsche und Notwendigkeiten auszudrücken:

Ich will dieses Jahr die Wände streichen.	Ich habe vor / beabsichtige, dieses Jahr die Wände zu streichen.
Er muss die Arbeit heute abgeben.	Es ist (unbedingt) notwendig / erforderlich, die Arbeit heute abzugeben. Er ist verpflichtet, das Manuskript bis zum 1.10. abzugeben.
Hans kann die Waschmaschine reparieren.	Hans ist fähig / in der Lage, die Waschmaschine zu reparieren.

Man darf den Rasen nicht betreten.	Es ist verboten / untersagt / nicht erlaubt, den Rasen zu betreten.
Du solltest mehr Sport treiben.	Ich rate dir, mehr Sport zu treiben. Es wäre ratsam, mehr Sport zu treiben. Es wäre gut, wenn du mehr Sport treiben würdest.

4.2 Modalverben: subjektiver Gebrauch

Modalverben können auch subjektiv gebraucht werden, d. h., der Sprecher oder die Sprecherin drücken damit ihre persönliche Vermutung, Meinung oder Einschätzung eines Sachverhaltes aus. Beim subjektiven Gebrauch der Modalverben findet man oft ein zweites Modalverb:

- Robert will das bis nächsten Montag beenden können.
  (= Sprecher/in sagt, dass Robert behauptet, dass er das kann.)

Das Perfekt der Modalverben im subjektiven Gebrauch wird anders gebildet als im objektiven Gebrauch, nämlich mit einem Infinitiv Perfekt:

- Herbert muss es gewusst haben.
  (= Sprecher/in ist sehr sicher, dass das so war.)
  (Vergleiche: Perfekt bei objektivem Gebrauch: Er hat es wissen müssen. = Es war notwendig, dass er es wusste.)

mögen
- Er mag ja Recht haben, aber ich kann es mir nicht vorstellen.
  (= Sprecher/in hält es für möglich, hat aber eine andere Meinung.)
- Dieses Auto mag so um die hunderttausend Euro kosten.
  (= Sprecher/in schätzt einen Preis.)

dürfen *(im Konjunktiv II)*
Er erzählt gern skurrile Geschichten. Aber in diesem Fall dürfte das schon so gewesen sein.
(= Sprecher/in hält es für wahrscheinlich.)

müssen
- Sein Schreibtisch ist leer. Er muss schon weggegangen sein.
  (= Sprecher/in nimmt es stark an.)

können
- Sie hat ja damals noch gar nicht in Köln gewohnt. Also kann sie davon gar nichts gewusst haben.
  (= Sprecher/in ist davon überzeugt, dass das nicht möglich ist.)

wollen
- Er war dabei, als sie die Bäume abgesägt haben. Aber nun will er es nicht gesehen haben.
  (= Jemand behauptet etwas, aber Sprecher/in glaubt es nicht.)

sollen
- Er soll sehr viel Geld in der Schweiz haben. Er soll sein Geld mit Kupferminen verdient haben.
  (= Sprecher/in hat ein Gerücht gehört und gibt es weiter.)

werden als Modalverb
- Wenn du das sagst, wird es wohl so sein / gewesen sein.
  (= Sprecher/in vermutet oder schlussfolgert, dass es so ist/war.)

„werden" als Modalverb hat immer eine subjektive Bedeutung. Modaladverbien wie „wohl", „vielleicht", „wahrscheinlich", ... verstärken diese Bedeutung.

Statt mit Modalverben kann man subjektive Einschätzungen auch folgendermaßen ausdrücken:

Er mag fachlich gut sein, aber sonst ist er schwierig.	Es stimmt vielleicht, dass er fachlich gut ist, aber sonst ist er schwierig.
Sie kann davon gewusst haben.	Unter Umständen / Eventuell / Vielleicht hat sie davon gewusst. / Es besteht die Möglichkeit, dass sie davon gewusst hat.
Wenn alles gut geht, könnte er morgen kommen.	Wenn alles gut geht, kommt er möglicherweise / vielleicht schon morgen.

Das dürfte schon so gewesen sein.	Wahrscheinlich / vermutlich ist es so gewesen. / Ich nehme an, dass es so gewesen ist. / Das wird wohl so gewesen sein.
Sie kann das gar nicht gewusst haben.	Ganz sicher / bestimmt / zweifellos hat sie das gar nicht gewusst. *(nur in der Negation)*
Er müsste schon weggegangen sein.	Bestimmt / Sehr wahrscheinlich ist er schon weggegangen. / Es ist so gut wie sicher, dass er schon weggegangen ist.
Er muss schon weggegangen sein.	Ganz bestimmt / Zweifellos ist er schon weggegangen. / Ich bin mir sicher, dass er schon weggegangen ist.
Davon will er nichts gewusst haben.	Er behauptet, dass er davon nichts gewusst hat.
Er soll Geld in der Schweiz haben.	Man sagt / Es heißt / Ich habe gehört, dass er Geld in der Schweiz hat. / Angeblich hat er Geld in der Schweiz.

4.3 Verben mit einfachem Infinitiv (Ich höre sie singen.)

Einige Verben können (genauso wie Modalverben) einen einfachen Infinitiv ohne „zu" nach sich haben. Das Perfekt hat dann einen doppelten Infinitiv (wie bei den Modalverben).

Verben der sinnlichen Wahrnehmung:
- Ich höre meine Schwester singen. (= Ich höre: Meine Schwester singt.)
- Ich sehe ihn schon von weitem kommen. (= Ich sehe: Er kommt.)
- *Perfekt:* Ich habe ihn von weitem kommen sehen. (= Ich habe gesehen: Er kommt.)

lassen:
- Er lässt samstags immer sein Auto waschen. (= Er gibt den Auftrag: Wasch das Auto.)
- *Perfekt:* Er hat jeden Tag sein Auto waschen lassen. (= Er hat den Auftrag gegeben: Wasch das Auto.)

Folgende Verben können auch einen einfachen Infinitiv bei sich haben (Perfekt mit „ge-"):
- Er geht / fährt schwimmen. (= Er geht / fährt zum Schwimmen.)
- Bleibt doch bitte mal kurz stehen! (= Haltet doch mal an!)
- Clara lernte Geige spielen. (= Clara lernte, wie man Geige spielt.)
- *Perfekt:* Er ist immer schon gern schwimmen gegangen.

4.4 Präsens

Das Präsens wird zur Darstellung von Ereignissen und Sachverhalten in der Gegenwart benutzt. Auch Zukünftiges kann mit dem Präsens ausgedrückt werden, wenn eine Zeitangabe dabei steht:
- Morgen putze ich das Auto, das verspreche ich dir!

Konjugation im Präsens:

	kommen	**arbeiten**	**lesen**	**fahren**	**sein**	**haben**	**Imperativ**
ich	komm-e	arbeit-e	lese	fahre	bin	habe	
du	komm-st	arbeit-est	liest	fährst	bist	hast	Komm! Arbeite! Lies! Fahr! Sei still! Hab keine Angst!
er/es/sie	komm-t	arbeit-et	liest	fährt	ist	hat	
wir	komm-en	arbeit-en	lesen	fahren	sind	haben	
ihr	komm-t	arbeit-et	lest	fahrt	seid	habt	Kommt! Arbeitet! Seid! Habt!
sie/Sie	komm-en	arbeit-en	lesen	fahren	sind	haben	Seien Sie! Haben Sie!
	regelmäßig	*Verbstamm endet auf -d/-t*	*Vokalwechsel: e>ie/i; a>ä/au>äu*				

Das Deutsche hat keine Verlaufsform, aber umgangssprachlich hört man oft:
- Ich bin am / beim Arbeiten. (= Ich arbeite gerade.)

Abschnitt 4.1 + 4.2
Objektiver und subjektiver Gebrauch der Modalverben

Konjugation der Modalverben und „wissen":

	wollen	müssen	können	dürfen	sollen	mögen	wissen	
ich	will	muss	kann	darf	soll	mag	weiß	*keine Endung!*
du	willst	musst	kannst	darfst	sollst	magst	weißt	
er/es/sie	will	muss	kann	darf	soll	mag	weiß	*keine Endung!*
wir	wollen	müssen	können	dürfen	sollen	mögen	wissen	
ihr	wollt	müsst	könnt	dürft	sollt	mögt	wisst	
sie/Sie	wollen	müssen	können	dürfen	sollen	mögen	wissen	

Verben mit trennbarem / nicht-trennbarem Präfix:

Position 1	Position 2	Mittelfeld	Satzende	
Heute	packe	ich alles	ein.	*Verb mit trennbarem Präfix*
Morgen	bekommt	er das Paket per Post.		*Verb mit nicht-trennbarem Präfix*

Trennbare Präfixe:	**Nicht-trennbare Präfixe:**
ab-, an-, auf-, aus-, ein-, her-, hin-, los-, mit-, raus-, rein-, vor-, weg-, zu-, zurück-	be-, emp-, ent-, er-, miss-, ver-, zer-

Es gibt auch andere Verben mit zwei Teilen:
- Das Konzert findet im Freien statt. *(stattfinden)*
- Er hat sie auf einer Kunstausstellung kennen gelernt. *(kennen lernen)*

4.5 Perfekt

Gebrauch:

Das Perfekt wird vor allem **mündlich** für Ereignisse in der Vergangenheit benutzt:
- Stell dir vor, gestern habe ich an der Uni Hans getroffen. Wir sind dann zusammen einen Kaffee trinken gegangen.

Das Perfekt wird auch in Zeitungsartikeln, Diskussionen und Analysen, sowie persönlichen Texten, wie z. B. Briefen oder E-Mails benutzt.

Formen:

Das Perfekt wird mit einer konjugierten Form von „haben" oder „sein" und dem Partizip II gebildet.

Regelmäßige Verben: • Sie haben das gut gemacht.	*ge + Verbstamm (= V) + t* *bei -d / -t*	machen – gemacht arbeiten – gearbeitet
Unregelmäßige Verben: • Er hat mir gestern geholfen.	*ge + Verbstamm + en* *oft mit Vokalwechsel*	helfen – geholfen gehen – gegangen
Verben mit trennbarem Präfix: • Sie hat am Vormittag eingekauft. • Er hat das Bild hingeworfen.	*Präfix + ge + V + t* *Präfix + ge+ V + en*	einkaufen hinwerfen
Verben mit nicht-trennbarem Präfix: • Er hat eine Geschichte erzählt. • Ich habe das Paket bekommen.	*Präfix + V + t (kein ge-)* *Präfix + V + en (kein ge-)*	erzählen bekommen
Perfektbildung mit sein: • Wir sind rechtzeitig nach Hause gekommen. • Nach dem Studium ist er Lehrer geworden. • Zum Glück ist dem Kind nichts geschehen. • Wo ist er denn die ganze Zeit gewesen? • Ihr seid aber nicht lange geblieben.	*Verben:* *– der Ortsveränderung* *– der Zustandsveränderung* *– des Geschehens* *– „sein"* *– „bleiben"*	gehen, laufen aufwachen passieren

Perfekt der Modalverben: • Ich habe es ihm lange nicht sagen wollen. • Er hat ihn nicht kommen hören. • Das habe ich nicht gewollt.	*Modalverb mit Infinitiv: doppelter Infinitiv* *Modalverb ohne Infinitiv: Perfekt mit „ge-"*	wollen, können, müssen, mögen, dürfen, sollen, lassen *ebenso:* hören, sehen

Einige Verben haben eine Mischform im Partizip II: denken - gedacht, kennen - gekannt, wissen - gewusst, bringen - gebracht, nennen - genannt

4.6 Präteritum

Gebrauch:

Das Präteritum wird vor allem in **schriftlichen** Erzählungen, Romanen, Märchen, Berichten usw. zur Darstellung von Ereignissen in der Vergangenheit benutzt.
- Es war einmal ein Esel, der war eines Tages zu alt zum Säckeschleppen. Da beschloss er, von seinem Bauernhof wegzugehen und ...

Wenn in einer Erzählung / einem Bericht ein Ereignis besonders aktuell und relevant für den Berichtenden ist, wird auch oft das **narrative Präsens** benutzt:
- Clara Schumann: Schon als 5-Jährige erhielt sie Klavierunterricht. 1828 gab die neunjährige Clara Schumann in ihrer Geburtsstadt Leipzig ihr Debüt, mit 13 Jahren unternahm sie ihre erste Konzertreise und gilt schon bald als eine der bedeutendsten Pianistinnen ihrer Zeit.

Formen:

Regelmäßige Verben: • Sie machten das gut. • Er arbeitete sehr viel.	*Verbstamm + Endungen* *-te, -test, -te, -ten, -tet, -ten* *nach -d, -t, -tm, -chn:* *ete, etest, ...*	machen - machte haben - hatte arbeiten - arbeitete atmen - atmete rechnen - rechnete
Verben mit trennbarem Präfix: • Sie kaufte am Vormittag ein.	*Präfix am Satzende*	einkaufen - kaufte ein
Verben mit nicht-trennbarem Präfix: • Er erzählte eine Geschichte.	*Präfix bleibt am Verb*	erzählen - erzählte
Unregelmäßige Verben: • Er half mir gestern. • Wir halfen seinen Eltern gern.	*Verbstamm + Vokalwechsel* *Keine Endung in der 1. und 3. Person Singular*	helfen - half, gehen -ging, nehmen - nahm sein - war
Verben mit trennbarem Präfix: • Er warf das Bild hin.	*Präfix am Satzende*	hinwerfen - warf hin
Verben mit nicht-trennbarem Präfix: • Ich bekam das Paket.	*Präfix bleibt am Verb.*	bekommen - bekam
Modalverben: • Ich wollte es ihm nicht sagen. • Sie konnte es nicht ertragen.	*Verbstamm + Endungen* *-te, -test, -te, -ten, -tet, -ten* *Der Umlaut fällt weg.*	wollte, konnte, musste, durfte, sollte mögen - mochte möchte (kein Präteritum) *aber:* lassen - ließ

Die folgenden Verben werden auch mündlich im Präteritum benutzt (statt des Perfekts):
ich war, ich hatte, ich wurde *und die Modalverben* ich wollte, konnte, musste, durfte, sollte. *Einige frequente unregelmäßige Verben wie* ich kam, ich ließ, ich dachte, ich wusste, es gab, ...

4.7 Plusquamperfekt

Gebrauch:

Das Plusquamperfekt wird benutzt, wenn ein Ereignis **vor** einem anderen Ereignis in der Vergangenheit stattfindet.

Form:

Das Plusquamperfekt wird mit dem Präteritum von „haben"/„sein" und dem Partizip II gebildet:

Präteritum	**Plusquamperfekt** *(= das ist vorher passiert)*
• Sonja zog 2003 nach Berlin. • Sie öffnete eine Sprachenschule. • Sonja war sehr glücklich.	• Vorher hatte sie in Süddeutschland gelebt. • Bis dahin war sie immer nur angestellt gewesen. • Eine eigene Schule – das hatte sie immer schon gewollt.

Das Plusquamperfekt steht oft im Hauptsatz, wenn der Nebensatz ein „als"-Satz im Präteritum ist:
- Er hatte jahrelang als Angesteller gearbeitet, als er eines Tages eine neue Chance sah.

4.8 Passiv und Ersatzformen

Gebrauch:

Das Passiv beschreibt einen Vorgang, bei dem es nicht wichtig ist, „wer" etwas macht. Der Vorgang selbst steht im Vordergrund. Das Subjekt des Satzes führt nicht die Handlung aus, sondern ist das Ziel der Handlung.

Aktiv: Die Firma baute das Hochhaus.

Passiv: Das Hochhaus wurde gebaut. *(egal von wem)*

Form:

Das Passiv wird mit einer konjugierten Form von „werden" und dem Partizip II gebildet.
- *Präsens/Präteritum:* Genfood wird/wurde in unserer Gesellschaft immer mehr abgelehnt.
- *Perfekt:* Genfood ist nicht immer von allen abgelehnt worden. *(nicht: „geworden")*
- *Plusquamperfekt:* Bevor Genfood in die Geschäfte kam, war es mehrfach getestet worden.
- *Präsens mit Modalverb:* Die Nahrungsmittelproduktion muss verdoppelt werden.
- *Perfekt mit Modalverb:* Die Pflanze hat zuerst getestet werden müssen. *(doppelter Infinitiv)*
- *Passiv im Nebensatz:* Ich hoffe, dass das Institut noch dieses Jahr eröffnet werden kann.
- *Passiv mit Verb mit Dativ:* **Ihr** wurde bei dem Experiment geholfen. *(Der Dativ bleibt erhalten.)*

Die handelnden Personen können durch von + Dativ ausgedrückt werden, hinten im Mittelfeld:
- Das Museum wurde 2002 nach vielen Diskussionen von einem chinesischen Architekten erbaut.

Bei anonymen Institutionen und Umständen auch durch + Akkusativ:
- Wir sind auf unserer Reise durch Südmexiko immer wieder durch den Regen aufgehalten worden.

Zustandspassiv oder sein-Passiv:

Das Passiv mit „werden" beschreibt einen Prozess, das Passiv mit „sein" das Ergebnis einer Handlung:
- Pünktlich zum Jahresbeginn wurde das Museum geöffnet. Jetzt ist es schon drei Monate lang geöffnet.

Passiv ohne Subjekt oder „unpersönliches Passiv":

- In Halle 8 werden die Teile zusammengesetzt. *(Allgemeine Aussage, Arbeitsvorgänge)*
- Hier darf nicht geraucht werden. *(Regeln)*
- **Es** wurde lange darüber diskutiert. *(„Es" als Element auf Position 1: „Platzhalter" für das Subjekt)*

Ersatzformen:

Abschnitt 10.2 Wortbildung Adjektive

Mündlich verwendet man oft Ersatzformen, um Passiv-Konstruktionen zu vermeiden:

• Hunger kann man durch Gentechnik lindern. (*statt:* Hunger kann durch Gentechnik gelindert werden.)	*„man"* *= jede Person, alle Leute. Die konkrete Person ist nicht wichtig.*
• Sind Genvitamine vom Körper absorbierbar? (*statt:* Können Genvitamine absorbiert werden?) • Die Meinung des Wissenschaftlers war aus seinem Artikel leicht ersichtlich. (*statt:* Die Meinung konnte leicht ersehen werden.)	*Verbstamm + „-bar" oder „-lich"* *= kann gemacht werden*
• Das ist nur mit Gentechnik zu machen. (*statt:* Das kann nur mit Gentechnik gemacht werden.)	*„ist" + „zu" + Infinitiv* *= muss / kann gemacht werden*
• Das lässt sich nicht beweisen. (*statt:* Das kann nicht bewiesen werden.)	*„lässt sich" + Infinitiv* *= kann (nicht) gemacht werden*

4.9 Konjunktiv I: Indirekte Rede

Gebrauch:

Der Konjunktiv I wird in der indirekten Rede, vor allem in Zeitungstexten gebraucht. Die indirekte Rede gibt das wieder, was ein anderer Sprecher gesagt hat. Der Konjunktiv signalisiert: Das ist die Meinung eines anderen.

- Wissenschaftler: Ich weiß mehr über die Sache als die Beteiligten. *(Gegenwart)*
  In der Zeitung: Der Wissenschaftler sagte, er wisse mehr über die Sache als die Beteiligten.
- Wissenschaftler: Aber ich wusste das voriges Jahr noch nicht. *(Vergangenheit)*
  In der Zeitung: Der Wissenschaftler sagte, er habe das voriges Jahr noch nicht gewusst.

• Sie behauptete, das wisse sie auch nicht. • Sie sagten, das wüssten sie auch nicht. *(nicht: „wissen")*	*Wenn die Konjunktiv-Form gleich ist wie die Präsens-Form, benutzt man Konjunktiv II.*
• Er sagte, er habe das nicht so gemeint. • Er sagte, dass er das nicht so gemeint habe.	*Die indirekte Rede kann die Form eines Hauptsatzes oder eines Nebensatzes haben.*

Formen:

	kommen	**lesen**	**fahren**	**nehmen**	**müssen**	**wissen**	**haben**	**sein**
ich	komme	lese	fahre	nehme	müsse	wisse	habe	sei
er/es/sie	komme	lese	fahre	nehme	müsse	wisse	habe	sei
sie/Sie	kommen	lesen	fahren	nehmen	müssen	wissen	haben	seien
		keine Vokaländerung						

Folgende **Konjunktiv I-Formen** werden in schriftlichen Texten benutzt, meist in der 3. Person:

Modalverben:	Sie sagte,	sie wolle, müsse, könne, dürfe, solle
Hilfsverben:	Er meinte,	er habe, sei, werde
Einige frequente unregelmäßige Verben:	Sie erzählte,	sie gehe, fahre, nehme, sehe, wisse, lasse, …

Bei den anderen Verben benutzt man Konjunktiv II:
- Der Pressesprecher informierte die Reporter, dass der Kanzler bald käme.

Bei regelmäßigen Verben und in der mündlichen Rede benutzt man meist „würde" + Infinitiv:
- Ein Reporter behauptete, er würde jeden Tag vier Stunden lang in der Bibliothek recherchieren.

Der Konjunktiv I wird auch manchmal in Wunschsätzen benutzt:
- Es lebe die Demokratie!
- Man möge mir das verzeihen.

oder in Rezepten:
- Man nehme 1 Pfd. Mehl, ein halbes Pfd. Zucker und zwei Eier …

4.10 Konjunktiv II: Bitten, Ratschläge, Vermutungen und Wünsche

Abschnitt 3.7 Konditionale Nebensätze
Abschnitt 3.13 Vergleichssätze

Gebrauch:

Der Konjunktiv II wird benutzt, wenn etwas Irreales ausgedrückt werden soll, wie z. B. in konditionalen Nebensätzen oder irrealen Vergleichssätzen. Aber man kann diese Form auch benutzen, wenn man Bitten, Ratschläge und Wünsche vorsichtiger oder höflicher ausdrücken möchte.

Höfliche Bitten:
- Guten Tag, ich hätte gern zehn Brötchen und ein Vollkornbrot. (*Konjunktiv II: „hätte"*)
- Entschuldigung, hätten Sie vielleicht einen Moment Zeit?
- Wärst du so nett, mir dein Auto zu leihen? *(Konjunktiv II: „wäre")*
- Entschuldigen Sie, könnten Sie mir bitte hier mal kurz helfen? *(Konjunktiv II der Modalverben)*
- Dürfte ich Sie um einen Gefallen bitten?
- Würdest du mir bitte mal das Salz geben? *(„würde" + Infinitiv)*

Ratschläge:
- An deiner Stelle würde ich mich bei dieser Firma bewerben.
- Wenn ich du wäre, würde ich mir einen neuen Job suchen.
- Du solltest dich wirklich mehr bewegen!
- Wie wäre es damit, mehr Sport zu treiben?

Vermutungen:
- Es könnte sein, dass Richard sich bald eine Stelle im Ausland sucht.
- Was könnte mit diesem Ausdruck gemeint sein?
- Das dürfte nicht so schwer sein.

Abschnitt 9 Modalpartikeln

Wunschsätze:
- Ich würde so gern / am liebsten noch hier bleiben.
- Wenn doch schon Sonntag wäre!
- Wenn er nur endlich käme!
- Wenn wir doch gestern mitgefahren wären!

Wunschsätze ohne Subjunktion:
- Könnte ich noch hier bleiben.
- Wäre doch schon Sonntag!
- Käme er doch endlich!
- Wären wir bloß gestern mitgefahren!

Die Modalpartikeln „doch", „nur", „bloß" machen den Wunsch intensiver.

Formen:

Die regelmäßigen Verben und viele unregelmäßige Verben benutzen für den Konjunktiv II meistens „würde" + Infinitiv:
- Wenn ich mehr Zeit hätte, würde ich das Buch heute noch kaufen.

Die Modalverben und einige frequente unregelmäßige Verben benutzen die Konjunktiv II – Form (Präteritum (+ Umlaut) + Konjunktivendungen):

	Präteritum	**Konjunktiv II**	*ebenso:*	wurde – würde
ich	kam	käm-e	nahm – nähme	musste – müsste
du	kamst	käm-est	ging – ginge	konnte – könnte
er/es/sie	kam	käm-e	wusste – wüsste	durfte – dürfte
wir	kamen	käm-en	ließ – ließe	wollte – wollte *(kein Umlaut)*
ihr	kamt	käm-et	hatte – hätte	sollte – sollte *(kein Umlaut)*
sie/Sie	kamen	käm-en	war – wäre	mochte – möchte *(Präsensbedeutung)*

Den Konjunktiv II der Vergangenheit benutzt man, wenn etwas, was in der Vergangenheit möglich war, nicht realisiert wurde:
- Wenn es nicht so spät gewesen wäre, wäre ich noch hineingegangen. *(„hätte"/„wäre" + Partizip Perfekt)*
- Wäre es nicht so spät gewesen, wäre ich noch hineingegangen. *(Konditionalsatz ohne „wenn")*
- *Passiv:* Ich wäre gern in den Klub aufgenommen worden. *(„wäre" + Partizip + „worden")*
- *Mit Modalverb:* Das hätte nicht so kommen müssen. *(doppelter Infinitiv)*
- *Passiv und Modalverb:* Das hätte nicht so schnell gemacht werden dürfen. *(„hätte" + Partizip + Infintiv von „werden" + Infinitiv des Modalverbs)*
- *Nebensatz:* Er sagte, dass er das nicht hätte tun sollen. *(„hätte" vor den zwei Infinitiven)*

5 Das Adjektiv

5.1 Deklination

Wenn das Adjektiv vor dem Nomen steht, erhält es eine Endung.

Regel 1:
Wenn die **Signal-Endung (r, s, e, n, m)** beim Artikelwort ist, hat das Adjektiv die Endung -e oder -en.

	m	n	f	Pl
Nom.	der gute Wein	das rote Hemd	die neue Flasche	die neuen Flaschen
Akk.	den guten Wein	das rote Hemd	die neue Flasche	
Dat.	dem guten Wein	dem roten Hemd	der neuen Flasche	den neuen Flaschen
Gen.	des guten Weins	des roten Hemdes	der neuen Flasche	der neuen Flaschen

Ebenso nach den Artikelwörtern: „dieser", „jener", „jeder", „mancher", „welcher", „alle".

Regel 2:
Wenn es kein Artikelwort gibt oder das Artikelwort keine Endung hat, hat das **Adjektiv die Signal-Endungen**.

	m	n	f	Pl
Nom.	guter Geschmack	gutes Wetter	große Freude	nette Leute
Akk.	guten Geschmack	gutes Wetter	große Freude	nette Leute
Dat.	(mit) gutem Geschmack	(bei) gutem Wetter	(mit) großer Freude	(mit) netten Leuten*
Gen.	guten* Geschmacks	guten* Wetters	großer Freude	netter Leute
	**das Nomen hat die Signal-Endung*		**ebenso nach Zahlen: mit drei netten Leuten*	

	m	n	f	Pl
Nom.	mein neuer Job	mein altes Büro	meine neue Stelle	meine alten Büros
Akk.	meinen neuen Job	mein altes Büro	meine neue Stelle	meine alten Büros
Dat.	meinem neuen Job	meinem alten Büro	meiner neuen Stelle	meinen alten Büros
Gen.	meines neuen Jobs	meines alten Büros	meiner neuen Stelle	meiner alten Büros

Ebenso: nach „ein", „kein" und nach allen Possessivartikeln. „ein" hat keinen Plural.
Adjektive, die von Ortsnamen abgeleitet sind, werden groß geschrieben und nicht dekliniert: „der Kölner Dom", „den Kölner Dom", „dem Kölner Dom", „des Kölner Doms".

Einige Farbadjektive haben keine Deklination: „rosa", „lila", „beige", „orange".
Aber **umgangssprachlich**: „ein lilaner Rock", „ein orangenes Hemd".

5.2 Partizipien als Adjektive

Partizipien als Adjektive:

Abschnitt 5.1 Adjektiv-Deklination

Wenn die Partizipien **vor** dem Nomen stehen, werden sie wie Adjektive dekliniert:
- Für viele ist Neuseeland ein beliebtes und spannend**es** Urlaubsziel. (*Partizip I*)
- Sie verließen Deutschland wegen der festgefahren**en** Karriereaussichten. (*Partizip II*)

Abschnitt 4.5 Partizip Perfekt

Erweiterte Partizipien vor dem Nomen:

Die Partizipien als Adjektive können, besonders in offiziellen oder wissenschaftlichen Texten, durch weitere Informationen ergänzt werden. Man versucht damit, möglichst knapp zu schreiben und Nebensätze zu vermeiden. Das Partizip mit seinen Erweiterungen steht zwischen dem **Artikel** und dem **Nomen**, auf das es sich bezieht. Auch hier wird das Partizip wie ein Adjektiv dekliniert.
- Sie finden in der Anlage **den Mietvertrag**, der von mir ausgefüllt worden ist. *(Passiv, Vergangenheit)*

  Sie finden in der Anlage **den** von mir ausgefüll**ten** **Mietvertrag**. *(Partizip II)*
- **Die Vorschriften**, die im Wohnheim gelten, sind einzuhalten. *(Aktiv, gleichzeitig)*

  Die im Wohnheim gelten**den** **Vorschriften** sind einzuhalten. *(Partizip I)*

6 Das Adverb

6.1 Adverbien beim Verb

Adverbien beim Verb beschreiben, **wie** eine Aktivität gemacht wird. Sehr oft liegt ihnen ein Adjektiv zugrunde. Adverbien haben im Deutschen keine Endung:
• Er schläft gut und arbeitet regelmäßig.

Ebenso: „gut", „schlecht", „genau", „gründlich", „zuverlässig", „hektisch", „ordentlich", „freundlich", „so", „anders",...

Abschnitt 2.3 Angaben im Mittelfeld

Stellung im Satz: Meist im Mittelfeld:
• Er hat die Arbeit höchst zuverlässig erledigt.

6.2 Adverbien beim Satz

Viele Adverbien modifizieren einen ganzen Satz:

• Normalerweise geht sie nicht allein ins Kino.

Modale Adverbien: normalerweise, gern, lieber, am liebsten, glücklicherweise, leider, gleichwohl, womöglich, wahrscheinlich, vermutlich, hoffentlich, ...

• Drinnen war es gemütlich warm, aber draußen spürte man schon den Herbst.

Lokaladverbien: links - rechts, vorn - hinten, oben - unten; hier - da - dort, drinnen - draußen, irgendwo - nirgendwo; überall, ...; *Kombinationen*: hier oben, dort unten, rechts unten, ...

• Sie können schon rein (hinein) gehen, Herr Müller wartet bereits auf Sie.

Direktionaladverbien: her - hin, hinauf - hinunter (rauf - runter), hinein - hinaus (rein - raus), vorwärts - rückwärts, nach rechts - nach links, dorthin, geradeaus, ...

• Heute gehe ich nicht mehr zur Arbeit, es ist schon zu spät.

Temporaladverbien: heute - morgen - übermorgen - gestern - vorgestern, damals, meistens, oft, manchmal, selten, nie, täglich, montags, dienstags, ...

• Es ist Sommerschlussverkauf bei Karstadt. Deshalb stehen die Leute seit 8.00 Uhr Schlange.

Abschnitt 3.1, 3.4–3.12 Konnektoren

Verbindungsadverbien zwischen Sätzen: deswegen, darum, daher, nämlich, also, trotzdem, sonst, stattdessen, vorher, ...

Stellung der Adverbien im Satz: Position 1 oder im Mittelfeld:
• Hier kann man sehr gut skifahren. / Man kann hier sehr gut skifahren.
• Trotzdem würde ich lieber nach Davos fahren. / Ich würde trotzdem lieber nach Davos fahren.

Lokal-Adverbien können auch direkt **nach** dem Nomen stehen:
• Der **Vogel** dort oben füttert seine Jungen.

6.3 Adverbien der Verstärkung und Fokussierung

Diese Adverbien können Adjektive verstärken oder abschwächen:
• Gestern habe ich einen sehr / höchst interessanten Film gesehen!
• Das war ein besonders gelungenes Konzert. Aber es war recht kurz. (= ziemlich kurz)
• Ich möchte Ihnen recht herzlich danken. (= sehr herzlich)
• Die Ferien waren aber dieses Mal nur sehr kurz!

Umgangssprachlich:
• Das war einfach toll! (= sehr sehr gut)
• Das Kleid ist super schön!
• Ich bin total beeindruckt!

Adverbien der Verstärkung / Abschwächung: ganz, ziemlich, einigermaßen, etwas, nur, relativ, absolut, wirklich, einfach, super, total, ...

Diese Adverbien können auf Nomen fokussieren:
- Der Film war sehr gut – nur der Hauptdarsteller war nicht sehr überzeugend.
- Und auch die Musik fand ich nicht so gut. Das hat sogar Bernhard gesagt.

Adverbien der Fokussierung: nur, auch, sogar

7 Artikelwörter und Pronomen

7.1 Artikelwörter (der, das, die ...; ein, kein, mein, ...)

Artikelwörter stehen **vor** dem Nomen: der Hund, ein grünes Haus, dieser Fußball, deine CD, ...

Indefinit-Artikel benutzt man, wenn eine Person oder eine Sache in einem Text neu eingeführt werden:
- Es war einmal ein kleines Mädchen, ...

Definit-Artikel benutzt man, wenn man sich auf eine Person oder Sache bezieht, die vorher schon erwähnt wurde:
- Es war einmal ein kleines Mädchen. Dieses Mädchen trug oft eine rote Kappe ...

Den Definit-Artikel benutzt man auch **generalisierend**:
- Der Dinosaurier ist ausgestorben.

Deklination Definit-Artikel				
	m	n	f	Pl
Nom.	der	das	die	die
Akk.	den	das	die	die
Dat.	dem	dem	der	den
Gen.	des	des	der	der

Ebenso: dieser, jener *(Demonstrativartikel)*, jeder, mancher, alle *(Plural)*, welcher? *(Frage)*

▸ *immer mit Signal-Endung*

Deklination Indefinit-Artikel			
m	n	f	Pl
ein	ein	eine	(keine)
einen	ein	eine	(keine)
einem	einem	einer	(keinen)
eines	eines	einer	(keiner)

Ebenso: kein *(negativer Artikel)*, mein, dein, ... *(Possessivartikel)*, irgendein, irgendwelche *(Plural)*, was für ein? *(Frage)*

▸ *nicht immer mit Signal-Endung*

7.2 Artikelwörter als Pronomen (das ist meins, deins, ...)

Wenn Artikelwörter als **Pronomen** benutzt werden, haben sie **immer die Signal-Endungen.**
- Ist das dein Kuli? – Nein, das ist nicht meiner, der muss jemand anderem gehören.
- Ich habe keine Kulis, hast du welche? – Nein, ich habe auch keine. / Ja, ich habe welche.
- In der Gruppe wollte jeder etwas anderes machen. Aber man kann es nicht jedem recht machen.
- Ach so, das meinst du!
- Ich glaube, er wollte denen mal richtig die Meinung sagen.

einer, keiner, meiner, jeder, mancher, ... alle				
	m	n	f	Pl
Nom.	einer	eins	eine	welche
Akk.	einen	eins	eine	welche
Dat.	einem	einem	einer	welchen
Gen.	–	–	–	–

Definit-Artikel als Pronomen (wie Relativpronomen)			
m	n	f	Pl
der	das	die	die
den	das	die	die
dem	dem	der	denen
dessen	dessen	deren	deren

7.3 Indefinitpronomen (man, jemand, irgendjemand, ...)

Indefinitpronomen werden benutzt, wenn eine Person oder eine Sache nicht spezifiziert werden können. „irgend-" verstärkt die Unbestimmtheit:
- Wie sagt man das auf Deutsch? *(allgemein, alle Leute)*
- Hat jemand / irgendjemand meine schwarze Tasche gesehen? *(unbestimmte Person)*
- Ich muss noch etwas / irgendetwas für seinen Geburtstag finden. *(unbestimmte Sache)*
- Diese Melodie habe ich irgendwo schon mal gehört. *(ich weiß nicht mehr, wo)*
- Gehst du eigentlich irgendwann auch mal aus? *(unbestimmter Zeitpunkt)*
- Das Projekt muss irgendwie bis Samstag fertig werden. *(egal, wie)*

Negation der Indefinitpronomen:

	negativ		negativ
(irgend)jemand, irgendwer, irgendein-	niemand, kein-	irgendwie	gar nicht, in keiner Weise
etwas / irgendwas / irgendetwas	nichts	irgendwann	nie
irgendwohin / irgendwoher	nirgendwohin / nirgendwoher	irgendwo	nirgends

Deklination von „jemand" / „niemand" und „man":

	m	Abk.	m	m	
Nom.	jemand	jd.	niemand	man	Das kann man sich ja denken!
Akk.	jemand(en)	jdn.	niemand(en)	einen	Wenn man neu ist, stellen Sie einen erstmal vor.
Dat.	jemand(em)	jdm.	niemand(em)	einem	Man weiß ja nie, was einem passieren kann!
Gen.	(jemandes)	jds.	(niemandes)	–	
	Die Endung ist nicht obligatorisch.			einen, einem *vor allem umgangssprachlich*	

Abschnitt 1.1
Verben und Ergänzungen

7.4 Präpositionalpronomen (darauf, dazu, ...; worauf, wozu, ...)

„da(r)" + Präposition als Ersatz für Präposition + Nomen:

Präpositionalpronomen ersetzen ein Nomen mit Präposition, wenn es sich um eine Sache oder eine Aussage handelt. Die Präposition hängt vom Verb ab.

Bei **Sachen**:

- Er wartet auf das Essen.
  ▸ Er wartet darauf. *(„da(r)" + Präposition = Präpositionalpronomen)*
  ▸ Worauf wartet er? *(Frage: „wo(r)" + Präposition)*

Präpositionalpronomen können auch für ganze **Aussagen** stehen:
- Ilse geht heute zur Buchmesse. ▸ Darauf hat sie sich schon lange gefreut. *(sich freuen auf)*

Wenn die Präposition mit einem Vokal beginnt: „darauf", „darüber", ... sonst: „damit", „dazu", „dafür", ...

Aber bei **Personen**, **Lebewesen** und **Institutionen**:
- Er wartet auf seinen Bruder. ▸ Er wartet auf ihn. *(Präposition + Pronomen (warten auf + A))*
- Auf wen wartet er? *(Frage: Präposition + Fragewort)*

Abschnitt 8.3
Feste Präpositionen bei Adjektiven, Nomen und Verben

„da(r)" + Präposition als Hinweis auf einen Nebensatz:

Ein Präpositionalpronomen kann auch ein Hinweis auf einen Nebensatz sein:
- Er wartet auf die Ankunft seines Bruders. *(„warten auf" + Nomen)*
- Er wartet darauf, **dass** sein Bruder ankommt. *(„warten darauf, dass" + Nebensatz)*
- Alles hängt davon ab, **ob** wir rechtzeitig informiert werden. *(„abhängen von" + indirekter Fragesatz)*

Meistens ist es einfacher, den Sachverhalt mit einem Nebensatz auszudrücken:
- Ich lerne durch die Verbindung eines Wortes mit einem konkreten Bild. ▸ Ich lerne dadurch, **dass** ich ein konkretes Bild mit dem Wort verbinde.

Wenn Hauptsatz und Nebensatz dasselbe Subjekt haben, kann **Infinitiv + zu** benutzt werden:
- Hast du daran gedacht, alle Türen **abzuschließen**? *(denken an)*

Bei einigen Verben ist das Präpositionalpronomen als Hinweis nicht obligatorisch:
- Ich freue mich (darüber), dass du kommst. *(sich freuen auf)*

Auch Nomen und Adjektive mit Präposition können Konstruktionen mit „da(r)" + Präposition bilden:
- Er zeigte sein Entsetzen über die geringe Wahlbeteiligung. ▸ Er zeigte sein Entsetzen darüber, **dass** die Wahlbeteiligung so gering war.
- Sie hatte große Angst davor, nicht ernst genommen **zu** werden.
- Sie war froh darüber, **dass** sie mit ihrem Chef über das Problem sprechen konnte.

„wo(r)“ + Präposition in Fragen und Relativsätzen:

Fragen:
- Worauf könntest du am ehesten verzichten? ▸ Auf das Fernsehen. *(verzichten auf)*
- Worüber ärgerst du dich am meisten? ▸ Über seine Unvernunft. *(sich ärgern über)* ▸ Darüber, dass er so unvernünftig handelt.

Abschnitt 3.15 Relativsätze

Relativsätze nach Indefinitpronomen (alles, etwas, ...) und nach ganzen Sätzen:
- Er verkaufte **alles**, worauf er leicht verzichten konnte.
- **Ralf schaffte die Fahrprüfung nicht**, worüber er sich sehr ärgerte.

Abschnitt 3.1 Mittel der Textverbindung: Die Konnektoren

„da(r)“ + Präposition als Adverb:

Präpositionalpronomen können auch als Adverbien benutzt werden. Sie verbinden dann logisch zwei Sätze miteinander und sind unabhängig vom Verb.
- Er schwamm erst zwei Runden im Schwimmbad, darauf ging er in die Cafeteria. *(= temporales Verbindungsadverb).*

Statt „da(r)“ + Präposition gibt es auch die (seltenere) Form „hier“ + Präposition:
- Hiermit *(= mit dieser Handlung, mit diesem Brief)* möchte ich die Waschmaschine Bonlavar bestellen.
- Hiermit eröffne ich die diesjährige Ausstellung.

8 Präpositionen

Präpositionen kann man nach syntaktischen Gesichtspunkten (**Welchen Kasus erfordern sie?**) oder nach semantischen Gesichtspunkten (**Was bedeuten sie?**) betrachten.

8.1 Syntaktisch

Präpositionen mit Akkusativ	Präpositionen mit Dativ	Präpositionen mit Genitiv
• Er fährt heute nur bis Köln und morgen weiter nach Hamburg. • Gehen Sie immer den Fluss entlang. • Er war für höhere Löhne, aber gegen einen Streik. • Wir kamen gegen 21 Uhr an.	• Ab dem nächsten Monat wollte sie regelmäßig zum Sport gehen. • Was haben Sie gestern außer dem Apfelsaft noch getrunken? • Klaus wohnt mit 27 Jahren immer noch bei seinen Eltern.	• Aufgrund eines dummen Missverständnisses reden sie jetzt nicht mehr miteinander. • Das Rauchen ist nur außerhalb des Krankenhauses gestattet. • Entlang des Flusses zog sich ein schmaler Weg.
bis, durch, für, gegen, ohne, um; entlang *(nach dem Nomen)*	ab, aus, außer, bei, entgegen, gegenüber, infolge von, mit, nach, seit, von, wegen, zu	aufgrund, außerhalb, infolge, innerhalb, (an)statt, trotz, ungeachtet, während, wegen, dank; entlang *(vor dem Nomen)*

„bis“ wird meist mit einer zweiten Präposition gebraucht:
- Er bringt sie bis zur Haustür.

„wegen“ kann mit Dativ oder Genitiv gebraucht werden:
- Sie musste wegen dem Job / wegen des Jobs schon oft umziehen.

Eine weitere Gruppe von lokalen Präpositionen, die sogenannten Wechselpräpositionen, können **je nach Kontext den Dativ oder den Akkusativ** bei sich haben.

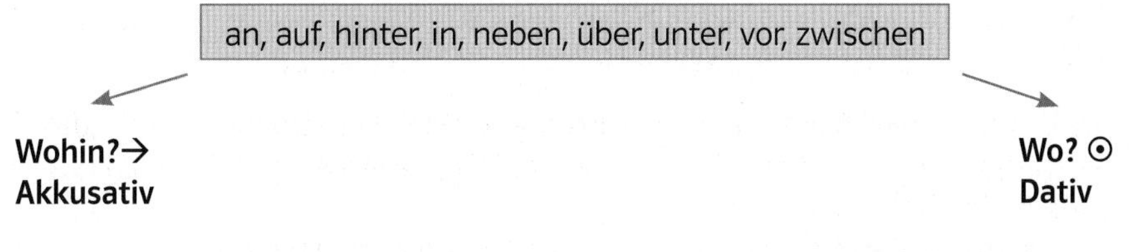

- Pinnen Sie bitte die Karten an die Wand!
- Sibylle hat einen Spiegel über den Kamin gehängt.
- Er stellte sich schnell zwischen die beiden Mädchen.

- Die Karten hängen geordnet an der Wand.
- Der Spiegel über dem Kamin gefällt mir.
- Es gab kaum Platz zwischen ihnen.

Abschnitt 3.4–3.12
Nebensätze und alternative Ausdrucksformen

8.2 Semantisch

Lokale Präpositionen	an, auf, außerhalb, bei, hinter, in, innerhalb, nach, neben, über, unter, vor, zwischen	• Sie musste lange an der Haltestelle warten.
Temporale Präpositionen	ab, an, bei, bis, in, nach, seit, um, vor, während, zwischen	• am Montag • um 16 Uhr • bei Sonnenaufgang
Kausale Präpositionen	aufgrund, aus, dank, durch, vor, wegen	• Vor lauter Angst schrie sie laut auf.
Finale Präpositionen	für, zu	• Alles Gute für das neue Lebensjahr! • Herzliche Glückwünsche zum Geburtstag!
Konditionale Präpositionen	bei, ohne	• Bei guten Witterungsverhältnissen kann man die Alpen sehen.
Konzessive Präpositionen	trotz, ungeachtet *(gehobene Sprache)*	• Ungeachtet der Warnung des UNO-Sicherheitsrats wurde die Atombombe getestet.
Konsekutive Präpositionen	infolge, infolge von	• Infolge von Kriegsverletzungen können Neurosen entstehen.
Modale Präpositionen	auf, außer, durch, in, mit, nach *(vor oder nach dem Nomen)*, ohne, statt	• Meiner Meinung nach sollten wir jetzt zurückgehen. • Vergleichen Sie nach Möglichkeit alle Alternativen.
Adversative Präpositionen	entgegen	• Entgegen meinen Erwartungen ist er pünktlich gekommen.

8.3 Feste Präpositionen bei Adjektiven, Nomen und Verben

Ebenso wie Verben können Adjektive und Nomen feste Präpositionen haben. Solche festen Präpositionen haben meist ihre ursprüngliche Bedeutung verloren.
- Der Ausgang der Wahl ist abhängig vom Wetter.
- Sie war zuerst sehr wütend auf ihn, aber dann verstand sie sein Verhalten.

abhängig von + D	abhängen von + D	die Abhängigkeit von + D
befreundet mit + D	sich befreunden mit + D	die Freundschaft mit + D
reich an + D		der Reichtum an + D
beliebt bei + D		die Beliebtheit bei + D
froh über + A	sich freuen über + A	die Freude über + A
ärgerlich über + A	sich ärgern über + A	der Ärger über + A
wütend auf + A		die Wut auf + A
	sich ängstigen vor + D	die Angst vor + D
	sich sehnen nach + D	die Sehnsucht nach + D

Manchmal haben Adjektiv, Verb und Nomen unterschiedliche Präpositionen:

interessiert an + D	sich interessieren für + A	das Interesse an + D
begeistert von + D	sich begeistern für + A	die Begeisterung für + A

Bei einigen Adjektiven kann statt der Präposition auch ein Genitiv oder Dativ stehen:

voll von + D: voll von tiefstem Mitleid
voll + G: voll tiefsten Mitleids
voll + D: voll tiefstem Mitleid

9 Modalpartikeln

Modalpartikeln sind kurze Wörter, die dem Satz eine besondere, oft emotionale Färbung geben. Die Aussage wird verstärkt, abgeschwächt oder in Frage gestellt.

ja	• Hey, Paul, du bist ja schon da!	*Überraschung*
	• Peter sieht sehr glücklich aus. – Ja, ich weiß. Er hat ja gerade geheiratet.	*Bekanntes: Beide wissen, dass Peter gerade geheiratet hat.*
	• Ich komme ja schon!	*Ungeduld, Verärgerung: Du siehst, dass ich schon komme.*
denn *(in Fragen)*	• Wie geht es dir denn heute?	*Interesse, Freundlichkeit*
	• Sie reisen viel? Was sind Sie denn von Beruf?	*Genauere Nachfrage*
	• Schon wieder zu spät. Hast du denn keine Uhr?	*verneinte Frage: Vorwurf, ungläubig*
doch	• Schlaf noch ein bisschen, heute ist doch Sonntag!	*Sprecher erinnert Hörer an eine Tatsache / an Bekanntes.*
	• Erklären Sie das doch bitte noch einmal!	*Höflicher Ratschlag / Bitte*
	• Jetzt komm doch endlich!	*Insistierend, mit Ungeduld: das habe ich schon einmal gesagt*
eigentlich	• Du könntest eigentlich ein bisschen höflicher sein.	*macht eine Aufforderung vorsichtiger*
	• Ich kenne Harry kaum. Was ist er eigentlich von Beruf?	*genauere Frage, oft Themawechsel*
	• Eigentlich muss ich schon gehen, aber einen Kaffee nehme ich noch.	*= im Grunde (In dieser Bedeutung auch auf Position 1 möglich.)*
halt / eben	• Das ist halt so! • Teenager sind eben so!	*Da kann man nichts machen.*
mal	• Komm mal bitte her!	*macht die Aufforderung freundlicher; abgeschwächt*
wohl	• Es ist 10.00 Uhr, er ist wohl schon unterwegs.	*Vermutung: Ich nehme es an.*

Oft werden Modalpartikeln auch kombiniert:
• Das ist aber doch mal was anderes!

Modalpartikeln stehen immer im Mittelfeld, meist direkt nach dem Verb. Sie sind immer unbetont.

10 Wortbildung

10.1 Nomen

Komposita:

Nomen können mit anderen Nomen oder anderen Wortarten Komposita bilden. Der letzte Teil ist immer ein Nomen und bestimmt den Artikel des Gesamtwortes.

Nomen + Nomen: **das** Kinder**zimmer** *(ein Zimmer für Kinder (wofür?))*
Verb + Nomen: **die** Bohr**maschine** *(eine Maschine, mit der man bohren kann (wozu?))*
Adjektiv + Nomen: **die** Schnell**straße** *(eine Straße, auf der man schnell fahren kann (wie?))*
Präposition + Nomen: **der** Um**weg** *(ein Weg, der um etwas herumgeht (wohin?))*

Manche Komposita haben aus phonetischen Gründen einen **Verbindungsbuchstaben**: das Arbeit-**s**-zimmer, der Schwein-**e**-braten, die Sonne-**n**-brille.

Nomen mit Suffixen:

Nomen können aus Adjektiven, Verben oder anderen Nomen gebildet werden, indem man eine Silbe anhängt (das Suffix). Das Suffix bestimmt den Artikel des Nomens.

Feminine Suffixe:

Adjektiv	+ -heit		Adjektiv	+ -keit	
schön	+ -heit	▸ die Schönheit	eitel	+ -keit	▸ die Eitelkeit
klug	+ -heit	▸ die Klugheit	großzügig	+ -keit	▸ die Großzügigkeit

Verb	+ -ung		Verb	+ -e		Verb	+ -t	
wohnen	+ -ung	▸ die Wohnung	lieben	+ -e	▸ die Liebe	fahren	+ -t	die Fahrt
hoffen	+ -ung	▸ die Hoffnung	sprechen	+ -e	▸ die Sprache	sehen	+ -t	die Sicht

Nomen	+ -schaft	
der Freund	+ -schaft	▸ die Freundschaft
der Vater	+ -schaft	▸ die Vaterschaft

Maskuline Suffixe:

Verb	+ -er		Nomen	+ -ler	
lehren	+ -er	▸ der Lehrer	Kunst	+ -ler	▸ der Künstler
fahren	+ -er	▸ der Fahrer	Sport	+ -ler	▸ der Sportler

Neutrale Suffixe:

Nomen	+ -chen		Nomen	+ -lein	
das Kind	+ -chen	▸ das Kindchen	der Vogel	+ -lein	▸ das Vöglein
das Haus	+ -chen	▸ das Häuschen	das Buch	+ -lein	▸ das Büchlein

10.2 Adjektive

Komposita:

Adjektive können wie die Nomen ebenfalls Komposita bilden. Die häufigsten Typen sind:

Farben: dunkel**grün** / hell**grün**, tiefschwarz, zartrosa, knallrot, …
Vergleiche: blitz**schnell** *(= schnell wie ein Blitz)*, bildschön, glasklar, steinhart, …
Ergänzungen: fett**arm** *(= arm an Fett)*, baum**reich** *(= reich an Bäumen)*, liebe**voll** *(= voller Liebe)*, … blei**frei** *(= frei von Blei)*, schmerz**los** *(= ohne Schmerzen)*, umwelt**schonend** *(= schont die Umwelt)*, …

Adjektive mit Suffixen (-ig, -isch, -lich, -bar):

Viele Adjektive werden aus einem Grundwort (Nomen, Verb, Adverb) und einem Suffix gebildet.

Nomen	+ -ig	Adjektiv	Verb	+ -ig	▸ Adjektiv	Adverb	+ -ig	▸ Adjektiv
die Ruhe	+ -ig	▸ ruhig	abhängen	+ -ig	▸ abhängig	dort	+ -ig	▸ dortig
der Geist	+ -ig	▸ geistig	auffallen	+ -ig	▸ auffällig	heute	+ -ig	▸ heutig

Nomen	+ -isch	▸ Adjektiv	Verb	+ -isch	▸ Adjektiv
Europa	+ -isch	▸ europäisch	regnen	+ -isch	▸ regnerisch
das Kind	+ -isch	▸ kindisch	wählen	+ -isch	▸ wählerisch

Nomen	+ -lich	▸ Adjektiv	Verb	+ -lich	▸ Adjektiv
die Sprache	+ -lich	▸ sprachlich	verstehen	+ -lich	▸ verständlich
das Jahr	+ -lich	▸ jährlich	ertragen	+ -lich	▸ erträglich

kindisch / kindlich:
- Er hat sich den ganzen Abend über kindisch *(= albern, dumm)* verhalten. *(negativ)*
- Die kindliche Entwicklung durchläuft vorherbestimmbare Phasen. *(neutral)*

Verb	+ -bar	
machen	+ -bar	▸ machbar *(= man kann es machen)*
erkennen	+ -bar	▸ erkennbar *(= man kann es erkennen)*

Adjektive mit Präfix (un-, miss-):

Die Präfixe „un-" und „miss-" machen ein Adjektiv negativ:
- freundlich ≠ unfreundlich *(= nicht freundlich)*
- möglich ≠ unmöglich *(= nicht möglich)*
- lösbar ≠ unlösbar *(= nicht lösbar)*
- verständlich ≠ missverständlich *(= nicht gut verständlich)*

Quellen

Bildquellen

Umschlagfoto: Getty Images, München
ADAGP, Paris: 44 (© Photothèque R. Magritte - ADAGP, Paris 2006/VG Bild-Kunst, Bonn 2006) • adidas, Herzogenaurach: 47.2,3 • AKG, Berlin: 128.3 • Avenue Images GmbH, Hamburg: 47.7 (Ingram Publishing); 62.2,4 (StockDisc); 104.3 (Banana Stock); 116.1 (Creatas); 117.1 (Banana Stock); 140.1,3 (Image Source / RF) • Bananastock RF, Watlington / Oxon: 103.1 • Bausinger GmbH, Straßberg-Kaiseringen: 47.6 (© Bausinger GmbH, www.bausinger.de) • Bausparkasse Schwäbisch Hall AG, Schwäbisch Hall: 73.1 • Bridgeman Art Library, London: 31 • Canon Deutschland, Krefeld: 46.7; Corbis, Düsseldorf: 8.6 (John Henley); 10.2 (Gallo Images/Lanz von Horsten); 11.2 (RF); 20.2 (Paul Colangelo); 30.6 (Russell Underwood); 38 (ANNEBICQUE BERNARD/CORBIS SYGMA); 62.3 (RF); 80.3 (RF); 112.6 (Joseph Sohm; ChromoSohm Inc.); 119.1 (Helen King); 132.2 (Michael S. Yamashita); 139.1 (Ludovic Maisant); 139.2 (Atlantide Phototravel) • Corel Corporation, Ottawa, Ontario: 11.1 • Corel Corporation, Unterschleissheim: 11.4; 18.1; 20.1; 82.1,5 • Creativ Collection Verlag GmbH, Freiburg: 88 • CSI, New Delhi: 8.5 • Das Fotoarchiv, Essen: 20.4 (Charlotte Thege); 75.4 (Knut Mueller); 83.2 (Otto Stadler); 138.1 (Yavuz Arslan); defd, Hamburg: 108 • Deutsche Lufthansa AG, Frankfurt: 73.3 • Die Sportagentur, Neukirchen: 128.4 • Dynevo GmbH, Leverkusen: 46.4 (© Dynevo GmbH. Ein Unternehmen der Bayer Business Services Communication Services/ Graphic Services) • ecopix Fotoagentur, Berlin: 50 (Gruetjen) • EMI Music Germany GmbH & Co. KG, Köln: 132.1 (CD-Cover: Wir Sind Helden, Die Reklamation, Copyright: EMI Music Germany) • Fischer, Artur: Waldachtal: 93.1-4 • Fotex, Hamburg: 32.2 (Susa) • Fotosearch RF, Waukesha, WI: 8.2 (Stockbyte RF); 30.1 (RF); 68.4 (Image Source RF); 80.1; 84.1 (Digital Vision); 104.2 (PhotoDisc); 112.1 (Image Source RF) • Getty Images, München: 8.1 ; 11.3; 24.1; 62.5; 94.2,3 (PhotoDisc); 103.3 (DigitalVision); 103.4 (Photodisc); 104.1 • GLOBUS Infografik, Hamburg: 64 (© 2001-2006 Globus Infografik GmbH); 102; 131 • Haleko, Hamburg: 47.8 (© haleko - Hanseatische Lebensmittel Kontor GmbH & Co. OHG, Hamburg) • IKEA, Hofheim: 46.8 (© IKEA) • Image 100, Berlin: 30.5 (RF) • Image Source, Köln: 21.1 (Imagesource) • Ingram Publishing, Tattenhall Chester: 94.4; 112.8 • Inmagine, Houston TX: 117.3 (Dynamicgraphics RF) • iStockphoto, Calgary, Alberta: 8.4 (RF/Wojciech Krusinsk); 24.2 (RF/ Jordan Chesbroug); 30.4 (FTwitty); 68.1; 75.1; 112.2,4,5,7 (RF); 140.4 (RF/Jaimie D. Travis); 141; Joker, Bonn: 116.2 (Paul Eckenroth) • JupiterImages, Tucson, AZ: 39 (RF/Photos.com); 68.6 (RF); 75.2 (RF/Jack Hollingsworth); 103.2,5; 104.4; 112.3; 116.3; 126; 140.2 (RF/photos.com) • Kettler, Heinz, Ense: 47.9 • Klett-Archiv, Stuttgart: 30 (J. Car); 90 (Aribert Jung); 151.1 (aus: PONS Reisewörterbuch Französisch, Foto: Klett-Archiv, Stuttgart); 151.2 (aus: PONS Reisewörterbuch Griechisch, Foto: Klett-Archiv, Stuttgart); 151.3 (aus: PONS Reisewörterbuch Portugiesisch, Foto: Klett-Archiv, Stuttgart); 151.4 (aus: PONS Reisewörterbuch Thailändisch, Foto: Klett-Archiv, Stuttgart) • Kulka, Matthias, Düsseldorf: 83.1 • Logo, Stuttgart: 46.6 (© www.salewa.de) • Mauritius, Mittenwald: 32.1 (age); 32.3 (André Pöhlmann); 32.4; 53 (age fotostock); 55.1 (Nonstock) • MEV, Augsburg: 10.3; 15; 18.2; 20.3; 21.3; 80.2,4; 117.2 • Miele, Gütersloh: 46.9 (Miele & Cie. KG, Gütersloh) • Oberammergau Tourismus, Oberammergau: 8.3 • Ostkreuz, Berlin: 101 (Ludwig Schirmer) • Panther Media GmbH, München: 36 (Robert Kneschke); 55.2 (Rita Maassen); 68.2 (Matthias Krüttgen); 68.3 (Hermann Otto Feis); 68.5 (Jean Oed); 82.2 (RF/Andrea Knoblich); 82.3 (RF/Mike Essandoh); 82.6 (RF/Wolfgang Röhrl); 84.2 (RF/Hans Eder); 105.1 (RF/Robert Kneschke); 105.2 (RF/ Werner Heiber); 105.3 (RF/Ariane Lohmar); 138.2 (Anja Abel); 138.3 (Thomas Lammeyer) • Peuckert, Michael, Lörrach: 82.4; PhotoAlto, Paris: 24.3; 61 (Eric Audras) • Picture-Alliance, Frankfurt: 30.3 (akg-images); 62.1 (Jörg Lange); 86 (epa/pa); 111 (Zucchi, Uwe); 128.1 (Bernd Weissbrod); 128.2; 136.2 (Robert Fishman); 139.3 (Åke Eson Lindman); 149 (Karl-Josef Hildenbrand) • Polar Electro GmbH Deutschland, Büttelborn: 47.1 • PRfact AG, Zürich: 47.4 (SIGG) • Roeckl Sporthandschuhe GmbH & Co. KG, München: 47.5 (Roeckl Sporthandschuhe GmbH & Co. KG) • Salamander AG, Kornwestheim: 46.1 • Sport Lavit / Anhalt GmbH, Flörsheim-Dalsheim: 47.10 • StepStone Deutschland AG, Düsseldorf: 124 • Tchibo GmbH, Hamburg: 46.3 • The J. Allan Cash Photolibrary, London: 10.1 • The Swatch Group (Deutschland) GmbH, Eschborn: 46.5 •; ullstein bild, Berlin: 46.2; 51 (ecopix); 75.3 (Uselmann); 94.1 (Peter Arnold Inc.); 119.2 (Caro/Meyerbroeker); 136.1 (Jürgen Bauer).

Textquellen

S. 14: Nomaden der Neuzeit © www.jobandfuture.de • S. 19: Die ungleichen Regenwürmer aus: Franz Hohler: Wegwerfgeschichten © Zytglogge Verlag, Oberhofen am Thuner See • Leserbrief © Magazin Verlagsgesellschaft Süddeutsche Zeitung mbH, München • S. 22: Ganz schön einfach? © Springer-Verlag, Heidelberg • S. 33: Geschichte Kuchen backen, nach: Paul Watzlawick: Anleitung zum Unglücklichsein © 1983 Piper Verlag GmbH, München • S. 34: Nirgends gibt es so viel Streit wie in der Nachbarschaft © Reinhard Mawick, Deutsches Allgemeines Sonntagsblatt, 26.11.1999 • S. 36: Klartext reden, © Herbert Lechleitner, Quelle: www.rhetorik.ch • S. 38: Nachbarn helfen Nachbarn © Mieterverein, München • S. 39: Internationale Nachbarschaft © Barbara Mai, Bayer. Fernsehen/RBB Werbung • S. 45: Zwei Sessel, aus: Rainer Malkowski, Die Herkunft der Uhr. Gedichte © 2004 Carl Hanser Verlag, München - Wien • S. 48: Ebay © Tobias Kniebe, SZ-Magazin Nr. 33 • S. 54: Sich von der Macht der Objekte befreien © Ursula Nuber, Psychologie heute, April 1995 • S. 60: Was ist Mediation? © Bundesverband Mediation e. V., Kassel • S. 70: Arbeit in der Welt © Thomas Fischermann, Hamburg, Dr. Uwe Heuser, Hamburg, Dietmar H. Lamparter, Hamburg, in DIE ZEIT, 27.1.2005 (Die kleinen Globalisierer) •

S. 73: Stellenanzeige Flugbegleiter/in © Deutsche Lufthansa AG, Frankfurt am Main; Stellenanzeige Praktikum © Bausparkasse Schwäbisch Hall AG, Schwäbisch Hall • S. 79: Gedicht über Hände, aus: Heinz Kahlau, Die schönsten Gedichte. Ausgewählt von Lutz Görner © Aufbau Verlagsgruppe GmbH, Berlin 1964 (das Gedicht erschien erstmals 1964 in Heinz Kahlau: Der Fluß der Dinge. Gedichte aus 10 Jahren, im Aufbau-Verlag: Aufbau ist eine Marke der Aufbau Verlagsgruppe GmbH) • S. 80: Im Birnbaumschatten, aus: Karl Krolow: Die Zeichen der Welt © Luzie Krolow, Darmstadt; „Ein Sturm hat gestern Nacht ... nackten Ästen verwandelt" aus: Wolfgang Hildesheimer, Lieblose Legenden © Suhrkamp Verlag, Frankfurt am Main 1962 • S. 82: Die Natur als Lehrmeister © Bayerischer Rundfunk, München • S. 84: Meinungen und Kommentare © Helmut Gräter, www.apollo.zeit.de/kommentare/indexwf.php?km_id=288 • S. 86 Hwang will trotz langem Sündenregister wieder klonen © Prof. Dr. Roland Graf, Alpthal, http://cloning.ch/newsdetails.php?recordID=53 (Klonen, Stammzellen, Embryonenforschung und PID); Die Geschichte übers Klonen... © Heike Hupertz, Friedrichsdorf • S. 88: Genfood – Segen oder Fluch? © Bernadette Schweda, Berlin • S. 90: Kräutergarten der Natur © Medizinauskunft, Dießen • S. 94: Man kann Wissen erwerben © Bibliographisches Institut & F. A. Brockhaus, Mannheim; Wissen © www.phillex.de; Das Wort Wissen ... © www.almanach.online.de • S. 95: Kleines Quiz © www.wissen.de • S. 98: Macht Musik klüger? © Philip Wolff, in: SZ Wissen 17.12.2005, Süddeutsche Zeitung, München • S. 100: Das Geheimnis der Musikgenies © Westdeutscher Rundfunk, Köln • Das Lustobjekt Gehirn © Margit Mertens, in: Generalanzeiger 28.1.2006, Bonn • S. 104: Was es ist, aus: Erich Fried, Es ist was es ist. © Verlag Klaus Wagenbach, Berlin 1983, NA 1996 • S. 106: Was sind Gefühle überhaupt? © Heiko Ernst, Psychologie Heute 1/2006 • S. 110/111: San Salvador, aus: Peter Bichsel, Eigentlich möchte Frau Blum den Milchmann kennenlernen. 21 Geschichten. © Suhrkamp Verlag Frankfurt am Main 1993 • S. 111: Über Peter Bichsel © Beatrice Sandberg, Essen • S. 113: E-mail © Katharina Litschauer, Wien • S. 117: Persönliche Erfahrungen im Ausland © www.auswandern-heute.de • S. 118: Wie bekomme ich Informationen? © Eurodesk Deutschland, IJAB e. V., Bonn • S. 124: Was sind die Voraussetzungen? © Stepstone, Düsseldorf • S. 126: Geister in der Stadt © Mei-Huey Chen, Berliner Zeitung 22.5.1998 • S. 127: Interkulturelle Kommunikation © Küsters 1998, Deutscher Universitäts-Verlag, Wiesbaden • Tabelle © Kroeber-Riel/Weinberg, Verlag Vahlen, München • S. 136: Laborschule Bielefeld © Westdeutscher Rundfunk, Köln • Zitat von H. v. Hentig: An dieser Schule ... © Universität Bielefeld, Laborschule • S. 143: Sitzt man im Flugzeug ... © Germanwings GmbH, Köln • Kennen Sie das? © www.egonet.de • S. 143: Im Aufzug ... © Cocomore AG, Frankfurt am Main, Vericon Ratgeber VK 45 Small Talk • Kommunikationstrainerin Topf © Bohmann Druck & Verlag, Wien • S. 147: Die Macht der wortlosen Sprache, Weltsprache oder Geheimcode? © Julia Lohrmann, Brühl

Hörtexte

Lek. 1: Klopf, klopf, liebes Pärchen © Judka Strittmatter, Berlin • Lek. 3: Nachbarschaftshilfe im globalen Dorf, 1. Teil © Interview von N. Hollermeier, in: Süddeutsche Zeitung vom 16.11.2005; 2. Teil © www.nabuur.com • „Los!", Interpretin: Pe Werner, EMI Kick Musikverlag GmbH, Hamburg, EMI Nobile Musikverlag GmbH, Hamburg, Text und Komposition: Pe Werner, 1993 Intercord Ton GmbH • Lek. 4: Zehn goldene Regeln © Dr. Albert Thiele: Kleiner Knigge, mit freundlicher Genehmigung des Heise Zeitschriften Verlages • Messie-Syndrom © Marion Kraske, SPIEGEL ONLINE – 22. April 2002 URL: http://www.spiegel.de/panorama/0,1518,192429,00.html • Lek. 6: Generation Praktikum © www.jobandfuture.de • Spaß bei der Arbeit © Malik Management Zentrum, St. Gallen, aus: brand eins 7/2005 • Lek. 7: Die kleine Schneeflocke © Reinhold Schneider, Insel Verlag, Frankfurt • Die Natur als Ingenieur: Was ist Bionik? © Bayerischer Rundfunk, München • Lek. 8: Abenteuerspielplatz im Kopf © campus-web.de, Bonn • Eine Präsentation, Quelle: Folien im Buch S. 96 nachgebaut; Text stark verändert © 2001 – 2006 Sven Lehmann – Unternehmer, Berater, Coach – Kontakt & Impressum Telefon: 03423-603406, Telefax: 03423-604672, http://www.seven-lehmann.de/aktuell/top-thema/wissen-koennen-entwickelt-sich-unterschiedlich.html • Vergessen © Prof. Hans Markowitsch, Universität Bielefeld • Lek. 9: Militärschnitt © Ronald-Henss-Verlag, Saarbrücken • Lek. 10: Interview Studentin/Eurodesk © Eurodesk Deutschland, IJAB e. V., Bonn • Lek. 11: „Müssen nur wollen", Interpreten: Wir sind Helden, Freudenhaus Musikverlag/Partitur Musikverlag GbR/Wintrup Musikverlag, Text und Komposition: Judith Holofernes, Reklamation Records

Trotz intensiver Bemühungen konnten wir nicht alle Rechteinhaber ausfindig machen. Für Hinweise ist der Verlag dankbar.

Ordinary differential equations

Mathematics for Engineers

The series is designed to provide engineering students in colleges and universities with a mathematical toolkit, each book including the mathematics in an engineering context. Numerous worked examples, and problems with answers, are included.

1. Laplace and z-transforms
2. Ordinary differential equations

Titles in production

3. Complex numbers
4. Fourier series